Michel THIOLLIERE

JOHN LE SHETLANDAIS

Le voyage américain

Roman

Cette édition de *John le Shetlandais*
est publiée par Maxi-Livres/Profrance
avec l'aimable autorisation des Éditions du Parc
et Éditions Horvath
© 1993, Éditions du Parc — Éditions Horvath

à Dominique,

à Florence et Guillaume.

« ... Allumez la torche et mettez-vous en marche,
Et faites entendre le roulement du tambour,
Et réveillez le souvenir prestigieux des héros muets,
Les vagues continuent à rouler... »

Chant traditionnel shetlandais.

« Je vous laisse ici un petit livre,
pour que vous le regardiez,
Que vous puissiez voir le visage de votre père,
Quand il sera mort et parti. »

John ROGERS, 1554.

« Ecris-toi toujours à toi-même
et tu écris à un public éternel. »

Ralph Waldo EMERSON

AVANT-PROPOS

Ce livre est une œuvre de fiction ; elle ne s'en inspire pas moins d'une histoire vraie : celle de John Harrower, seul serviteur sous contrat dont le témoignage soit parvenu jusqu'à nous. Il n'avait pas quarante ans lorsqu'il quitta en 1773 le port de Lerwick, dans les Iles Shetland, laissant sa femme Ann et leurs trois enfants dans l'espoir fou de trouver ailleurs de quoi nourrir les siens.

Heureusement pour nous, du jour de son départ, John HARROWER prit le soin de tenir son journal. Et pendant près de trois ans, jour après jour, il raconta son voyage et son installation en Virginie.

Le journal de John HARROWER, petit cahier de huit pouces sur six, repose aujourd'hui aux Archives Coloniales de Williamsburg, en Virginie, ancienne capitale des colonies britanniques où la famille CORBIN l'a placé en dépôt. En 1900, le Dr. JAMESON en a publié les premiers extraits dans une revue d'histoire mais ce n'est qu'en 1963 que l'historien Edward Miles RILEY en a publié une version intégrale.

Grâce à la diligente compréhension de la "Colonial Williamsburg Foundation" (Virginie), il nous est loisible de publier plusieurs extraits du journal de John Harrower ; dans le même temps, nous devons aux Archives de la "Virginia State Library" (Richmond, Virginie) de publier la lettre de Ann Harrower. Que l'une et l'autre trouvent ici les marques de notre gratitude.

La chance veut que Belvidera, plantation prospère et fort visitée, existe toujours, sur les rives du Rappahannock, en Virginie, à quatre-vingts kilomètres au sud de Washington. Qu'il nous soit donc permis de remercier chaleureusement la famille FULKS, actuelle propriétaire de "Belvedere Plantation", qui nous a ouvert les portes et la mémoire de la Grande Maison.

PREMIERE PARTIE

LE VOYAGE

* DECEMBRE 1773 – MAI 1774 *

« ... l'homme avait commencé à courir. Maintenant, il n'était pas encore très loin de la porte, mais sa femme et ses enfants le voyant, commencèrent à pleurer pour lui demander de revenir : mais l'homme se mit les doigts sur les oreilles et continua à courir en criant, "Vie, Vie, Vie éternelle". »

John BUNYAN

1

Dans la brume d'un soir d'hiver, l'île de Bressay n'était plus qu'une masse sombre, dure et froide. Les trois quarts de mille qui la séparent de Lerwick avaient paru longs au capitaine Craigie après cette journée harassante passée à caréner son sloop. Cela faisait déjà plusieurs semaines qu'il s'affairait avec deux de ses hommes sur le bateau. Et le travail était loin d'être terminé ! Les marins de Lerwick profitaient de la clémence relative de ce mois de décembre pour réparer filets et bateaux avant que le gel ne paralyse toute activité. Heureusement, l'hiver ne s'était pas jusqu'alors annoncé trop rude et les Shetland ne verraient peut-être pas s'exiler cette année-là trop de leurs hommes anéantis par les difficultés. Le printemps suivant apporterait aux îles, par la grâce de Dieu, encore de quoi nourrir les familles des pêcheurs et des marchands. C'est en tout cas l'espoir auquel s'accrochaient tous les Shetlandais. Comme chaque année... depuis des siècles...

James Craigie était un homme robuste au regard clair et intelligent. En quelques années, il était devenu l'un des marchands les plus influents des Shetland. Sa haute silhouette blonde s'était imposée partout sur le Mainland ; il n'était pas rare que les marins de Foula, d'Unst ou de Fair Isle, de passage à Lerwick, se retournent sur les quais, heureux de le reconnaître. Fiers même de pouvoir le saluer.

— Qu'on en finisse avec le sloop ! dit James Craigie comme pour lui-même.

— C'est rien à côté de ce qu'il y a à faire sur la frégate, lança Tom, un des meilleurs ouvriers du capitaine.

Ce dernier ne répondit pas car le bac venait d'aborder et le passeur de sauter sur le quai pour amarrer la barge. Un léger à-coup avait obligé la douzaine de passagers à se retenir à la corde du bastingage.

Puis, l'un après l'autre, ils prirent pied sur le quai. Les planches de bois étaient branlantes et la bruine continue de ces jours derniers les avait rendues glissantes. Il fallait avoir le pied marin pour tenir debout ! D'ailleurs, le pasteur James Sands qui venait de donner les derniers sacrements à la vieille Charlotte Gray, partit d'un juron sonore qui fit hurler de rire tous les hommes. Ils avaient tous remonté le col de leur manteau pour lutter contre le froid. Et s'ils avaient jusqu'alors semblé recueillis, ce n'est pas à la présence du pasteur qu'ils le devaient, mais bien davantage au froid.

— Que Dieu vous pardonne, James ! fit le capitaine.

— Il n'a pas entendu... bougonna-t-il.

— Allez vite vous racheter en enseignant à nos petits les lois divines et les bonnes manières. Quoiqu'auprès votre écart de langage, on puisse se demander si vous êtes le mieux placé pour cela !

— Ne blasphémez pas, mon fils !... je cours chez vous. Les enfants doivent m'attendre.

— C'est vrai, ma petite Peggy vous attendait déjà hier soir et son frère William s'est battu avec elle à ce sujet.

— Ah bon ?

— Lui n'a pas très envie de subir vos leçons, vous comprenez ! Dites à Margaret de ne pas m'attendre trop tôt. Je passe régler quelques affaires à l'auberge.

— Je vois !

Le pasteur avait déjà pris de l'avance sur le capitaine Craigie et ses ouvriers. Le groupe s'était dispersé. On distinguait difficilement les formes dans la nuit. La lune proche de l'horizon diffusait une faible lueur qui avait du mal à filtrer à travers le défilé rapide des nuages. Le vent toujours violent et rarement interrompu déferlait sur les îles sans trouver un obstacle pour l'arrêter. Les quelques lumières éparses des maisons laissaient supposer que Lerwick vivait encore. A vrai dire, il n'était pas très tard. Peut-être sept heures. Mais la nuit avait recouvert l'île depuis si longtemps que tout paraissait endormi. Fort Charlotte dominait le village de son architecture de pierre et montait une garde rassurante du haut de son donjon et de ses créneaux.

Il n'était pas possible de parler. Le ressac et le vent anéantissaient toute voix et les quelques paroles arrachées aux lèvres gercées par le sel marin s'envolaient, puis se disloquaient, comme autant de volutes de fumées déchirées.

James Craigie attendit donc d'être attablé à l'auberge pour reprendre la conversation. Il s'était assis avec ses deux hommes, Tom et Larry, à la table de Boyston et de Bob Forbes. Boyston venait de Shiels Nord pour discuter avec le charpentier des réparations de ses bateaux. C'était un patron dont on ne disait pas le plus grand bien dans les îles. Il avait fait souvent naviguer des bateaux qui ne tenaient pas la mer. Il les faisait partir jusqu'à ce que le pire se produise : le naufrage d'une frégate, il y a quelques années, au large des îles Féroé, encore présent à l'esprit de tout Lerwick, n'avait-il pas été mis sur le compte de la négligence coupable de Boyston ?

—En voilà une surprise, Boyston ! dit James Craigie. A pareille époque, je vous croyais au coin du feu avec votre douce épouse, si belle à ce que l'on dit que vous hésitez souvent à partir loin d'elle.

—C'est ma foi vrai, Craigie ! répondit Boyston, ravi d'un tel compliment. Mais les bateaux ont des exigences parfois plus difficiles à satisfaire que les femmes les plus belles.

—Doucement, Boyston ! non, pas vous ! Ne nous arrachez pas des larmes sur votre conscience professionnelle ! Mais j'en profite pour vous demander si vous n'auriez pas un petit cabestan à me vendre. J'attaque les travaux sur ma frégate dans quelques jours, ça m'éviterait d'en faire fabriquer un.

Le patron du Shiels Nord se rengorgea, passa les doigts dans son épaisse moustache rousse, puis leva les yeux au ciel comme pour implorer le Seigneur avant de fixer un regard ironique sur le capitaine Craigie.

—J'en ai fait faire deux par le menuisier de Cunningsburg. Mais j'en aurai peut-être besoin cet hiver, alors ! Voyez-vous, cela vous apprendra à dénigrer votre prochain ! Boyston a mauvaise réputation, c'est vrai, mais lui, c'est un patron, un vrai ! Allez, salut tout le monde.

Robert Forbes, qui avait écouté sans prendre part à la conversation, parut indigné.

—Ce salaud ! cette vieille carcasse de marsouin ! Vous avez entendu ? il a deux cabestans dont il n'a que faire et il ne veut pas en vendre un...

—Laisse tomber, Bob, fit le capitaine Craigie. Laisse tomber. Il ne l'emportera pas au paradis !

—Ah ! si j'étais menuisier, vous l'auriez votre cabestan, capitaine !

—Eh oui ! Le malheur, vois-tu, c'est que tu es maçon ! Alors, bois un bon coup et parlons d'autre chose.

James Craigie venait souvent à l'auberge le soir comme tous les hommes de Lerwick. C'était le seul endroit du port où l'on pouvait se retrouver à la mauvaise saison pour parler affaires. Lerwick n'était qu'un petit port de pêche de quelques maisons, abrité du large par l'île de Bressay. Il semblait là depuis toujours, posé depuis l'éternité sur cette côte septentrionale. Rien n'avait changé. Rien ne changerait jamais.

Au meilleur de l'année, des dizaines de mâts vont et viennent sur ce bras de mer qui sépare l'île du port, et les pêcheurs sentant le hareng à des lieues à la ronde n'ont pas le temps d'aller à la taverne. Dès qu'ils sont à terre, ils passent quelques heures chez eux avec leurs femmes. Ivres d'attendre, ils se frottent l'un à l'autre. Les femmes ne se donnent même plus le plaisir de résister. Ils ne pensent même plus au petit qui peut naître de ce combat. Il vaut mieux... après tout... puis les hommes s'affairent sur les cales endommagées et les femmes ravaudent les filets. Et ils repartent. Le temps passé à terre ne se rattrape pas et l'on reconnaît les meilleurs patrons au fait qu'ils ne mettent jamais le pied à terre. D'où le risque d'avaries nombreuses lorsqu'on ne prend pas la précaution de consolider les mâts ou les coques mis à rude épreuve par les tempêtes.

Bien sûr, ce lundi 6 décembre 1773, James Craigie n'était pas venu à l'auberge pour une raison particulière. Il parlait avec ses hommes du travail en cours. Mais il ne s'attendait pas à ce que Robert Forbes, le maçon, lui annonçât une nouvelle dont il aurait souhaité être le premier informé. Il se faisait une haute opinion de ses devoirs envers sa famille et il estimait qu'il devait en être de même à son endroit. Aussi marqua-t-il une pause avant de reprendre ses esprits.

—Mon beau-frère est parti, mais parti où?

—Il a embarqué ce matin sur le sloop de William Bell, répondit Robert Forbes.

—Pour Newcastle?

—C'est ça.

Interloqué, James Craigie, fixa la flamme vacillante de la bougie.

—Ils vont avoir un drôle de temps! fit-il simplement. Mais ils sont fous de partir un six décembre. Ils vont essuyer de sacrés coups de vent, sans compter les glaces qu'ils peuvent trouver d'ici à leur retour. Ah! j'ai toujours dit à ma sœur que ce John Harrower n'était pas très conscient de ce qu'il faisait. Mais diable qu'est-il allé faire en Angleterre? Et quand doit-il revenir?

Robert Forbes et les autres hommes échangeaient des clins d'œil de connivence et paraissaient très surpris que le capitaine Craigie ne fût pas au courant d'une nouvelle que tout Lerwick commentait depuis le matin. William Ferguson s'était rapproché et avait pris place à leur table. Il était marié à Ann Ross, la sœur de Margaret, femme du capitaine. Vers 1760, les deux sœurs Ross avaient fait chavirer plus d'un cœur et l'on racontait même que William Ferguson et James Craigie avaient un soir de beuverie tiré au sort le nom de celle qu'ils épouseraient. Ce fut donc Margaret pour le capitaine et Ann pour le contrôleur des finances Ferguson. C'est dire qu'une longue complicité unissait ces deux hommes !

— Alors ? questionna William Ferguson, John Harrower est parti et tu ne le savais pas ?

Il éclata d'un rire sardonique. Il avait du mal à faire oublier aux uns et aux autres qu'il était à l'origine du départ de John. Pourquoi le poursuivait-il depuis des mois pour lui arracher jusqu'au dernier shilling ?

Certains juraient qu'il avait des vues sur Ann, l'épouse de John, et, qu'éconduit, il se vengeait ainsi...

— Je viens de l'apprendre, dit James.

Tounton, le tenancier se campa tout droit au milieu de la salle.

— Vous ne pouvez pas comprendre, vous, hurla-t-il. Ne lui jetez pas la pierre ! Il est parti parce qu'on crève tous de faim sur cette foutue île. Pas vous, bien sûr, les Ferguson, les Craigie. Mais nous, oui ! Et Harrower est comme nous. Il est parti chercher du travail pour nourrir sa famille. Pour être libre, pour vous fuir, vous, les oiseaux de proie. Pour que ses enfants soient fiers de leur père ! Demandez donc à Twenton, à Commergan, à Filthan ! Eux aussi, ils voudraient bien partir ! Oui, ils voudraient bien...

— Arrête-toi un peu, coupa James Craigie. Tu sais bien que je peux aider ma sœur Ann, ses enfants et son John de mari !

— Il n'en voulait pas de votre aide, capitaine !

Le capitaine était rouge de fureur mais cela n'empêcha pas ce grand gaillard de Tounton de poursuivre.

— Il est fier, John ! Il est fier et il veut nourrir sa famille seul. Ça vous étonne, vous, qu'il soit parti ? Ça vous étonne, vous, les Craigie, les Ferguson ? Vous ne savez pas ce que c'est que la faim, les impôts, l'humiliation. Il veut être libre et il a raison, John ! Et quand il reviendra, il pourra vous regarder en face, droit dans les yeux, parce qu'il gagnera sa vie et celle de sa famille. C'est comme ça ! et je l'approuve !

Les mots de Tounton tombèrent sur une salle médusée. Jamais on n'avait entendu le tenancier parler aussi haut et aussi fort, surtout en présence des plus puissants de Lerwick. Quelques-uns, les plus humbles, se demandaient ce qui lui avait pris. A croire qu'il défendait

17

mieux John Harrower que son propre beau-frère ne l'aurait fait. A croire qu'il se sentait si proche de lui qu'il en parlait comme d'un frère. Les premières secondes d'étonnement passées, le capitaine Craigie se leva. Il lança à ses hommes : "Demain matin, au sloop", tourna sèchement les talons et fit claquer la porte.

Dans les brumes du soir et les écharpes de brouillard qui arrivaient de la terre, James Craigie prit le chemin qui le conduisait chez lui. Le vent était tombé et l'air semblait soudain plus léger. Dix pas derrière lui, Robert Forbes suivait. Il parcourut quelques yards comme pour rattraper le capitaine, le héla en bredouillant deux ou trois mots que James n'entendit pas ou feignit de ne pas entendre puis s'en retourna à la taverne en grommelant.

Il n'y avait que quatre années que les Craigie s'étaient installés dans leur nouvelle maison, une grande demeure de pierre, longue et basse, un peu en retrait du village sur une petite butte face à l'ouest et au large. En entrant chez lui, James trouva sa femme et ses trois enfants en compagnie du pasteur James Sands et de James Vance. Ce dernier était très estimé à Lerwick où sa seule occupation était de rendre service aux uns et aux autres ; il faisait quelques voyages en Écosse où il vendait sa production de lainages et rencontrait les autorités d'Edimbourg et de Dundee. Il était même allé en Hollande où il avait fait de très bonnes affaires mais il revenait toujours à Lerwick avec la même simplicité. Sa générosité lui avait valu des déconvenues et les mauvaises langues soupçonnaient son épouse en secondes noces, Barbara, d'avoir eu dans l'idée de faire un bon placement en jetant son dévolu sur James Vance. Mal lui en avait pris, à ce qu'on disait, puisque James n'avait de libéralités que pour l'église et l'école.

Le pasteur et James Vance étaient donc bons amis. Quant à Barbara, femme accorte et délicieusement enjouée, elle se consolait dans les bras des marins de passage.

Lorsqu'ils eurent discuté des affaires de l'église et que Margaret eut apporté un bouillon chaud et de la galette, le pasteur décida James Craigie à rendre visite à sa demi-sœur.

—Nous devrions aller voir Ann. Elle doit être désemparée.

—Oh oui ! fit John, le fils aîné des Craigie, oh oui, père ! Jack et Bettie ont pleuré toute la journée, parce que mon oncle John est parti. Il n'y a que mon cousin George qui disait que son père allait vite revenir et qu'il l'emmènerait lui aussi en voyage. Vous savez, tante Ann était triste. Elle ne semblait même pas avoir la force

18

d'entretenir le feu dans l'âtre. Il a fallu que Jack aille chercher la tourbe. Même M.J. n'a rien pu faire de la journée.

James Craigie fut convaincu. Il emmena le pasteur et son fils aîné, à Twagoes où habitaient les Harrower.

Ann était assise sur un petit tabouret de bois, son corps triste et noir cassé sur lui-même. Ses doigts blancs s'agitaient dans le cliquetis des aiguilles pour faire avancer le tricot.

Parfois son pied revenait en arrière comme pour mieux prendre appui alors que ses lèvres charnues restaient scellées. Tout le jour, cette jeune femme s'était repliée sur sa laine écrue, seule, figée dans un mouvement mécanique et séculaire alors que la grande pièce résonnait des pleurs de ses trois enfants. Elle n'avait rien fait, rien inventé, rien raconté à Jack, Bettie et George pour leur dissimuler la vérité. Oui, leur père était parti. Et l'on ne savait pas quand il reviendrait. Il était parti pour qu'un jour les souffrances des siens fussent plus faciles à supporter. Il fallait bien en sortir de ce monde ensorcelé qui laisse toujours les mêmes dans l'embarras et la pauvreté. Puisqu'il y avait du travail ailleurs, là-bas, en Ecosse, en Angleterre ou en Hollande, eh bien, c'est là-bas qu'il irait pour nourrir les siens et leur apporter un peu plus de dignité.

Le pasteur ne disait-il pas que la foi en Dieu et le travail apportent la délivrance de l'Homme et le salut de l'Ame? Les Saintes Ecritures ne décrivaient-elles pas des pays où les villes regorgent de richesses et les terres donnent des récoltes à profusion?

Il était parti seul dans le silence du matin à l'heure où la nuit permet encore aux silhouettes de se dissimuler le long des quais et où les pas sont couverts par le sifflement du vent dans les drisses. Cela avait été dur pour lui et encore plus dur pour Ann qui restait avec les enfants. Leur étreinte du matin sur le seuil de la maison s'était prolongée. Ann voulait conserver la chaleur de John, son souffle, ses mots le plus longtemps en elle. Il lui semblait qu'ainsi elle pourrait mieux affronter la solitude. Au réveil des enfants, elle avait dominé sa peine en leur expliquant que leur père était parti. Elle était fière d'y être parvenue.

Le capitaine Craigie trouva donc Ann, ses neveux et sa nièce dans une maison sombre et froide. Jack racontait à Bettie et George l'histoire des trolls, qui venaient hanter les maisons des îles. Jack mimait ces petites créatures qui ensorcelaient le violoneux imprudent et ils se serraient l'un contre l'autre, inquiets. De temps en temps, leur mère levait un œil dans leur direction et répondait d'un mot aux interrogations de Jack lorsqu'il oubliait le fil de son histoire.

—Tiens, voilà votre oncle. Il la connaît, lui, l'histoire des trolls. Il pourra continuer à vous la raconter. Et puis, voilà votre cousin John et notre pasteur. Faites-leur une place à notre table.

A voir le visage renfrogné de James Craigie, Ann comprit que cela ne présentait rien de bon. Il avait dû apprendre le départ de John.

—Comment aurais-je pu te l'annoncer, James ? Tu aurais tout fait pour ne pas le laisser partir.

Le capitaine ne disait toujours pas un mot. Il s'approcha de l'âtre. Le feu mourait. Il accrocha à la crémaillère sa pelisse ruisselante. Quelques gouttelettes crépitèrent en tombant sur les braises.

—Tu sais bien que cela ne pouvait plus durer, reprit Ann. Depuis la dernière campagne de pêche, il n'a plus travaillé.

—Je t'ai toujours dit que cet Harrower était un incapable, un aventurier...

Craigie contenait difficilement sa colère. Il gesticulait en allant et venant dans la pièce.

—Quand je pense qu'il ne m'a rien dit ! Et toi, Ann, tu étais au courant ? Bien sûr, qu'elle était au courant, quelle question ! Mais elle préfère suivre aveuglément son mari plutôt que de se confier à son frère !

—Je t'en supplie, James, arrête-toi ! Pas maintenant, je t'en supplie !

—Qui va vous nourrir pendant qu'il n'est pas là ?

—Je vendrai des bas de laine.

—Cela ne vaut pas grand chose. Tout le monde vend des bas de laine. Tu ne comprends donc rien, nom de Dieu !

—Ne blasphémez pas, capitaine. Je vous le demande, au nom du Seigneur, fit le pasteur d'un clin d'œil qui se voulait apaisant.

—Je changerai de maison et M.J. va s'en aller, poursuivit Ann.

Le serviteur des Harrower, le vieux M.J., était tapi au fond de la pièce. Les hommes n'avaient pas encore vu sa silhouette d'un autre âge, pelotonnée sur elle-même. Il fit simplement un signe de la tête, repris par un geste de la main pour confirmer ce que venait de dire Ann. Il se ramassa encore davantage comme pour s'excuser d'être devenu une charge.

—Tu es sérieux M.J.... tu es propre... tu es un peu vieux maintenant, bien sûr, mais je te prends à la maison quand même. Tu blanchiras le linge et répareras mon appentis.

Le vieil homme à la barbe blanche et aux yeux éteints par une vie de servitude accepta cette proposition du capitaine d'un simple hochement de tête.

Le pasteur prit alors la parole. Le moment était venu d'en appeler au ciel.

—Nous allons prier le Seigneur pour que notre frère John soit protégé et pour que sa famille vive en paix. Donne-nous la Bible, Bettie.

—Père l'a emportée, répondit la fillette.

—Une famille chrétienne ne peut pas rester sans Bible. Comment votre père a-t-il pu vous abandonner sans Bible ?

—Il en aura plus besoin que nous, soupira la petite Bettie.

2

Depuis le matin, John était en mer.

Il lui avait fallu attendre plus de trente années pour que son rêve devînt enfin réalité.

Ne sachant s'il aurait la force de résister au temps, il hésitait entre le bonheur du voyage et la tristesse du départ.

L'océan était calme et, aussi loin que portait son regard à travers le filet gris des brumes crépusculaires, aucune écume blanche ne venait signaler l'imminence d'un coup de vent. Le sloop du capitaine Oconachie laissait derrière lui un sillage régulier.

Au petit matin, il lui avait fallu près de deux heures pour sortir de la passe de Bressay. Pas la moindre brise. Et John craignait que tout Lerwick découvrît au lever du jour la mâture du sloop à quelques encâblures seulement du port. Peut-être les femmes et les hommes venus sur la jetée auraient-ils pu alors les convaincre de ne pas partir et d'attendre le retour des beaux jours ? Peut-être aurait-il dû alors renoncer à ce voyage qu'il préparait depuis des mois ?

Pendant la nuit, la mer avait tellement calmé que pas une ride n'agitait la surface des flots. Pas un souffle n'était venu gonfler les voiles des trois sloops qui à la même heure avaient tenté de prendre le large jusqu'au moment où, ayant enfin passé le cap de l'Ord, le vent de nord-ouest avait poussé les frêles esquifs hors des eaux shetlandaises.

Le sloop d'Oconachie était un petit bateau à un seul mât et à un foc comme il en existait des dizaines dans les îles. Parmi les trois sloops sortis du port, seul celui d'Oconachie mettait le cap sur l'Ecosse tandis que les deux autres se contentaient de caboter le long des côtes pour desservir, l'un l'île de Mousa et l'autre l'île de Foula à l'ouest du Mainland.

A la poupe, John Harrower s'accrochait à un cordage qui tenait lieu de bastingage. Il regardait défiler les côtes du Mainland dont le contour se précisait au fur et à mesure que le jour se levait. Les goélands, familiers des îles, s'arrachant aux rochers, prenaient un à un leur envol pour saluer les bateaux. D'un même souffle glacé, la brise marine portait les oiseaux engourdis et gonflait les voiles paresseuses des sloops. D'un bateau à l'autre les hommes se distinguaient très nettement mais ne se parlaient pas. Seules les retrouvailles donnaient lieu à des effusions spontanées. Au départ, les hommes ne dépensaient au contraire aucune énergie superflue. Tout leur esprit se concentrait sur les diverses manœuvres à effectuer. Tout en eux cherchait à sublimer la moindre parcelle de volonté. Il fallait passer. Il fallait tenir.

Alors que le gris du ciel se retirait peu à peu pour laisser la place aux pâles lueurs laiteuses du matin, les phoques, couleur de granit, roulaient dans les eaux froides. Plus haut, à l'horizon, la silhouette des poneys se détachait sur la lande de Mousa.

Quelques heures plus tard le sloop d'Oconachie se retrouva seul sur l'océan et dans le lointain on ne discernait plus qu'une ligne prise entre le blanc brillant du ciel et le gris sombre des eaux.

Du plus profond de la mémoire de John lui revint une image. C'était dans ses Shetland ; il était encore un tout petit Johnnie de quatre ou cinq années, pas plus. Il donnait la main à grand-père Bulgan sur la route qui conduit aux rochers de Sunburgh Head. Grand-père était un géant. De sa bouche sortait une claire fumée dans le blanc épais du ciel ; les longues brindilles gelées de sa moustache étaient comme un fagot de sorcière. Et quand il se plantait là, face au large, John ressentait un immense bonheur. Dans sa tête bourdonnante se fracassaient l'écho des légendes que racontait grand-père et le tumulte des vagues au pied des rochers. Il croyait entendre la voix de Brigdi, démon des mers. Il avait un peu peur au fond de lui. Mais c'était tellement bon que d'avoir peur, la main serrée dans celle de grand-père ! Ses oreilles entendaient — elles en étaient sûres ! — la voix du terrifiant Teran, esprit de l'hiver. Il n'avait plus qu'une envie malgré la terreur qui le glaçait plus fort que le froid : chevaucher le Serpent du monde, là-bas, tout au fond, là où les vagues caressent le ciel...

Les Shetland s'éloignaient ; John lança machinalement un baiser d'adieu à ses îles qu'il n'avait jamais quittées. Le Perchoir de Fitful Head qui de ses neuf cents pieds surplombe la sauvage mousse blanche des vagues en furie avait perdu de sa majesté. Pour la première fois, son archipel abandonné au nord de l'Ecosse lui parut fragile comme une poignée de sable jetée à la volée par un Dieu tout puissant. Le Créateur ne se serait-il pas débarrassé ici de quelques éclats de pierre repoussés par son ciseau au fur et à mesure qu'il ciselait le contour des continents ?

Puis vinrent les premiers miroitements du jour sur les vagues longues, amples et régulières.

John se retourna alors vers un certain Barclay, l'air absent, la tête légèrement inclinée. Il laissa tomber simplement :

—Eh oui !...

—Eh oui ! reprit Barclay. Nous sommes partis. Je suppose que toi, tu pars chercher du travail et qu'ensuite tu feras venir ta femme auprès de toi, non ?

—Peut-être...

John avait le regard profond des hommes qui parlent peu mais sont habités d'une vie intérieure intense. La lecture assidue de l'Ancien Testament et des Evangiles, aussi bien que les légendes shetlandaises racontées de génération en génération, l'avaient pétri de valeurs simples. Il émanait de lui une émouvante candeur.

Barclay eut le tort de poursuivre son propos sur le mode de l'insinuation. Cela le contraria fortement.

—Tu as une femme jeune, John ? Elle est jeune mais elle est surtout merveilleusement belle... Cette beauté des Graeme ! Les mêmes yeux en amande que ceux de sa mère ! Ce même vert, plus profond que celui de l'océan ! Tu aurais dû l'emmener avec toi, John. En Hollande, vous auriez pu tous vous installer. C'est risqué, tu sais, de laisser une femme aussi belle. Moi, je ne l'aurais pas fait !

—Tais-toi, fit-il.

—A Lerwick, continua Barclay qui feignait de ne pas voir le visage congestionné de Harrower, on doit penser que tu es un mari bien naïf...

C'en était trop. John se jeta sur Barclay pour l'empoigner au col. Il le dépassait d'une tête et le fit décoller pour le placer à hauteur de ses yeux. Ses longues mèches blondes venaient battre le front du passager et ses lèvres gercées par le froid ne s'entrouvraient que pour grommeler un autre "Tais-toi, Barclay. Tais-toi !"

Voyant que les deux hommes en venaient aux mains et que le visage du pauvre Barclay avait blémi, Oconachie s'interposa calmement et fit lâcher prise à John.

24

—Ne t'emporte pas, Harrower! Quant à toi, Barclay, mesure tes propos, lança-t-il d'une voix forte pour couvrir le vacarme des flots qui battaient l'étrave.

John détourna la tête et dit d'un ton méprisant :

—Tu as entendu, Barclay? Tu as entendu le capitaine? Tiens ta langue, sinon...

—Allez, allez, reprit Oconachie. Arrêtons-là cette dispute stérile. Rentrez vous mettre au sec. Prenez du repos car la nuit sera rude. Le passage de Peterhead s'annonce mal.

Le Capitaine Oconachie avait raison. Sa connaissance des eaux septentrionales ne l'avait pas trahi, une fois de plus. Chacun le tenait à Lerwick pour un excellent marin. C'était vraiment dommage de ne pas lui avoir confié un plus gros bateau, une goëlette ou un brigantin. Il aurait mérité de faire les grands passages de Terre-Neuve, de la Hollande ou même des Antilles.

Dès les premières heures du jour, la frêle embarcation se fit ballotter et le capitaine dut très vite amener les voiles pour ne pas risquer de démâter. Pendant ces durs moments, John resta imperturbable. Il s'en étonnait lui-même et il était fier d'avoir si bien supporté sa première tempête. Peut-être ses pensées le torturaient-elles davantage que le vent et les vagues qui bousculaient le sloop. Le visage d'Ann, celui de ses enfants, Jack, James et Bettie, ne le quittaient pas. Quelques sanglots difficilement ravalés l'obligeaient à serrer les poings dans la nuit pour ne pas sombrer. Lui qui pendant des semaines s'était endurci pour entreprendre ce voyage, le voilà qui se mettait à douter. Pourquoi prendre tant de risques? Pourquoi tout laisser? Et si Barclay avait raison? Puis il reprenait confiance en pensant à tous les Shetlandais qui étaient partis avant lui et avaient trouvé du travail en Hollande, à Londres ou au Nouveau Monde.

Lorsqu'ils eurent doublé Peterhead, le vent tomba et avec le jour l'océan se fit plus clément. John profita du calme retrouvé pour compter ses biens. Il savait précisément ce qu'Ann et lui-même avaient empaqueté. Il se souvenait d'Ann lui disant : "Je t'en supplie, prends ces bas de laine, prends ces shillings". Elle s'était fâchée pour qu'il emportât tout ce qu'elle avait tricoté depuis l'hiver précédent. Il en avait pour trois livres dans un ballot de toile. Des bas chauds en laine épaisse. Ils avaient partagé toutes leurs économies. John avait pris huit shillings et demi et Ann en avait gardé une douzaine, ce qui était bien peu, pour l'un comme pour l'autre. Il faudrait vite qu'il lui envoie de quoi nourrir sa famille.

Enfin rasséréné, Barclay s'approcha. La faible lueur qui vacillait dans la cale projetait des ombres étirées et inquiétantes sur le plafond bas.

—John, avec ça, tu n'iras pas loin. Tu n'as pas l'expérience de la vie en Ecosse, et encore moins en Angleterre. Oconachie va déjà te prendre une dizaine de shillings pour le passage.

—Dix ?

John leva vers Barclay un regard stupéfait. Les larges cernes gris qui soulignaient ses yeux accentuaient la profondeur de son regard triste. Après cette nuit de fatigue, on n'y lisait plus d'étincelle d'espoir.

—Oui : dix ! je connais son tarif. Je t'en prête cinq. Tu me les rendras quand tu auras vendu tes lainages.

L'homme affichait une sincère générosité qui tranchait avec son esprit sarcastique de la veille. Au même moment, Patrick, le fils aîné de Barclay qui retournait avec son frère Robert poursuivre ses études à Aberdeen, déboula dans la cale.

—Un bateau de pêche vient de nous accoster, claironna-t-il.

—D'où est-il ? fit Barclay

—Montrose. Le capitaine Oconachie lui a demandé s'il pouvait nous amener à terre. On gagnera quelques heures de traversée et nous rejoindrons Aberdeen à pied ! Vous aussi, Harrower, venez avec nous ! il y a de la place. Et le capitaine Oconachie nous demande à chacun une demi mesure de beurre, soit dix shillings et six pence. C'est fort raisonnable, n'est-ce pas, père ?

Barclay acquiesça et John se renfrogna à l'idée de voir fondre ainsi son modeste viatique. Il venait à peine de partir et déjà il se retrouvait sans argent.

—Ne t'en fais pas, John. Tu sais que je te prête cinq shillings.

John sourit et tapa amicalement dans la main que Barclay lui tendait. Que pouvait-il faire d'autre ? Il était sur la route et il n'était plus question de regarder en arrière. Ils eurent vite réglé leur passage et prirent congé du vaillant capitaine Oconachie en le remerciant d'avoir franchi les mauvaises passes avec talent.

Puis les quatre hommes embarquèrent sur le petit bateau de pêche au prix de quelques acrobaties.

—Je confie votre âme à Dieu. Vous aurez besoin de lui à ce que je vois ! leur cria le capitaine, les mains en porte-voix.

Une heure plus tard ils arrivaient au port de Montrose. Un chapelet de maisons basses qui se dissimulaient sous leurs toits herbus, flanquées de courtes cheminées de pierre fumantes, offraient à tous les voyageurs venant du large la promesse d'une chaleuseuse hospitalité. C'est dans l'une d'elles, celle du tailleur Graham, recommandée par Barclay, que John trouva refuge et décida de passer la nuit.

3

Depuis cette première nuit passée en Ecosse, chaque jour, John avait décidé de tenir son journal. Parmi les effets qui composaient ses bagages il avait placé un carnet écru d'une centaine de feuillets ; il s'était juré d'écrire tout ce qui lui arriverait. Ann ne lui avait-elle pas fait promettre de ne rien oublier, de tout noter pour qu'ils puissent revivre ensemble les moments de leur séparation ? "Ton carnet, lui avait-elle dit, ce sera la légende de nos vieux jours. Ton histoire remplacera la Bible à la maison et tout Lerwick connaîtra pendant des générations les aventures de John Harrower."

En fait d'aventures, John n'avait jusqu'alors que peu de choses à conter. Sur les chemins gris, bourbeux et caillouteux, où il s'abîmait les chevilles et où son fardeau se faisait de plus en plus lourd, il avançait avec pour seule pensée l'étape suivante et les dix à douze milles qu'il s'imposait par jour.

Son journal lui permettait avant tout de jeter un coup d'œil en arrière sur le chemin parcouru. Les mots écrits sur le papier d'une plume régulière et vigoureuse avançaient comme autant de pas, une ligne poussant l'autre, dans la monotonie des gestes quotidiens mille fois répétés. Dans cet univers immobile, progressait-il ? Toucherait-il ce but qu'il ne connaissait même pas mais qu'il savait lointain ?

Ce n'est que bien plus tard qu'il comprendrait la véritable signification des livres. Il lui faudrait des mois et des mois d'épreuves avant de savoir que les livres sont un monde en soi. Comme un rivage éloigné et enchanteur auquel il aborderait un jour, au terme de son voyage.

En attendant, sur les routes d'Ecosse, les pas succédaient aux pas comme le vent succédait au vent.

Quelques jours plus tard — ce devait être peu après le port d'Aberbroashick — John, sa malle sur le dos et son ballot sous le bras, fit sa première rencontre. Jusqu'alors, à chaque halte il n'avait vu que des aubergistes et des hôtes chaleureux, mais en chemin il n'avait vu âme qui vive. La campagne écossaise restait désespérément déserte. Les Highlanders attendaient le retour du printemps pour reprendre la pêche en mer. Même les moutons blancs et noirs étaient rares ; sans doute s'abritaient-ils du froid et du vent du large au pied des buttes ou au creux des vallons, le long des lochs.

—A qui ai-je l'honneur ? fit le Shetlandais.

L'homme qu'il venait de rattraper s'arrêta. Il devait avoir entre cinquante-cinq et soixante ans. Il marchait d'un pas lent mais solide. Rien dans son accoutrement ne laissait penser qu'il s'agissait d'un militaire de haut rang. Pourtant, à la tenue impeccable de sa pelisse grise, à son abondante chevelure blanche, propre et soignée, coiffée d'un béret de tartan, John comprit qu'il avait affaire à un aristocrate. Sur ses gardes, car les chemins étaient peu sûrs, l'homme recula de quelques pas.

—Non, Monsieur, ne craignez rien ! je suis un honnête Shetlandais, du nom de Harrower. John Harrower.

Comme l'homme désignait du menton ses bagages, John sourit :

—De la laine, Monsieur, rien que de la laine !

—Vous me paraissez honnête, en effet !

Il s'approcha. Sous son front sévère et plissé perça soudain un regard tendre, empreint d'une grande bonté.

—Vous avez entendu parler des Scotch Grays ?

—Mon Dieu, oui ! fit John.

—Pourquoi "Mon Dieu, oui !" ?

—Ne suis-je pas un patriote ?

Les deux hommes marchaient maintenant côte à côte sur l'étroit sentier. Ils cheminaient d'un même pas, frottant leurs épaules l'une contre l'autre comme s'ils s'étaient toujours connus.

—Si on m'avait dit un jour que je rencontrerais Lord Panmuir, colonel du Régiment des Scotch Grays ! Ah ! si l'on m'avait dit cela !

—Les rencontres impromptues font partie des joies du voyage, jeune homme, et je suis prêt à parier que vous n'en êtes qu'au début ! Vous me paraissez sain et avide de connaissances. Vous êtes de ceux qui vont loin...

—Puisse notre Seigneur vous entendre, colonel !

—Dieu m'exaucera parce que les ressources dont je parle sont en vous. Il n'aura donc pas beaucoup de peine à faire de vous un bâtisseur. Ah ! Je ne dis pas que vous éléverez des cathédrales comme celles que vous verrez en chemin, à York ou Canterbury. Non, ce n'est pas ce que je veux dire. Ecoutez bien ceci. Rappelez-vous ce que Lord Panmuir vous dit. Il y a sur notre Terre deux types d'hommes : ceux qui construisent le monde et ceux qui l'habitent, ceux qui se battent et ceux qui subissent.

—Il n'y aurait donc que deux types d'hommes ?

—C'est déjà un de trop. S'il n'y en avait qu'un, il n'y aurait pas de guerre !

—En êtes-vous sûr ?

—Je vous répète, jeune homme, que le monde se partage en deux groupes : ceux qui vont de l'avant — vous et moi — et ceux qui restent sur place.

Le colonel s'était arrêté pour reprendre son souffle. Parler et marcher en même temps dans le vent froid et humide représentait un effort trop intense pour un homme fourbu.

Plus tard, John lui expliqua que son père avait participé à la fameuse bataille de Culloden en 1746, près d'Inverness. Les Highlanders y furent vaincus par les troupes du jeune duc de Cumberland et le 16 avril 1746 la vaillante Ecosse reçut un coup d'épée en plein cœur. Bien sûr, le prince Charles Edouard avait ravivé la flamme patriotique aux Pays-Bas, à Fontenoy puis à Falrirk... Autant de victoires qui jalonnaient la progression fulgurante des Highlanders. Culloden, c'était tout autre chose ! Dernier combat d'une armée démobilisée et d'un chef désemparé où l'Ecosse s'était couverte d'une honte éternelle. Les moors de Culloden n'avaient pas fini de porter en eux les stigmates de son honneur perdu.

Pour un soldat de la trempe de Lord Panmuir, un tel souvenir ne pouvait que rouvrir une plaie mal cicatrisée.

—J'aurais préféré que vous n'évoquiez pas Culloden, confia-t-il. Parlez-moi quand même de votre père.

John était en confiance. Alors qu'il était d'un naturel très mesuré, il se fit beaucoup plus prolixe.

—Après Culloden, expliqua-t-il, mon vieil Harrower de père a échappé de peu à la déportation. Les Anglais l'ont gardé prisonnier un long moment. Il a souffert dans les geôles de ce boucher de Cumberland ! Il est revenu à Lerwick pour y mourir. Vous savez, à Lerwick, nous n'aimons pas cette sale race d'Anglais...

—Voilà qui me fait plaisir, jeune homme! J'ai toujours pensé que les Ecossais des Shetland comptaient parmi les meilleurs de notre peuple. Après ceux de Dundee, bien sûr! Je serai heureux de boire à votre santé.

En compères, nos deux hommes conversaient chaleureusement et riaient de bon cœur. Soudain plus grave, le colonel interrogea :

—Savez-vous que Cumberland avait même enrôlé des Ecossais des Lowlands et du Clan Campbell? Des lâches, des traîtres qui ont accepté de se battre contre les nôtres! Mais comment votre père s'est-il retrouvé dans l'armée du Prince Charles Edouard?

—Cela n'a jamais vraiment été élucidé. Mon père est toujours resté évasif sur le sujet.

—Une nuit de beuverie sans doute? suggéra Lord Panmuir d'un clin d'œil malicieux.

—C'est bien possible. Il a signé sa feuille de recrutement à Dundee et c'est peu après que la Garde Noire l'a envoyé au champ de bataille. Il a fait Falkirk...

—Il a fait Falkirk? s'étonna le colonel admiratif.

—Oui, il a fait Falkirk. Beaucoup d'autres après Falkirk sont rentrés chez eux à l'hiver quarante-cinq. Lui n'a pas pu. Les ports étaient déjà pris par les glaces et c'est comme cela qu'il s'est retrouvé à Culloden au printemps suivant. Et ce fut le désastre...

—... l'armée de Cumberland était organisée. Ils avaient des mousquets et savaient tirer des salves en bon ordre. Eh oui! on m'a raconté tout cela, mon ami!

Chemin faisant, ils arrivèrent à la tombée de la nuit dans un endroit au nom prédestiné de Brigend, chez un certain Caird, bien connu du colonel Panmuir.

Une fois rafraîchis et reposés, Lord Panmuir et John se retrouvèrent à la table d'hôte en compagnie de quatre autres voyageurs : Lord Bline, son épouse Dorothy et leur fille Laura qui revenaient d'un voyage en Italie et regagnaient Fort William, puis un homme jeune du nom de Hands qui prétendait se rendre à Edimbourg.

Le colonel avait repris ses habitudes et s'était installé en tête de table après avoir placé à sa droite Lady Bline et à sa gauche Laura Bline. John comprit très vite que Lord Panmuir ne rechignait pas à se retrouver en galante compagnie. Après quelques compliments d'usage qu'il tourna néanmoins fort habilement, il entreprit une conversation empressée avec Lady Bline tout en jetant des œillades gourmandes sur le décolleté prometteur de Laura. A en juger par les fraîches rondeurs que laissait entrevoir son bustier en dentelle, il est vrai que l'on pouvait s'attendre à découvrir chez cette jeune personne une belle poitrine. Cette pauvre Laura, visiblement exténuée, ne prit pas part à la conversation. Ce n'était pas le cas de sa mère !

Bien qu'elle fût intarissable sur les délices du thé, ce nouveau breuvage à la mode, Lady Bline honora plus que de raison le bon whisky des Caird dont chacun, tour à tour, à l'exception de Laura, eut le loisir de vanter l'arôme.

Puis la conversation roula sur la qualité de la Bible que Lord Panmuir emportait toujours avec lui.

Lord Bline se montrait de plus en plus agacé par le manège du colonel. Il avala goulûment ses dernières carottes avant d'exploser.

—Eh ! colonel ? Vous la connaissez par cœur cette Bible ?

—Je m'efforce de bien la connaître, en effet.

—Alors vous connaissez le verset sur l'adultère ?

D'une traite, Lord Panmuir, que les brumes de l'alcool avaient rendu disert, commença à réciter :

—"Vous ne commettrez point l'adultère. Vous ne convoiterez point la maison de votre prochain. Vous ne convoiterez, ni sa femme, ni..."

Il s'arrêta brusquement. Il venait de se rendre compte du piège que Lord Bline lui avait tendu. D'un bond il se leva, s'arc-boutant à la table pour ne pas vaciller.

—Vous m'offensez, Monsieur. Je me retire.

Chacun à son tour quitta la salle dans un silence pesant et regagna sa chambre à la lumière d'une chandelle. Seul Caird, le maître des lieux, resta, se donnant pour mission de garder la maison au cas où quelque brigand passerait par là.

Il devait être près de minuit, quand la porte de John claqua et un courant d'air souffla sa bougie. Des cris et des voix étouffés de femmes et d'hommes venant de l'étage supérieur ainsi que des bruits de pas lourds au-dessus de sa tête interrompirent John dans ses pensées et le rendirent perplexe un instant. Il reconnut la voix sonore de Lord Panmuir et imagina aussitôt qu'il avait fait irruption dans une chambre pour y satisfaire ses appétits encore virils sans y avoir été invité !

Ce ne pouvait être la chambre de Lady Bline. C'eût été trop risqué ! Celle de leur fille Laura ? Le colonel avait certes apprécié son décolleté toute la soirée mais il n'était pas homme à goûter au gibier trop jeune. Dans ce cas d'ailleurs, pensa-t-il, les cris auraient davantage ressemblé à ceux d'une vierge effarouchée, alors que John avait clairement distingué ceux d'une femme mûre, ceux d'une femme qui résiste à l'assaillant. Restait donc leur hôtesse, Mrs Caird. On ne pouvait nier qu'elle fût belle femme et son mari montait la garde au rez-de-chaussée, allongé sur un banc devant l'âtre. Comme notre colonel était un familier des lieux, peut-être s'était-il cru en terrain conquis ?

Le lendemain, il pleuvait. La bruine mêlée à une brume épaisse ne permettait pas de voir à plus de dix yards. Aussi nos voyageurs durent-ils attendre que le temps s'éclaircît. Lord Panmuir parut frais et dispos mais en furie car sa montre en or et sa Bible avaient disparu pendant la nuit. Mr Caird, penaud, ne s'expliquait pas comment le voleur était entré ! Puisqu'il n'avait pu venir de l'extérieur, il s'en portait garant, c'est qu'il était dans les murs. Tous soupçonnèrent immédiatement le voyageur solitaire qui était bien entendu reparti le premier dès l'aube.

John fit l'effort de se remémorer les traits presque féminins de ce Hands à qui il n'avait presque pas prêté attention. Et plus les contours de ces yeux d'un bleu délavé, plus ce nez long et pincé, plus ces lèvres fines et tombantes se précisaient, plus son dégoût grandissait. Comment oser voler une Bible ? Les Saintes Écritures ? Pourquoi dérober une montre ? Un voleur de mots, ce Hands, doublé d'un voleur de temps. Il ne méritait que la pendaison. Et John se promit de tout faire pour qu'on l'arrêtât.

Comme chacun se demandait comment les objets avaient été dérobés pendant le sommeil de Lord Panmuir, John se risqua, faussement naïf.

— Peut-être avez-vous quitté votre chambre un instant ?

La réponse cingla.

— Je ne suis pas somnambule, Monsieur.

Au visage empourpré de Mrs Caird, John comprit qu'il avait vu juste. S'il en conçut une certaine fierté, il ressentit un violent mépris pour cet homme aux deux visages.

Loin d'apaiser le climat tendu — et sans doute pour sortir son épouse d'un mauvais pas — Caird, qui venait de comprendre, crut bon d'ajouter :

— Vous savez, Monsieur le Shetlandais, qu'un colonel des Scotch Grays n'est pas somnambule.

— Ni un Casanova, renchérit Lord Bline, n'est-ce pas colonel ?

Pour toute réponse, Lord Panmuir émit un grognement. John, qui ne connaissait pas Casanova, préféra ne pas s'aventurer davantage sur ce terrain mouvant. Comme la brume et la bruine enveloppaient encore sur le coup des onze heures toute la campagne environnante, John en profita pour questionner les voyageurs sur la route du sud. C'est ainsi qu'il apprit qu'il fallait éviter Edimbourg. Tous le mirent en garde. "Entre le château et le palais d'Holyrood, le Royal Mile n'est qu'un marécage nauséabond où le lucre et le vice se donnent rendez-vous", dirent-ils. "Ce défilé noir et peu sûr aux murailles de huit à douze étages se referme comme un étau sur les passants. Les énergumènes qui hantent cette rue privée de soleil vous chantent des cantiques pendant que leurs doigts crochus vous arrachent votre bourse. Ils vous font pleurer sur la misère du monde et dans le même temps vous passent une lame sous le cou, prêts à vous égorger telles de vulgaires volailles". Et même si au moment du départ Lord Panmuir offrit à John de se recommander de lui auprès de son frère le baron Maull, Lord Chancelier de l'Echiquier, le Shetlandais était résolu à ne jamais s'approcher de cette ville maudite.

4

John marcha encore quatre jours, des premières lueurs du matin aux derniers scintillements du soir, avant de gagner Dundee. Bien qu'il fût habitué au travail physique qu'exigeaient de lui à Lerwick l'entretien des bateaux en hiver ou le travail de la terre en été, il n'avait encore jamais ressenti une telle lassitude. La marche éprouvante d'un homme seul à travers la lande... une terre meuble dans laquelle les pas s'enfoncent toujours trop... et ce découragement insistant qui éteint les feux évanescents de l'espoir. Le marcheur traverse un univers qui lui paraît dérisoire et il lui semble que tout son être bascule dans le néant. La vie n'est plus alors que sanglots nerveux arrachés aux tripes et goût du sang aux lèvres, un goût si âcre que l'on préfère encore le noyer sous des gorgées de bise glaciale. Le visage se recouvre alors de fines goutelettes salées, plaquées là par les embruns, et s'inonde d'étroits ruissellements de sueur.

Partir! Combien de fois John n'avait-il ruminé ce mot magique au cours des mois précédents? Partir! Peut-être depuis toujours n'avait-il vécu que pour partir un jour. Et voilà, il était parti... Ce qui avait été le rêve de toute sa vie devenait son cauchemar quotidien. En plus de trente années d'existence, il n'avait jamais fait le tour de ses petites îles Shetland, et là il était parti sur les chemins du monde, seul, sans autre certitude que là-bas, sur son île, dans la maison qui était encore la leur, Ann et ses enfants espéraient tout de lui. Il avançait sans espoir que quelqu'un l'attendît quelque part. Le monde s'était passé de sa personne jusqu'alors et il pourrait bien continuer à tourner sans lui encore longtemps...

A quelques centaines de yards les premières maisons de Dundee apparurent. Il devait être une heure de l'après-midi. Il s'approcha des quais.

—Ce que je veux? quitter l'Ecosse.

—Je t'embarque, le Shetlandais. C'est cinq shillings pour Newcastle. Tu y seras dans trois jours, répondit aussitôt le capitaine William Bell, homme fort aux yeux gris, le teint rougi par le froid.

William Bell oubliait d'indiquer qu'il faudrait attendre des vents favorables avant de larguer les amarres.

—Ah! le Shetlandais, il ne faut pas m'en vouloir, disait William Bell tous les matins. Qu'y puis-je si le vent est à l'est?

—Il ne fallait pas prendre mes cinq shillings. Tu es un voleur, Bell, rétorquait immanquablement John.

Pendant cette longue attente, il eut le temps de faire du négoce pour reconstituer un pécule. Il faut même avouer qu'il ne pensa qu'à cela. Il passa ses journées à compter ses biens et à démarcher tous les passants. Ainsi, il vendit à un seul homme six paires de bas de laine pour dix-huit shillings et six pences. Il échangea aussi, jour après jour, des boutons, de la dentelle et des boucles qu'il achetait le matin au port et revendait le soir-même, empochant au passage un léger bénéfice.

Au cours d'une de ces journées passées à terre, il rencontra le second d'un brigantin flambant neuf, l'**Elizabeth**, un magnifique deux mâts en partance pour la Caroline du nord.

—Si tu savais, mon gars, comme le climat y est doux! Les plantes poussent très haut. Elles sont vertes et belles. Du lin, du maïs, du coton, comme tu n'en as jamais vu!

—C'est la Hollande qui m'intéresse, Monsieur, répondit John timidement.

—... Même l'hiver il fait chaud! La pluie est chaude, la terre est chaude. Ne t'entête pas! Tu es un solide gaillard. Tu trouveras là-bas une terre nouvelle, une maison et une femme. Allez, je te fais ton contrat...

—Je ne cherche pas de femme, Monsieur.

—Tu as tort! Là-bas, elles sont belles et libres... Même les esclaves sont belles et souriantes. On est très bien accueillis, tu sais! Ne me dis pas qu'un homme comme toi est insensible à des lèvres gourmandes, à une taille fine... T'es un homme, non?

—N'insiste pas.

John, avalant le gin à petites gorgées, avait eu du mal à résister à l'habile second qui l'avait fait boire tout en lui décrivant ce nouvel Eldorado.

Enfin, au début du mois de janvier 1774, il put rejoindre Newcastle d'où il gagna Sunderland, la petite ville sur l'autre rive de la Tyne. La neige et les glaces avaient envahi la région et il dut aussitôt rechercher un bateau pour la Hollande, ce qui n'était pas aisé, compte tenu des conditions climatiques. Le matin du six janvier, après avoir déjeuné d'un shilling de fromage et d'un demi-shilling de pain, il rendit visite à un certain George Lacen, Capitaine du **Nancy**, homme avenant mais visiblement désemparé.

—On m'a dit, capitaine, que vous embarquez pour la Hollande.

—Comment le savoir? tous les ports sont pris par les glaces et mon patron ne décolère pas depuis Noël. Les gens de la **Royal Exchange Greenland Ship** l'ont empêché de lever l'ancre la veille de Noël et en ont profité pour se glisser hors du port alors que c'était encore possible. Mais dites-moi, que va faire un Ecossais en Hollande?

—Comment savez-vous que je suis Ecossais? s'étonna John.

—Ah! mon vieux, c'est que cet affreux accent des Stuart ne trompe pas!...

John se renfrogna et reprit sur un ton plus cassant :

—Alors, vous partez pour la Hollande, oui ou non?

—Allez voir le patron! J'irai bien où il me dira d'aller! Il s'appelle Taylor. Tout le monde le connaît ici.

Toute la journée, John erra le long de la Vear qui partage Sunderland en deux, ainsi que dans le cimetière voisin, en attendant que Taylor rentre chez lui. Il acheta deux petites morues pour un penny chacune, les préférant au haddock qui valait plus du double. Le vent léger et doux qui soufflait de la mer faisait craquer la glace. Il regarda les plaques épaisses de plusieurs pouces se détacher de la rive, s'accrocher aux branchages morts puis, entraînées par le courant, se libérer enfin pour prendre le large au fil de la Vear. Depuis le matin, tous les bateaux se préparaient à appareiller. C'était le moment.

Entre les tombes, John s'amusa à lire les épitaphes comme il l'aurait fait des pages d'un livre. Malgré le froid qui engourdissait ses doigts, il en nota une sur son journal en pensant à son petit James que le Seigneur avait rappelé à lui.

"Why do we mourn departing friends,
Or shake at deaths Alarms ;
It's but the voice that Jesus sends,
To call them to his Arms." (1)

Une heure plus tard, Taylor, se présenta enfin.

—Si ce n'est pas la Hollande, ce sera Londres ou Portsmouth !
Allez voir Lacen.

Ce sont les seules paroles que John put arracher à un patron bougon. Qu'importait qu'il ne fût pas courtois ? Le **Nancy** partait, c'était
là l'essentiel ! On parlerait de la destination plus tard...

Six jours de mer calme par un temps doux les amenèrent finalement sur la côte sud. Le **Nancy** et son chargement de charbon longèrent les côtes. Quelle émotion au passage de Douvres ! A bâbord, les
falaises de France, à tribord celles d'Angleterre, tellement proches
l'une de l'autre qu'on aurait pu les toucher en tendant les bras ! John
était heureux et laissait filer son regard émerveillé sur les côtes dentelées du Royaume, éclairées par une douce lumière qui jouait avec les
nuages. Tantôt les falaises découvraient leur blancheur rassurante, tantôt elles se montraient sombres et inquiétantes. Les navires croisaient
en nombre dans les parages. Jamais John n'avait vu autant de bâtiments aussi grands et aussi beaux, même à la Saint-Jean dans le port
de Lerwick quand arrivent les pêcheurs hollandais ! Il s'amusait à les
reconnaître et demandait des précisions au capitaine Lacen, avec qui il
avait noué de solides liens d'amitié et de confiance. Il reconnut sans
difficulté un brick de la **Compagnie des Indes Orientales** mais eut
quelques doutes au passage d'une flotille de guerre. Une dizaine de
bâtiments se profilaient à l'horizon. Leurs étendards claquaient au
vent.

—Capitaine, ce sont bien des frégates ?

—Ce sont bien des frégates. Compliments, l'Ecossais !

Il n'y a aucun doute là-dessus. Ce sont de bien beaux navires. La
frégate est un bateau qui marche bien. Regarde cette allure ! Elle
glisse. Quand elles auront viré de bord, on distinguera les voiles plus
nettement. Ça y est, tu vois ? Le mât de misaine, le grand mât et le
mât d'artimon.

—Neuf voiles ?

—Trois sur le mât de misaine : misaine, petit hunier et petit perroquet, trois sur le mât d'artimon ; l'artimon, le hunier et le perroquet.
Ça fait bien neuf.

—Elles sont armées ?

—J'ai compté : elles sont toutes percées pour une quarantaine de
canons. Des frégates de douze.

—De douze ?

—Douze livres. C'est le calibre des canons. Dis, l'Ecossais ? reprit le capitaine sur un ton ironique, dans les Shetland, vos eaux doivent être bien paisibles pour qu'on n'entende pas le son du canon... Tu n'as jamais vu de frégates ?

John n'osa pas avouer que, de son vivant, le port de Lerwick n'avait jamais abrité de vaisseaux de ligne.

—C'est la proximité du royaume de France qui amène les navires de sa Majesté dans ces eaux ? demanda-t-il.

—Pas uniquement. Les détrousseurs des mers aussi. Tu n'as pas idée des trésors qui croisent par ici... Du thé, des épices, du rhum, de l'or, des pierres précieuses !

Les frégates rejoignirent le **Nancy** et le doublèrent en vue de l'Ile de Wight.

—Regarde, l'Ecossais ! Ils amènent les voiles. Ils vont mouiller pour la nuit. Ah ! quel bonheur de voir cette ligne basse qui s'infléchit légèrement sur la crête des vagues ! C'est presque aussi beau qu'une chute de reins, tu sais, quand une fille s'allonge...

—Nous aussi, on va jeter l'ancre par ici, capitaine ?

—Ah ! c'est bien le mot ! éclata-t-il de rire, l'œil égrillard. J'espère qu'on trouvera quelques ports confortables ! Si tout va bien, on sera demain matin à Portsmouth.

—A moins que les pirates nous arrêtent avant...

—Ne crains rien, avec notre charbon, nous ne risquons pas grand chose ! J'irai vite à quai me renseigner sur les cours du moment. On m'a dit qu'ils ont chuté... Si on est les premiers, je pourrai peut-être en tirer un bon prix, mais si tout le Yorkshire a débarqué avant nous, c'est pas la peine d'essayer ! "Pas à moins de vingt-trois livres", m'a dit Taylor. J'espère y arriver.

—Je peux trouver du travail à Portsmouth ?

—Sûrement pas. En temps de paix, c'est une ville morte. Des fortifications dans toute la ville mais pas un commerce. Il faut te rendre à Londres.

Londres ! Le cœur de John s'enivra comme bercé par la magie de ce mot. Pourquoi n'y avait-il pas pensé ? Bien sûr, dans une grande cité comme Londres, il trouverait du travail ! Londres allait lui offrir du travail et un toit pour lui et sa famille. A Londres, on parle anglais et même si l'on n'y aime pas trop les Ecossais, il est plus aisé de s'y faire comprendre qu'en Hollande.

Le lendemain, au petit matin, le **Nancy** mouilla à Portsmouth. George Lacen fut tellement prompt à débarquer que John ne le vit pas et ne put le saluer. Comme l'équipage avait besoin d'hommes, John décida d'attendre le retour du capitaine qui avait été pour lui d'une exquise gentillesse et lui avait prodigué en mer de sages conseils.

Dans la journée, un navire hollandais qui avait perdu son grand mât et son mât de misaine fit son entrée dans le port. Cela ne parut pas à John être de bon augure, pas plus d'ailleurs que les bruits qui couraient sur les prix désespérément bas du charbon. Aussi se décida-t-il dès le lendemain matin à partir pour Londres sans plus attendre et sans avoir revu Lacen. En témoignage de reconnaissance et d'amitié, il lui laissa un court message pour lui dire combien il avait apprécié la qualité de son accueil. Le capitaine avait accepté qu'ils partagent la même cabine, ce qui constituait un privilège rare pour un simple passager. De plus, comprenant les difficultés financières dans lesquelles John se trouvait, il lui avait rendu à l'arrivée la poignée de shillings qu'il lui avait réclamée à Sunderland.

5

Dans l'attente triste et glacée d'une aube qui tardait à poindre, l'esprit du Shetlandais vagabondait. Transi, allongé sur une paillasse rongée par la vermine, il n'avait qu'une hâte : s'élancer sur la route qui le conduirait aux portes de Londres. Il avait au cours des journées précédentes parcouru des dizaines de miles pour arriver à Wandsworth, dernière étape sur ce long chemin solitaire. Ah ! qu'il avait souffert depuis Portsmouth ! Son genou gauche avait doublé de volume et il n'en connnaissait même pas la raison. La fatigue ? Un mauvais coup ? Une gangrène ? Toujours est-il que dès qu'il se levait le matin, il avait la jambe raide et, pour avancer, il lui fallait lutter contre la douleur, la nier, serrer les dents et garder le regard fixé sur un horizon brumeux qui, de vallons en collines, fuyait toujours.

Puis, soudain, dans le lointain, par-delà cette ligne magique, au moment où il s'y attendait le moins, il découvrit d'abord un nuage de fumées grisâtres puis les silhouettes squelettiques des hautes cheminées qui annonçaient Londres. Encore une journée de marche et il y serait !

Portsdown, Horndeen, Petersfield, Rake, Liphook, Godalming, Guilford, Marrow, Horsley, Efingham, Leathersheed, Ashtead et hier Epsom. Autant de villages et de villes oubliés. Etapes rejetées dans un passé qu'il ne voulait pas revivre tant le trajet lui avait paru difficile et douloureux.

La salle commune de l'auberge où s'entassait une dizaine de voyageurs respirait et ronflait bruyamment. A travers la petite fenêtre, John vit les premiers rayons du jour. Il écarta de la main le rideau de toile raidi par la crasse et s'assit contre le mur recouvert de salpêtre jusqu'à mi-hauteur. Dans le ciel, tels des poneys trottant sur la lande, crinière au vent, des nuages gris obscurcissaient peu à peu le ciel et annonçaient la pluie. Il feuilleta son journal et s'arrêta pour relire un poème composé l'avant-veille.

"Que Dieu bénisse mes amis absents,
Ma femme et mes chers enfants.
Je prie pour que Dieu pardonne mes ennemis
Et pour eux je verse une larme.
Je suis en ce jour à Epsom,
Me repentant de mes péchés passés,
Priant Jésus de me pardonner
Et d'apporter le succès à mes amis".(2)

John psalmodiait ces vers à voix basse comme s'il s'était agi d'une prière et deux autres voyageurs se joignirent à lui pour prier, ce qui ne manqua pas de le faire sourire. Puis, avant que l'agitation n'eût gagné toutes les couches et que des nuages de poussière n'eussent envahi la chambre, il écrivit sur son journal ces quelques lignes, la peur au ventre, l'estomac noué.

Mardi 18 Janvier 1774,

Je pars pour Londres et suis comme un aveugle sans guide, ne sachant où aller, n'ayant pas d'amis et ne disposant plus que de 15 shillings et 8 pence, ce qui est une toute petite somme pour entrer dans Londres. Mais j'ai confiance en la grâce de Dieu qui est un riche pourvoyeur.(3)

A cet instant, John ne sait pas encore qu'il rejoint en ce jour d'hiver des milliers d'autres Irlandais ou Ecossais qui viennent de leurs lointaines contrées chercher fortune dans la métropole. S'il a échappé à Edimbourg peu avant Noël, il ne peut plus aujourd'hui éviter Londres, comme happé par cette gigantesque machine. Combien d'hommes et de femmes ont déjà franchi avant lui les limites de la cité pour se perdre dans l'immensité d'un territoire inconnu et sauvage ? En ce début de l'année 1774, John a entendu parler de huit cent mille âmes qui peupleraient la capitale ! Quelle multitude ! Mais il a aussi entendu son beau-frère James Craigie décrire les progrès qu'a connus cette grande cité. Ce n'est plus la ville sordide croupissante de misère, charriant les cadavres de ses morts le long de ses ruelles. Aujourd'hui, on ne trouve ni bébés ni petits enfants à moins de trois miles de la ville. En nourrice dans la paisible campagne du Kent ou du Surrey, ils sont tenus à l'écart des fumées nauséabondes et à l'abri des épidémies, hors de vue de tous les prédateurs qui s'abattent sur eux pour les livrer aux ramoneurs à la recherche de petits gabarits ou à la prostitution dévoreuse de filles. Il y a bien assez de tous ces garçons et de toutes ces filles à peine plus âgées, que des parents ruinés lancent sur les routes de la capitale et dont les cohortes alimentent les ateliers de la sueur et les arrière-cours de la débauche.

Bien sûr, Londres vit mieux et l'on s'y nourrit de moins en moins d'orge, d'avoine ou de seigle. La farine de blé a détrôné les céréales moins nobles. Les débits de boissons et leurs alambics autrefois si nombreux — puisqu'ils allaient jusqu'à occuper une boutique sur quatre — ferment peu à peu et le gin ne coule plus à flots.

Dans cette ville où John pénètre, se laissant aller au fil des rues comme un esquif sans mât au milieu de l'océan, les ateliers sont nombreux. C'est ainsi qu'il remarque dans Hoop Alley un peintre en enseignes assis sur un tabouret sur le seuil de sa maison. Il tient un large panneau de bois entre ses genoux et manie le pinceau avec dextérité pour représenter un cerf blanc aux bois majestueux. Au-dessus, il a dessiné les contours des lettres gothiques "The White Hart". "C'est très beau", lui dit John au passage. Le peintre lève la tête et remercie le badaud d'un sourire. "De quelle couleur allez-vous peindre les lettres ?" — "Couleur de l'or, fait le peintre. Puis il ajoute, d'un air entendu, après une courte pause : "Mais ça, je le fais au fond de la cour, à l'abri des regards. Les brigands à Londres sont comme les pies. Il suffit que ça brille !" La rue abrite également de nombreux ramoneurs. De leurs échoppes s'échappent de jeunes enfants. "Pas plus haut que mon petit George", pense John. Harnachés comme pour aller au combat, ils partent les pommettes noircies. De véritables jongleurs grimés ! A l'affiche d'un théâtre de toile planté sur le quai, on joue **La Tempête** d'un certain William Shakespeare dont John a vaguement entendu parler par le pasteur de Lerwick. Un peu plus loin, au débouché de Shoe Lane, c'est un fabricant d'encre qui attire son attention. "J'y reviendrai", se dit John en pensant à l'encre dont il a besoin pour son journal. Des porteurs chargent leurs hottes et se réjouissent du pavage des rues. "Quelle différence depuis qu'ils ont pavé London Street ! Je gagne deux ou trois courses dans la journée !"

Puis, le long de la Tamise, John s'arrête un instant pour contempler la ville, bousculé par les chevaux de la garde royale qui passent au petit galop dans un bruit d'enfer. Enveloppés par un nuage de poussière, ils épatent les Londoniens. Les fumées enlevées par le vent d'ouest se mélangent aux nuages pour tendre au-dessus de la ville une étoffe de suie soutenue par les cheminées de brique et les clochers des églises. Bien que fort inquiet quant à son devenir, John sent pour la première fois de la journée que cette ville peut lui offrir une solution. Ici, son courage et ses efforts seront récompensés. Le long du fleuve, il se penche vers un vieux pêcheur.

— Connaissez-vous une bonne auberge pour la nuit ?

— Une bonne auberge bon marché, je suppose ? fait le vieillard en jetant un regard sur les vêtements du Shetlandais.

— Oui.

— Voyez à Wapping, au bord de la Tamise, un peu plus bas. Dans Little Hermitage Street, il y a la "Ship Tavern".

John ne connaît pas la paroisse de Wapping mais il en a entendu parler suffisamment pour savoir que c'est le lieu de rendez-vous des marins, des miséreux et des prostituées. Dans ses ruelles sombres et étroites, l'odeur forte du hareng et de la saumure dont les boiseries et les tissus de chaque maison sont imprégnés empuante l'atmosphère si bien que les marins n'ont jamais l'impression de quitter leurs ponts ou leurs soutes.

A Wapping, la Tamise large et grise, miroitante sous un ciel de plomb, décrit une courbe avant de filer au sud où elle enserre l'Ile aux Chiens comme dans un gousset. Sur les quais, la foule des marins et des marchands charge et décharge, vend et achète des balles de tabac ou des fûts d'alcool.

Le lendemain matin, lorsqu'il se leva pour déjeuner, John n'avait presque rien vu de Wapping, ni de la taverne. Comme il n'avait rien avalé depuis vingt-quatre heures, il acheta un morceau de galette à un demi-shilling qu'il dévora de bon appétit. Il avait aussi changé ses vêtements, se souvenant du regard méprisant du vieillard. Ainsi habillé de neuf, pensait-il, avec une chemise à manchettes, des hauts-de-chausse propres, un gilet de laine écru et un gros manteau brun, il serait plus facile de trouver du travail.

Assis sur son tabouret, il interrogea son voisin, un Ecossais, second d'un navire qui arrivait d'Amsterdam.

— Tu crois que je peux voir le patron de la taverne ? Il a peut-être du travail ?

— Le patron s'appelle George Newton. Il est à Newgate ou à Fleet en ce moment. Moi, c'est Tom. Et toi ?

— Moi, c'est John. Harrower. John Harrower. Je viens de Lerwick dans les Shetland. Dis, il est parti pour la journée, ce Newton ?

— Imbécile ! Il est en prison !

— En prison ? Il a tué ?

— Non, des dettes, je crois !

— A qui on va payer, nous, alors ? s'inquiéta John.

— A sa femme. Quand elle aura tout remboursé, il pourra sortir...
Il paraît qu'elle n'est pas pressée !

— Ah bon ?

— Elle a son amant, un cinglé au couteau facile, dans la maison et
quelques filles à la cave... Alors, c'est bien plus tranquille pour elle
quand il n'est pas à la maison ! Tu n'as pas vu les filles ? Il y en a deux
de Glasgow. De jolis morceaux ! des filles de chez nous, quoi !

— On est nombreux, nous les Ecossais, dis donc !

— Plusieurs milliers, Harrower ! Plus que dans tes îles, pour sûr !
Presque autant qu'à Edimbourg, j'en mettrais ma main à couper !
Viens avec moi ce matin, je vais te montrer ce qu'il faut voir à Londres
et je te présenterai au capitaine Peery. C'est mon capitaine. Un
homme de valeur, même s'il se fait vieux et autoritaire. On lui demandera s'il a du travail pour toi. Entre Ecossais, on peut s'aider, non ?

Ils ne trouvèrent pas le capitaine Peery le matin-même mais mar-
chèrent ensemble longtemps dans Londres. Le bâtiment imposant de
la Tour impressionna John lorsqu'il le découvrit en redescendant de
Tower Hill. Puis ils poursuivirent le long du fleuve dans St-Katherine,
quartier sordide avec ses maisons basses et sales.

— C'est comme cela jusqu'à Whitechapel, indiqua Tom. On s'y
promène de jour, c'est mieux. Quoique là où on habite, on n'a rien à
envier à personne !

C'est déjà pas mal. Wapping est renommée dans tout le royaume
pour ses bandits et ses filles de mauvaise vie !

— Il n'y a donc que des gens de cette espèce dans cette ville ? fit
John d'un air de dégoût.

— Je vais t'emmener à l'ouest. Tu verras les trésors de la Banque
d'Angleterre ! Je suis sûr que tu n'as jamais rien vu de pareil ! Et puis,
nous avons l'air de gentlemen, non ?

Il avait raison. John n'avait en effet jamais vu autant d'or amassé
en un seul endroit ! Des tas de pièces et de lingots empilés en pyra-
mides scintillaient à la lumière des torches, au loin, derrière des grilles
épaisses gardées par des hallebardiers en nombre. Ils entrèrent ensuite
dans Saint-Paul sertie entre les maisons comme un gros diamant. Sous
les voûtes soutenues par des piliers massifs montaient les chœurs. John

se sentit plus près de Lerwick. L'atmosphère froide et humide ainsi que les cantiques le ramenaient dans sa petite église de pierre.

Des pensées morbides le firent frissonner. Les Ecossais, pensa-t-il, échouent dans cette ville comme des poissons morts sur la grève. La gueule ouverte, la vase les ensevelit. A n'en pas douter, son tour viendrait bientôt. Ah! que les eaux fraîches et pures des Shetland, le hareng, la morue, la laine des moutons lui manquaient!

La voix caverneuse de Tom le fit sursauter...

— Alors, John, tu m'entends, oui? Dépêchons-nous, si tu veux voir le capitaine Peery avant la nuit.

Tom regardait John avec inquiétude. Muet, le Shetlandais avait porté une main au visage et s'essuyait la joue d'un revers de manche.

— Mais tu pleures, John?

— Ce n'est rien. Ce n'est rien. Allons-y!

Et John sourit.

Le capitaine Peery était un patriarche. Sa barbe poivre et sel soigneusement taillée lui conférait l'allure digne d'un dieu de l'Antiquité alors que perçaient sous d'épais sourcils de minuscules yeux vifs très clairs, d'un vert presque translucide que la lumière du soir teintait d'ocre. Son nez fin et droit ajoutait à la sévérité du personnage. En le voyant, John fut impressionné.

— Mon ami shetlandais cherche du travail. C'est un homme courageux, capitaine, qui a quitté son île pour nourrir sa famille. Je sais que vous n'aurez pas besoin d'hommes à bord mais votre grande connaissance de Londres et des marins vous permettra peut-être de l'aider.

Tom parla d'une voix pressante. Le capitaine Peery le regarda droit dans les yeux sans qu'aucun sentiment transparût. Puis il tourna lentement la tête en direction de John.

— Alors, tu es des Shetland, Harrower?

— Oui, capitaine. De Lerwick, capitaine...

— Ah! Lerwick. Le petit port abrité par l'île de... Ah! l'île de? Aidez-moi!

— Bressay, capitaine. L'île de Bressay, capitaine.

— Voilà, Bressay. J'ai un souvenir bien particulier de Lerwick. C'était je crois à la fin de l'hiver soixante-deux, de retour du Groënland. J'étais alors second à bord du **John & Ann**, un vieux brigantin qui avait fait le tour du globe mais restait en parfait état. Son bois avait macéré dans toutes les eaux et l'odeur mêlée de tous les sels dans lesquels il avait trempé dégageait une saveur étrange, quasiment envoûtante dont il était difficile de se défaire, si bien que les marins du

John & Ann arrivaient dans les ports précédés d'une solide légende. Croyez-moi, aucune fille ne leur résistait, fit-il, avec un sourire au coin des lèvres qui en disait long sur ses conquêtes terrestres. Nous avions à bord deux cachalots, et nous avons démâté ! Dans un craquement sinistre, en pleine tempête, le mât s'est affalé sur le pont, emportant au passage la moitié du gaillard d'arrière et un jeune mousse de Liverpool — un dénommé Staines si je me souviens bien — fut écrasé sur le pont comme une raie. C'est alors que nous avons dû gagner le port de Lerwick qui était le plus proche et le plus facile d'accès par vent de nord-ouest. Quelle épopée ! Et nous avons noyé notre chagrin dans un whisky puant la punaise avec des filles qui heureusement fleuraient bon le feu de tourbe !

Le capitaine Peery possédait le don de conter. Sous la puissance de son regard et de son verbe, il vous arrachait à vos plus profondes pensées et vous transportait dans un monde dont il était le maître. Ainsi, il échappait habilement aux tracas de la conversation, fuyait les sollicitations et se tirait avec succès des pas les plus difficiles.

Quand il eut mis un point final à son histoire du **John & Ann**, il glissa un mot à l'oreille de Tom : "emmène-le à la "Jamaïca Coffee House", on y trouve du travail".

—Demain, je te mène à la "Jamaïca Coffee House". Conseil du capitaine. En attendant, on s'amuse ! Théâtre ? Bordel ? Les deux peut-être ?

—Théâtre, j'ai vu qu'on joue l'**Antillais**. Ça nous fera voir du pays.

—Alors, direction Great Alie Street. Tu sais, on s'amuse à Londres pour oublier la vie quotidienne.

La bruine grise qui suinte et s'infiltre avait laissé place à une pluie drue, plus franche. La foule déambulait dans le Strand avec nonchalance jusqu'à ce qu'elle fût obligée d'accélérer le mouvement. La grande avenue céda à la panique et connut alors une cohue indescriptible, chacun cherchant le chemin le plus court pour s'abriter. Les plus démunis qui s'étaient confectionnés un abri de fortune pour la nuit, sous des planches, derrière des lambeaux de voiles de bateau tendues, à l'intérieur de cahutes faites de branchages, durent fuir sous la poussée de ce tourbillon humain. Une femme hurla qu'on l'avait jetée sur les braises d'un brasero renversé, une autre cherchait à protéger son enfant tombé sous le pas d'un cheval. John retint son chapeau qu'une main indélicate lui arrachait. Tom l'agrippa par sa veste et le précipita sous un porche.

— Quelle foutue ville ! L'enfer ! lâcha John en secouant sa pelisse dégoulinante.

Dans l'obscurité, on voyait les yeux blancs de terreur des femmes tenant serrés contre elles leurs nouveaux-nés qu'elles semblaient avoir sauvés du naufrage. "Ils me l'ont tué ! Ils me l'ont tué !" se lamentait l'une tandis que l'autre était à genoux devant John : "la charité, la charité", implorait-elle.

— Allez, John. Ne t'arrête pas. Il y a mieux à faire dedans.

— Mais, ces femmes ?

— Viens, je te dis. Si tu veux leur faire plaisir, tu leur demanderas d'en faire autant. Toutes des p... ! Y'a que ça là autour ! Tout à l'heure, John...

Une porte de bois s'était ouverte et Tom avait jeté le Shetlandais au milieu d'une pièce bruyante, enfumée, rougie par la flamme des torches. Les vapeurs d'alcool aussi bien que l'odeur âcre de sciure mouillée vous prenaient à la gorge. "Quatre contre un", "deux shillings à droite", "huit contre un sur Reddy". John comprit : c'était un combat de coqs.

Il était impossible d'approcher de l'arène perdue derrière des rangées de têtes. De l'entrée, on ne distinguait que les spectateurs qui avaient pris place de l'autre côté. La chaleur de la pièce tranchait avec la froideur du dehors. Des trognes hirsutes et colorées, aux bouches immenses et tordues, aux yeux rouges de méchanceté, roulaient sur des dizaines d'épaules sombres comme des braises volcaniques au bord du cratère. Ce n'était que crépitements d'injures lancées à la cantonade, jaillissements de paris déments.

— Tiens ! fit Tom, passant à son ami un flacon de gin, ça réchauffe !

La goulée de feu tomba au fond de sa gorge comme la foudre. Tom avait attrapé par le cou une grosse fille rousse ; il lui glissa un billet dans le corsage. Une main pataude le retira, écrasant le sein de la fille qui ricana.

Tom jaillit comme l'éclair et envoya un coup de poing dans l'œil du voleur. John se protégea le visage de ses deux avant-bras et recula. De là, il put empoigner Tom qui esquivait les coups et le tirer en arrière. La bagarre avait dégarni le bord de la fosse circulaire d'une dizaine de pieds de diamètre. Sur la terre rougie par le sang, deux coqs sanguinolants s'affrontaient. Les maîtres les saisirent sans ménagement. L'un arracha les plumes pendantes de sa bête. L'autre lécha l'œil percé de la sienne. Ils les placèrent au centre, les retenant fermement en les giflant pour faire remonter l'excitation. Les coqs furent lâchés, s'envolèrent de quelques pouces. Le gin repassa. John et Tom avalèrent quelques gorgées.

—Tom ? je crois bien que je suis soûl !

—Soûl ! Ha ! Ha ! tu me fais marrer... Bien sûr que t'es soûl ! et pourquoi tu crois qu'on est venus, alors ? Passe dix pence. Moi aussi, je suis soûl.

—J'y vais, Tom. On rentre.

Un coq s'écroula. Le maître du vainqueur sauta de joie. La salle salua la victoire. Drôle de combat ! Drôle de petit monde dont celui qui sortait vivant paierait de blessures, de plaies et de mutilations éternelles le luxe dérisoire de connaître enfin le prix de la vie. Et pourtant tout valait mieux que la mort... alors John lui aussi vivrait ! Il sortirait vivant de Londres !

Il se dégagea du bord du cratère au moment où rappliquaient les parieurs venant chercher leur argent. Il tira Tom dans son sillage.

—Assez, le Shetlandais ! Laisse-moi.

—J'ai pas un shilling à parier sur ces volailles.

—Moi, si !

—Tu avais... tu n'as plus !

—Ça suffit, le Shetlandais ! rugit-il. Je veux une femme.

—Y'en a plein les rues, tu m'as dit !

—Alors, on va en chercher une, hurla-t-il méchamment.

Dehors, la pluie s'était transformée en neige. Une neige floconneuse et légère qui hésitait avant de déposer ses belles étoiles blanches sur la rue noire et boueuse. Derrière les petites vitres translucides des maisons, on devinait la flamme fragile d'une bougie. Le ciel était blanc, le Strand désert. John se planta au milieu de la rue. Il ouvrit la bouche pour happer au passage quelques flocons comme si ces quelques gouttes d'eau avaient suffi à le dégriser. Au bout du Strand, le clocher de St-Mary découpait le ciel. Un groupe de chanteurs traversa la rue. John reprit machinalement la mélodie en sifflotant.

—Dis, Tom, on y va. C'est bien par là, non ? Tu ne m'y prendras plus avec tes combats de coqs et ton gin... et ne compte pas sur moi pour aller voir des ours ou des chiens se battre. J'aurais mieux aimé le théâtre. On ira à Goodman's Fields ; hein, Tom ? On m'a dit qu'on joue des pièces croustillantes. Ça sera plus drôle que ce qu'on a vu. T'es d'accord, Tom ?

Il se retourna. Il n'y avait pas âme qui vive autour de lui. Deux silhouettes titubantes s'en allaient collées l'une à l'autre.

—Tom! Tom! cria-t-il. Le chien! Le chien! Où c'est qu'il l'a trouvée cette crevette? Y'en avait pas une là autour!

Il se mit à marcher en direction de Fleet. "Le chien pourri!" lâcha-t-il les dents serrées.

La neige fondait dès qu'elle touchait le sol. La surface du pavé renvoyait un éclat lunaire qui voulait échapper à ses pas, ricochant toujours un peu plus loin devant lui. Cette aventure solitaire valait-elle la peine d'être tentée? Dès qu'on est parti, il semble qu'on ne peut plus revenir en arrière, comme la brindille qui file dans le torrent. Il faut attendre une herbe, une branche, un rocher pour vous retenir.

Il vit au-dessus des toits blancs le dôme de Saint-Paul. La Tour serait sa prochaine étape. Il marchait vite, le cœur léger. Il aurait pu désespérer; finalement, il décida de ne voir que la féérie de cette cité sous la neige et d'oublier la misère qui se coulait derrière les façades austères. Les flèches de St-James, St-Michael, St-Mary et St-Clement se dressaient dans le ciel blanc telles des bornes sur le chemin de Wapping. Il entendit quelques notes d'orgue dans la nuit ouatée. L'alcool et le froid le poussaient. Tout de suite après la Tour, il plongea vers les docks. Il accéléra le pas. C'est là que les masures et les entrepôts abritaient, il en était persuadé, toute la racaille d'Angleterre. Il ne fallait pas que le craquement de ses pas sur la neige qui recouvrait la terre d'une fine pellicule pût attirer son attention. Là, la neige était balayée en rafales par une bise glaciale qui remontait le fleuve. "Rien à voir avec les Shetland!" hurla-t-il dans le froid, pour se donner le courage de gagner au plus vite la "Ship Tavern".

6

Le réveil du lendemain fut pénible. Très tôt, il se fit sortir de la chambre par un grand gaillard.

—L'Ecossais, sors de là. Ici, on paie les filles. Alors, pour celle d'hier soir, tu me dois...

—Celle d'hier soir ?

—Ne joue pas au plus malin, hurla-t-il sur un ton menaçant.

—Je vous dis que je ne suis pas allé avec une fille.

—Et celle du Strand alors ?

—C'était pas moi !

—Sale menteur ! Fripouille !

John se saisit de son ballot, enjamba les lits et bondit hors de la chambre. Il dévala l'escalier, fonça dans la porte et fut dans la rue en un éclair. Mieux valait se faire oublier et il était aisé de semer ses poursuivants dans le labyrinthe des ruelles.

Par un itinéraire détourné, il se rendrait donc dans la journée à la "Jamaïca Coffee House" puisqu'il avait été mis en route plus vite qu'il ne l'aurait souhaité !

La "Jamaïca Coffee House" était un établissement fort connu des marins qui venaient y trouver un passage pour les Antilles ou les marchands qui y échangeaient des cargaisons de rhum, de coton, de lin ou bien entendu — car c'était là la fonction première de la Maison — du café, ou du thé.

Dans St-Michael's Alley, à l'ombre du clocher de l'église St-Michael, construite au dix-septième siècle par le célèbre architecte Sir Christopher Wren, la "Jamaïca Coffee House" offrait une façade de bois derrière laquelle se cachait une grande salle emplie de fumée et de vapeurs d'alcool. Il y grouillait une foule interlope. Depuis plus d'un siècle, cette maison avait assis sa notoriété sur la qualité de ses clients qui s'y précipitaient dès leur arrivée sur les docks.

John ne dissimulait plus sa lassitude et son découragement. Toutes les portes se fermaient à lui ; il avait le sentiment amer d'être le seul étranger dans la ville à qui l'on refusait du travail. Comment les autres avaient-ils fait ? Qui serait enfin son sauveur ? Pourquoi le Seigneur l'abandonnait-il au milieu de cette foule ? Avait-il démérité ? Il en était arrivé à un tel point d'abandon qu'il allait à la rencontre des hommes susceptibles de lui indiquer un travail sans la moindre lueur d'espoir dans les yeux, cette lueur qui laisse croire aux autres que l'on recèle suffisamment d'énergie pour passer les montagnes et traverser les océans.

— Essaie le Maryland, lui conseilla un marin qui avalait les verres de gin comme un poney des Shetland l'eau des ruisseaux.

— Le Maryland ? tu veux dire le Maryland, colonie d'Amérique ?

— Bien sûr, c'est le paradis ! Nous partons demain. Je vais demander au capitaine. Attends-moi ici.

Pour tuer le temps, John se rapprocha d'une table où l'on jouait. Il y fit la connaissance d'un certain Willie Holcrew, originaire de Conningsburgh, à huit miles au sud de Lerwick. Tandis que les dés roulaient sur le bois et que les jetons s'empilaient dans un coin de la table, on buvait du gin !

— Je n'ai jamais vu autant de gin que depuis que je suis à Londres, fit John.

Willie ne répondit pas, tout occupé qu'il était à compter ses points. En revanche, son partenaire, sans lever la tête, se mit à entonner le refrain à la mode dans la capitale :

"Gin, cursed Fiend,
Makes human Race a Prey.
Beer, happy produce of our Isle
Can cheer each manly heart".(4)

Repris en chœur par quelques hommes, le chant sombra dans une cacophonie grinçante.

— Alors, si vous vantez les mérites de la bière, pourquoi vous continuez à boire ce foutu gin ? demanda John.

— Mêle-toi de ce qui te regarde, l'Ecossais ! Fiche-nous la paix, veux-tu ! rétorqua brutalement un joueur.

John s'appliquait depuis quelques jours à corriger son accent. Il peaufinait son vocabulaire et s'efforçait — pas toujours avec succès — de tourner ses phrases à l'anglaise. Fallait-il faire Anglais, alors il ferait

Anglais ! Puisque c'est à cela que s'attachaient les Londoniens ! Puisqu'ils n'aimaient pas les Ecossais !

—Je ne dis rien d'offensant, s'excusa le Shetlandais.

—J'aime mieux ça ! Et puis ta sale tête d'Ecossais ne me plaît pas du tout. Pas du tout !

—Qu'est-ce que tu as contre les Ecossais ? s'étonna Willie. Harrower est un brave homme, je le connais bien.

—Un brave homme qui vient nous voler notre vie. Fous le camp, l'Ecossais ! Je t'ai vu quémander du travail tout à l'heure auprès de Jones, le marin du **Stella**. Laisse-nous notre travail. Allez, l'Ecossais, dehors, j'ai dit !

Et il souleva la table d'un coup de genou comme une brute, renversant Willie et sa chaise. L'homme avait les yeux rouges et brillants, les joues écarlates. D'un bond, Willie l'attrapa à la cuisse pour le déstabiliser mais il restait enraciné au sol tel un chêne centenaire et d'un coup de bouteille sur la nuque, il envoya rouler l'Ecossais qui hurlait en se tenant la tête à deux mains. Le sang ruisselait. John s'élança alors et saisit l'Anglais à la gorge. Ses doigts nerveux avaient viré au blanc bleuté. Il lui fit lâcher le morceau de bouteille qu'il tenait par le goulot mais l'autre se débattait encore en tapant du pied sur le sol à en ébranler la maison. Il s'arc-bouta, joignit ses deux poings et asséna à John un coup violent et sourd à hauteur du foie. Dans un râle, celui-ci se retrouva plié en deux, le souffle coupé. D'un coup de genou au menton, l'Anglais le balança alors à l'autre bout de la pièce à moitié inconscient. Il saignait de la bouche en abondance et un serveur vint lui apporter un tissu imbibé de gin qu'il lui coinça entre les mâchoires. Tout alla très vite car John ne vit plus rien qu'un épais brouillard et des silhouettes danser devant ses yeux. Il entendit le bruit étouffé d'un coup de feu au milieu des cris. Un nuage de fumée s'échappa de la gueule d'un pistolet et lorsque l'odeur âcre de la poudre se fut dissipée, on découvrit l'Anglais étendu à terre, cachalot mou, la chemise tachée de rouge et de sciure.

Aidé par trois hommes dont Willie, John put regagner la "Ship Tavern". Il savait qu'il avait perdu deux ou trois dents et souffrait d'un atroce mal de tête.

Cela n'aurait rien été s'il avait pu articuler un mot ! En fait, sa mâchoire ne fonctionnait plus et ne semblait plus vouloir s'entrouvrir. Pendant le trajet, Harrower comprit, à la conversation des trois hommes, que le tireur s'était enfui à toutes jambes, poursuivi par une meute enragée qui ne parvint pas à le rattraper. Certains disaient qu'il s'agissait de Mary Colson, une femme qui avait profité de la confusion pour régler son compte à cet Anglais. D'autres ajoutaient même qu'elle venait tous les soirs à la Jamaïca Coffee House dans l'attente du moment propice qui lui permettrait d'abattre l'Anglais... Et John, bien involontairement, aurait créé cette occasion ! Non seulement il n'avait rien souhaité de tel mais, de surcroît, cette bagarre l'avait empêché de recueillir le renseignement concernant le Maryland.

Le lendemain, tout alla beaucoup mieux. Dès le matin au petit déjeuner, malgré des lèvres noires et boursouflées, il put avaler quelques gorgées, ce qui le rassura sur son état.

La ville était inondée de soleil, un pâle soleil d'hiver qui n'en réchauffait pas moins les esprits et ravivait les couleurs des maisons. La Tamise paraissait moins grise et John prit beaucoup de plaisir à arpenter les rues et à jouer avec son ombre sur les pavés irréguliers, comme il le faisait quand il n'avait que dix ou douze ans ! C'est au fabricant d'encre de Shoe Lane qu'il avait décidé de rendre visite.

Le vieil homme qu'il trouva derrière sa table de travail avait l'allure d'un savant. Un jeune garçon à l'air hébété, qui se montrait néanmoins fort précis dans ses gestes, l'assistait dans l'élaboration de délicats mélanges.

—J'aime beaucoup votre maison avec sa tourelle, fit John.

—C'est une maison Tudor. Elle fut fondée en 1591 et notre famille l'occupe sans discontinuer depuis cette époque. Cela fait plus de cent quatre-vingt-trois ans que nous y fabriquons la meilleure encre de Londres... et peut-être de tout le monde civilisé !

De sa voix chaude, d'un ton assuré, le marchand feignait d'être toujours occupé à ses préparations pour montrer à ses clients qu'il donnait davantage d'importance à son art qu'au négoce...

—J'écris un peu, poursuivit le Shetlandais, et je viens chercher une bonne encre.

—Je vous l'ai dit, vous avez frappé à la bonne porte.

Puis, toujours sans lâcher son pilon et ses fioles, il demanda :

—Vous écrivez quoi, au juste ?

—Mon journal, simplement mon journal, monsieur ! Le journal de mon voyage depuis que j'ai quitté Lerwick, voilà plus d'un mois.

—Lerwick dans les Shetland ? Je vois. C'est très bien. C'est très bien. Savez-vous que notre maison a servi les plus grands. A commencer par le grand William Shakespeare. Smollett aussi. Et Richardson.

54

Vous voyez ce sonnet-là au mur ? Shakespeare l'a recopié pour nous et nous l'a dédicacé en 1602, avec notre encre bien sûr ! Elle n'est pas défraîchie. Intacte ! Je vous souhaite le même bonheur que nos plus illustres clients !

— Je n'ai pas cette prétention !

— Je crois en effet que vous réussissez mieux dans la lutte. A voir votre tête, j'ai eu un frisson dans le dos, quand vous avez ouvert la porte !

— C'est vrai que Londres est une ville peu sûre. Il a fallu que j'attende près de quarante années pour recevoir mon premier coup de poing ! Ici, à Londres.

— Et vous allez où ?

— Je cherche du travail, répondit John d'un air las, tant il avait prononcé cette phrase depuis Lerwick.

Il passait et repassait le revers de sa main droite sur le bas du visage pour sentir ses lèvres tuméfiées.

— Londres n'est pas une ville pour vous. Plus on y reste sans travail, moins on a de chance d'en trouver. Plus on s'y appauvrit et moins on a de chance de s'en sortir. Partez au plus vite avant que cette cité ne fasse de vous un cadavre ou au mieux un mendiant édenté et en lambeaux, une épave que la Tamise rejettera dans l'océan comme elle le fait de tous les bouts de bois mort.

Cette vision cauchemardesque décrite avec la rigueur scientifique d'un apothicaire fit frissonner John. Un rai de lumière vint à cet instant se poser sur le sonnet tandis que le soleil faisait scintiller les paillettes qui reposaient dans les coupelles placées sur la banque. L'encre noire, prisonnière et immobile dans ses flacons, brillait sur les étagères.

— Vous m'inquiétez, Monsieur !

— C'est pourtant la vérité, l'Ecossais. Vous me dîtes que vous êtes Shetlandais ? Vous connaissez peut-être un dénommé John Ross. Son sloop vient d'accoster à St-Katherine. Ha ! ça vous surprend que je sois au courant de tout ! Vous savez, tous les capitaines viennent ici prendre leur encre pour tenir leurs livres de bord.

— John Ross est ici ?

— Vous le connaissez ?

— Bien sûr, mais où est-il ?

— A St-Katherine Docks, je vous dis.

— Merci, oh ! merci. Comme vous êtes bon ! Merci. Oh ! John Ross à Londres. C'est merveilleux !

John serra les mains du marchand comme il l'aurait fait d'un saint homme et s'en retourna en courant.

—Et votre encre, l'Ecossais?

Mais John était déjà loin dans la rue. "Je reviendrai, je reviendrai", criait-il. "John Ross à Londres, Seigneur, John Ross à Londres!"

Le sloop du Shetlandais avait dû souffrir car John Ross profitait du vent sec qui soufflait sur Londres ce jour-là et des rayons timides du soleil pour faire sécher sa grand-voile avant de la réparer. Elle était déchirée en plusieurs endroits. De véritables balafres infligées par les tempêtes. John Ross remontait de la cale lorsque John mit enfin le pied sur le sloop après une course folle sur les quais. Les deux hommes s'étreignirent comme des frères et laissèrent éclater leur joie. Enfin, John retrouvait un visage connu et un ami.

Lorsque Ross lui eut raconté toutes les difficultés qu'il avait rencontrées pour arriver jusqu'ici, John finit par lui poser la question qui lui brûlait les lèvres depuis qu'il avait quitté Shoe Lane. Cette question, il l'avait ruminée tout au long du chemin et il n'arrivait pas à la poser, hésitant à interrompre le récit des malheurs de son compatriote.

—Tu dis que tu es parti le trois janvier?

—C'est ça.

—Alors, comment ça va, là-bas? Ann? Les peeries? bredouilla-t-il.

—Le mieux de monde, mon vieil ami! Je les ai vus la veille de mon départ. Comme le temps était doux, entre Noël et la nouvelle année, nous avons eu entre cent et cent cinquante voiles au port de Lerwick: des Anglais, des Hollandais, des Nordiques, des Danois, un Prussien et même un Français dont on ne comprit jamais ce qu'il était venu faire dans les Shetland. Il riait tout le temps mais personne n'a jamais saisi un traître mot de ce qu'il disait... alors, il est reparti!

—Mais Ann? les peeries?

—Ann est venue au port. Elle a aidé à charger et décharger pendant que tes peeries et mon Teddy vendaient des chausses et des vestes de laine aux étrangers. Tu sais, ils s'entendent à merveille, nos aînés! Ce sont de beaux gaillards qui feront de bons marins. Jack m'a soûlé de questions!

—Tu repars quand?

—Après-demain au plus tard, le temps de réparer et de recharger.

—Je te laisserai une lettre pour Ann, à moins que je reparte avec toi?

—Ne fais pas ça, John! Ann te croit en Hollande. Elle est sûre que tu as trouvé du travail. Ne la déçois pas. Je lui donnerai ta lettre et ne lui dirai pas qu'il te manque des dents!

—Quelle histoire! Mais, dis-moi, John, comment fait-on pour trouver du travail dans cette foutue ville?

Sur ces entrefaites, un autre marin de Lerwick, Robert Irvine, les avait rejoints. Robert Irvine et Harrower se connaissaient bien puisqu'ils avaient grandi ensemble. Aussi, lorsque John vit Robert — qu'il surnommait "TrollBob" depuis qu'ils avaient cinq ou six ans — s'imposa à lui une image fugitive qu'il croyait enfouie à jamais dans sa mémoire : un ruisseau, un ciel gris, la lande balayée par un vent froid et Bob la tête dans l'eau, en train de se débattre pour reprendre pied. Il revoyait précisément par-delà le visage long et osseux d'Irvine la silhouette poupine du bambin qui avait autrefois préjugé de ses forces et avait glissé sur les galets moussus du cours d'eau. En écho à cette voix qui le saluait poliment aujourd'hui, John entendit les cris haut perchés qui hurlaient sa terreur à l'idée de rentrer chez lui, trempé jusqu'aux os.

—Alors, John? Je te croyais en Hollande! Que fais-tu à Londres? Ce n'est pas une ville pour toi, tu es bien trop pur! Tu vas t'y perdre. Ah! si Ann savait... Mais tu as la tête en purée! Que t'est-il arrivé?

Irvine pressait John de questions et l'avait attrapé par le cou comme il le faisait trente ans plus tôt lorsqu'ils complotaient ensemble avant de partir à la pêche au bord de l'île de Bressay, ou qu'ils s'en allaient aider leurs pères à réparer les bateaux.

Irvine avait l'habitude des voyages et des villes. Il connaissait bien la manière d'être des Anglais et des Ecossais, des Allemands et des Hollandais. Il suggéra à John d'aller à la Jamaïca Coffee House pour y trouver des hommes influents qui lui procureraient du travail. Mais lorsque John lui eut confié qu'il n'y avait trouvé que des mauvais coups, il rit à gorge déployée et lui parla de bateaux qui faisaient le passage avec les colonies d'Amérique.

—J'ai refusé d'embarquer pour la Caroline et pas plus tard qu'hier on m'a proposé le Maryland.

—Tous les jours, des dizaines d'hommes et de femmes partent des docks de Londres pour les colonies. Tu trouveras facilement un bateau.

Puis Irvine expliqua à John avec exubérance et moult détails comment les "spiriters", ces sergents recruteurs vicieux et malveillants, enlevaient les hommes dans les tavernes pour les embarquer de force. Il fallait se tenir à l'écart de tels individus. En revanche, il était recommandé de signer un contrat qui vous permettait de payer votre passage pour l'Amérique en échange d'un service de quatre années que l'on effectuait chez un planteur de coton ou de tabac. Devenir serviteur sous contrat, cela vous assurait une réelle tranquillité matérielle. Et au terme du contrat s'ouvraient enfin les portes de la liberté.

— Même l'homme le plus ruiné de la terre, ajouta Irvine, trouve là-bas une belle occasion de recommencer le monde... Voilà l'Amérique qui te tend les bras ! Rends-toi compte !

— Et tu ne seras pas le seul, renchérit Ross. Des centaines d'Ecossais sont partis pour le Maryland, la Pennsylvanie ou la Virginie. Même les Highlanders peuplent la Géorgie !

Le soir-même, John décida d'écrire à Ann dans quelle situation il se trouvait avec seulement quelques shillings en poche mais l'espoir de trouver un travail en Amérique !

Grâce à sa rencontre avec John Ross et Robert Irvine, il avait retrouvé confiance et chacun pouvait lire son bonheur sur son visage.

— Dis donc, le Shetlandais, que nous vaut ton hilarité ? fit une fille de la "Ship Tavern" qui venait chercher les hommes.

— Ce soir je suis heureux ! Ma femme et mes enfants vont bien ! Je n'ai plus d'argent mais je vais m'en sortir. Oui ! tu vois, je sens que je vais m'en sortir ! Ma petite étoile brille à nouveau !

Et d'un geste volontaire il serra les deux poings et sourit de toutes ses dents jusqu'à ce que la douleur le rappelle prestement à l'ordre !

— Ta petite étoile ? Allez, viens avec moi, le Shetlandais. Je t'en ferai voir des milliers d'étoiles ! fit la fille aux cheveux roux. Tu passeras un bon moment, je t'assure. On parle de moi de Boston à Amsterdam. Allez, viens. Et comme tu es un beau garçon, malgré ta gueule de porridge, ça ne te coûtera pas cher !

L'épaisse chevelure de la fille caressait l'épaule de John et elle passait sa main sur sa joue tout en se serrant contre lui.

— Je te dis que je n'ai pas un penny. Il vaut mieux que j'aille écrire à ma chère Ann. J'en ai tant à dire depuis que je suis parti...

— Mais, le Shetlandais, tu es un homme ou quoi ?

John sourit et déposa un baiser sur la peau blanche de son cou.

— C'est tout ce que je m'accorde... Je suis pressé, la belle !

Le lendemain, mercredi vingt-six janvier, la chance était au rendez-vous. Dès le lever du soleil, il apprit qu'un navire sous le commandement d'un certain Daniel Bowers partirait prochainement pour les colonies d'Amérique. Il eut tôt fait de parcourir au petit matin les quelques miles qui le séparaient de Ratcliffe Cross, le long de la Tamise, les yeux rivés sur la forêt de mâts qui, de St-Katherine à Whitechapel, encombraient les docks. Tout le long des quais, on retrouvait des navires amarrés à couple, tête-bêche, par trois ou quatre de front, sur lesquels les marins criaient ou chantaient à tue-tête et grimpaient dans les cordages avec l'agilité des araignées sur leurs toiles. La lumière rasante projetait les squelettes décharnés des mâts et des vergues sur les maisons basses qui bordaient les quais, tandis que l'eau grise de la Tamise refluait par vaguelettes écumantes sous l'effet de la marée. De l'autre côté du fleuve, une frégate reposait sur son ber, entièrement bordée et calfatée, prête à être lancée à la mer. Elle arborait les pavillons de Sa Gracieuse Majesté et de l'"East India Company". De loin, John reconnut le navire que la rumeur des quais lui avait signalé. Plus massif, plus élancé, plus haut, amarré seul au quai de Ratcliffe Cross, le **Planter** imposait aux bateaux plus petits son autorité tranquille.

— Qui est le capitaine du **Planter** ? cria John à un homme qui fumait une pipe, à cheval sur un bossoir.

— Je me présente : capitaine Daniel Bowers. J'ai le privilège, par la grâce de Dieu, de commander ici-bas ce valeureux destrier.

Et l'homme plissa ses yeux vifs en tirant sur sa pipe, tout en souriant de son éloquence volontairement ampoulée.

7

Il avait neigé une partie de la nuit et une fine couche blanche recouvrait encore le pont tandis que sur les cordages la neige cristalline et liquide laissait apercevoir par transparence le chanvre brun. Depuis qu'ils avaient quitté Ratcliffe Cross, John dormait mal et, tôt le matin, il quittait son hamac pour échapper à la puanteur des soutes et respirer un air vivifiant. Il assistait sur le pont aux manœuvres, parlait aux hommes d'équipage en passager curieux, toujours prêt à offrir son aide.

Les cales du **Planter** regorgeaient de provisions. Il avait fallu plusieurs journées pour se faire livrer à quai puis embarquer les vivres. Nourrir plus d'une centaine d'hommes pendant des mois n'est pas chose aisée et c'est par dizaines que l'équipage avait amené à bord des tonneaux de viande séchée, des quartiers de bœuf, du sucre et du fromage, de l'eau douce et de l'huile, ainsi que des poules vivantes et des porcs sur pieds. Quelques jolies bouteilles aux flancs renflés avaient pris la direction de la grand'chambre du capitaine : eau-de-vie de genièvre, gin, whisky, vin de Madère. "Pour les coups durs", avait confié Daniel Bowers !

Le **Planter** était un snow, un navire gréé à deux mâts, plus long et plus fin que les bricks. Même s'il n'avait pas la vélocité et la puissance des frégates, toutes voiles déployées, il paraissait voler sur la crête des vagues. Le capitaine Bowers ne tarissait pas d'éloges sur son navire qui était sorti une vingtaine d'années plus tôt des grands chantiers Blackwell, le long de la Tamise. Après plus de quinze années passées au service de l'**Honorable East India Company**, la prestigieuse compagnie qui faisait le commerce avec l'Orient, le **Planter** avait été revendu en 1768 à son actuel patron, Lord Fairfax. Rebaptisé et recaréné pour la circonstance, il effectuait depuis lors la route de l'ouest. Peu d'indices permettaient encore d'identifier son appartenance à la célèbre "Old lady", si ce n'est le blason qui ornait les douze canons embarqués à bord.

Ce matin-là, le **Planter** ayant mouillé à Portsmouth pour se réapprovisionner avant la grande traversée, de sa dunette, Daniel Bowers aperçut John sur le passavant et le héla.

—Il y a bientôt trois semaines que tu es à bord, Harrower, et nous n'avons pas beaucoup eu l'occasion de bavarder.

—Je suis las, capitaine. Pourquoi revenir ici à Portsmouth ? Je m'en serais bien passé !

—Ne sois pas impatient ! Dans quelques jours nous serons en mer et tu regretteras peut-être Portsmouth...

—C'est si dur que ça ? s'inquiéta-t-il.

—Ça peut être très dur. Il vaut mieux s'y préparer. Mais je t'ai vu à l'œuvre : tu es un gars solide. Je t'apprécie beaucoup. Je pense que tu es le plus sensé de tous. Et puis, tu es Ecossais comme moi !

—Ecossais, capitaine ? Vous n'avez pourtant pas d'accent !

—Ah ! fit-il en riant, j'ai bientôt quarante-cinq ans et cela fait plus de trente ans que je n'ai pas revu Aberbothick ! J'ai passé plus de temps sur les ponts et dans les ports que sur ma terre natale. C'est le lot de tous les marins. Mais il n'empêche que quand j'ai un coup de noir, je respire très fort pour faire remonter l'odeur de la tourbe et des fougères dégoulinantes de pluie. Et je ferme les yeux pour appeler des images de bruine sur les moors, de brumes accrochées aux bruyères et de moutons paissant sur les prairies...

Ensemble, John et le capitaine regardaient les contours opalins de l'Ile de Wight.

—J'ai beaucoup de mal à imaginer que j'ai quitté mon pays pour si longtemps. Des années sans revoir mon port, ma maison, ma famille ! Peut-être ne les reverrai-je jamais ?

Daniel Bowers n'essaya pas d'abuser son passager tant il en savait sur les aléas de la vie ; il voulut néanmoins le rassurer quant à son avenir.

—C'est probable, répondit-il. Plus le temps passe, moins on a envie de se faire mal en retournant chez soi. Tu verras, la Virginie est une belle colonie. On y vit très bien et tu y seras heureux. Les tiens te rejoindront...

Puis, sur un ton plus grave, il poursuivit :

—..., Ton carré est un bon carré. J'y ai repéré des hommes solides.

—Tous des Ecossais sauf un, capitaine. Kennedy, Stewart et Burnet. Mitchell, lui, vient du Yorkshire.

Un petit vent vif se mit à souffler du large et des bourrasques de grésil s'abattirent soudain sur les mâts et les voiles ferlées. Au loin, une étrange masse laiteuse et irisée encapuchonnait l'Ile de Wight tandis qu'au-dessus de leurs têtes, les marins du **Planter** ne voyaient que d'épais nuages noirs.

—Viens à l'abri, Harrower, fit le capitaine en relevant son col alors que de minuscules grêlons, durs comme du gros sel, leur criblaient le visage. J'en profiterai pour te parler d'un problème qui me préoccupe.

Ils rejoignirent ainsi la grand'chambre, vaste pièce sur le gaillard d'arrière sommairement meublée, où logeait le capitaine. A côté de l'habitacle où Daniel Bowers rangeait soigneusement les instruments de marine, trônait un cabinet d'ébène, ouvrage délicat orné de sirènes et de tritons sculptés dans l'épaisseur du bois.

—Tu as vu les hommes, hier soir ? Ils complotent. C'est mauvais. ça ne me plaît pas du tout. Ils veulent tout manger et tout boire tout de suite. C'est suicidaire. Je suis obligé de tenir bon si l'on ne veut pas se retrouver en plein milieu de l'océan sans un litre d'eau et sans un gramme de sucre. Ceux à qui c'est arrivé ne sont jamais rentrés pour le raconter ! C'est horrible ! La panique ! Les hommes qui s'entretuent et se dévorent entre eux ! Il faut m'aider, Harrower, à leur faire comprendre ça. As-tu repéré ce Wilde ? C'est lui qui mène les autres.

—Il se méfie de moi, fit John. Le hasard l'a déjà mis sur ma route dans une auberge écossaise. Je l'ai reconnu dès que je l'ai vu mais il espère sans doute que j'ai oublié son visage de fouine et son regard fuyant. Ah ! non ! Je ne l'ai pas oublié. Je n'ai pas pu oublier celui qui a dévalisé le colonel des Scotch Grays, Lord Panmuir. Il se faisait appeler Hands...

—Hands ?

—Oui, Hands. Il a dû changer plusieurs fois de nom en cours de route.

—Alors, tu le tiendras à l'œil, veux-tu ?

Fort de la confiance que le capitaine Bowers plaçait en lui, John raconta par le menu la nuit passée en Ecosse et décrivit avec beaucoup d'humour le pittoresque Lord Panmuir, ce qui amusa le capitaine et le fit rire aux larmes. A son tour, ce dernier évoqua sa vie de marin et le bonheur qu'il éprouvait à amener chaque année des bataillons de serviteurs aux portes du paradis américain. Très souvent, il les livrait bien malgré eux. Tout le monde a du mal à larguer les amarres, surtout quand on ne sait pas ce qui vous attend sur l'autre rive mais, expliquait-il, "la vie vaut bien quelques tourments".

Le capitaine arpentait le plancher de sa cabine en claudiquant, conséquence d'une vieille blessure à la hanche. Jeune gabier, il était tombé d'une vergue de perroquet à la suite d'une mauvaise manœuvre de l'équipage et s'était retrouvé sur le pont, en sang et inanimé. Seule une voile caressée au passage dans sa chute l'avait suffisamment freiné pour qu'il ne se tuât pas. Daniel Bowers, homme de petite taille, chauve, au crâne bruni par le soleil, s'exprimait d'une voix traînante, sur un débit régulier. Parfois, au milieu d'un mot, il marquait une pause inopinée comme pour reprendre son souffle ou comme s'il s'était agi de s'interroger sur la justesse du mot employé.

Il avait bien senti cette fébrilité qui depuis la veille parcourait le navire car le soir-même un vent de folie déferla entre les ponts et s'empara des esprits.

—Trollaskod! Trollaskod! ils sont tous trollaskod! criait John à ses camarades. Dans les Shetland, nous, on sait ce que c'est que d'être ensorcelé par les trolls!

Même si Burnett, Stewart et Kennedy regardaient Harrower d'un air étonné, même s'ils se forçaient à sourire en coin, cette affirmation de John et ses incantations quasiment mystiques les glaçaient.

Toute la journée, les conversations avaient été nourries du naufrage de la frégate **Price** à quelques milles au large de Portsmouth, près de l'Ile de Wight, une frégate de retour de Virginie, chargée de rhum et de tabac. On avait aussi tourné en dérision la chaude-pisse du plus jeune embarqué, John Cooley, tout juste âgé de seize ans, qu'un vilain furoncle à l'aine faisait hurler de douleur dans son hamac. Bien malgré lui, John avait assisté le médecin appelé à bord au moment où il avait pratiqué une incision sommaire qui avait éclaboussé de sang le praticien et son assistant...

Cependant, la journée avait été calme et le second du **Planter**, James Jones, avait parfaitement contrôlé la situation jusqu'à la nuit tombée. En l'absence du capitaine, retenu à terre par l'achat de vivres supplémentaires, Jones s'était habilement employé à calmer les uns et rassurer les autres.

La nuit venue, le bateau sommeillait à quai dans la pénombre. La couche épaisse de nuages enveloppait les fortifications de Portsmouth et s'abaissait en direction de l'Ile de Wight dont on ne devinait que la masse sombre. Les vaguelettes venaient ourler la coque du **Planter** dans un clapotement apaisant. L'heure semblait propice au repos. Pure illusion! Dans un hurlement sinistre, traînant avec eux les flammes vives et les fumées blanches de leurs torches, brandissant des bâtons, une quinzaine de jeunes embarqués déferlèrent soudain sur les ponts, gagnèrent la dunette et se jetèrent violemment sur l'équipage de quart. Wilde, écumant de rage et défiant tout l'équipage, donna l'ordre de couper les haubans.

Très vite, Jones et Harrower descendirent parler avec les autres passagers pour les convaincre de ne pas céder à la folie qui ruinerait leur espoir de voir un jour la Virginie. S'appuyant sur le carré des Ecossais et une vingtaine d'autres embarqués, John prit la tête de la compagnie qui maîtrisa les mutins. Au prix de quelques brûlures et entailles, ils réduisirent à néant l'entreprise de Wilde qui comprit alors définitivement que le Shetlandais l'avait reconnu. John éprouva un réel plaisir à l'accompagner à fond de cale où il fut jeté sans ménagements. Ce n'était pas la dernière fois qu'il faudrait lui infliger une correction...

—Voilà du joli travail! La bête est en cage. Je devais bien ça à Lord Panmuir, non?

Penaud, tête baissée, retrouvant difficilement son souffle, le mutin s'écroula dans un coin noir et huileux et ne broncha pas.

Il était temps que cesse la révolte car les enragés avaient mis le feu à la voile de misaine et le mât lui-même, privé de ses haubans à bâbord, était ébranlé.

Le calme fut vite de retour. Seules quelques fumées grises s'échappaient encore des lambeaux de toile calcinée. Jones avait fait un compte-rendu complet au capitaine dès son retour à bord et mis en lumière le rôle déterminant joué par John. David Bowers ne fit aucun commentaire mais chacun comprit qu'il garderait de cet épisode le souvenir d'un Shetlandais lucide et courageux qu'il conviendrait de récompenser le moment venu.

Le capitaine décida sur le champ d'appareiller dès le lendemain à l'aube. Il lança des ordres cinglants, commanda de charger pendant la nuit les derniers ballots de vivres et réunit dans son carré Jones, Harrower et les Ecossais Kennedy, Stewart et Burnett pour lever un verre à la santé de l'Ecosse.

—Ils comprendront vite qu'il est facile de se mutiner tant que la passerelle n'est pas levée mais qu'en mer, il n'y a pas d'autre issue pour les mutins que la gueule béante des poissons!

Daniel Bowers parla peu mais quand il lâcha cette sentence inquiétante, les dents serrées et l'œil sévère, les hommes sentirent un frisson leur parcourir l'échine.

Les premières semaines de traversée se déroulèrent dans le calme. Le vent frais et la pluie refroidissaient les esprits qui, de ce fait, n'éprouvaient aucune envie de s'égayer ou d'ourdir un complot. On passait son temps à se réchauffer, couché sur son hamac, recouvert d'un vêtement humide. Le **Planter** tenait le cap; le vent était le plus souvent au nord-nord-ouest. Si les esprits étaient sains, il n'en allait, en revanche, pas de même des corps gagnés par la maladie. Une fièvre persistante accompagnée de tremblements et de délires ravageait les ponts. Aucun marin confirmé ne pouvait se voiler la face : on savait que l'issue pouvait être fatale. Les Ecossais ne furent pas épargnés puisqu'à la fin du mois de mars, Stewart, Burnet et le tonnelier du Yorkshire tombèrent à leur tour malades. En dépit de l'ordre donné par le capitaine de laver tous les jours le pont au vinaigre et à grande eau, l'épidémie ne pouvait être endiguée. Personne d'ailleurs ne mit sur le compte de la vieillesse la mort de l'Allemand dont le service funèbre avait été expédié par Jones au large de Land's End, en quittant les côtes anglaises. C'est bel et bien le scorbut qui l'avait emporté.

Le jeudi 31 mars, John nota sur son journal :

"vent, temps et cap comme hier. Le nombre des malades s'élève maintenant à cinquante entre les ponts, sans compter trois hommes d'équipage. Beaucoup d'algues venues du Golfe de Floride passent près de nous chaque jour."(5)

Le capitaine avait demandé à John de tenir un compte détaillé des malades et c'est à l'occasion d'une visite entre les ponts qu'avec le second ils découvrirent un étonnant spectacle.

Tout commença chez les Londoniens qui, dès le début de la traversée, à l'instar des Ecossais, s'étaient regroupés. Newland le tisserand, Rackstrow le tailleur, Nowland le maçon, Cooley le valais de pied et Phillips le boulanger, hommes entre vingt et quarante ans, partageaient le même carré. Beaucoup poussaient même l'audace jusqu'à affirmer qu'ils partageaient également une passion coupable pour un jeune homme de dix-sept ans du nom de David Avery. Plus d'un passager avait entendu des cris et des soupirs justifiant les allégations les plus folles, si bien que le carré des Londoniens était tenu en quarantaine, de peur qu'à la fièvre ne vienne s'ajouter une rage avilissante. Les uns les raillaient tandis que les autres les rudoyaient sévèrement. Le jeune Avery paraissait peu. Ses traits enfantins, aperçus à la lumière vacillante des torches, attendrissaient une poignée de marins tandis que les étincelles aguichantes lancées par ses yeux lavande tenaient à distance les plus virils.

On disait de cette pauvre créature qu'elle était le neveu d'un autre Avery embarqué à bord du **Planter**, maréchal-ferrant de Londres, homme bourru qui ne cessait de répéter qu'il ne voulait être mêlé à ces affaires !

A leur tour affaiblis et malades, les Londoniens suppliaient l'équipage de leur redonner vie.

—Il faut quand même aller voir ces bâtards ! fit le second à John. Je ne veux pas prendre le risque de laisser pourrir de pareilles charognes sur le **Planter**. Imagine qu'ils crèvent et qu'on n'en sache rien !

Au soir du quatre avril, accompagné de John et d'un homme d'équipage, James Jones descendit. Les hommes râlaient. Dans l'obscurité, ils priaient Dieu de les soulager de cette terrible fièvre. A la lumière de la torche, les trois hommes éclairèrent les visages hâves de Cooley d'abord, de Nowland et de Phillips. Puis ce fut le tour de Rackstrow agonisant, et enfin de Newland, un peu plus vigoureux que les autres. Restait Avery. Son hamac étant remonté, Jones coupa d'un coup de lame la cordelette qui le tenait suspendu. Le hamac s'écrasa quatre à cinq pieds plus bas sur le pont spongieux dans un bruit sourd. Avery hurla, réveillé en sursaut par la secousse.

Se relevant sur ses coudes, la vareuse défaite glissant sur l'épaule, il restait interdit, mort de peur. Nos trois hommes restaient quant à eux éberlués de découvrir les traits fins d'un visage diaphane, encadré d'une abondante chevelure dont les boucles s'échappaient d'un turban dénoué. Jones tremblait et avait du mal à tenir à bout de bras la torche qui inondait le hamac de lumière. Il fallait se rendre à l'évidence : Avery était une jeune femme ! L'espace d'une seconde, John se remémora les rumeurs, les silhouettes entrevues et les étreintes trahies. En un instant, il sentit se mêler en lui la fureur du désir et la nausée du dégoût. Il tira Jones en arrière.

—Emmenons-la ! fit-il.

Les yeux de la jeune femme avaient perdu tout éclat. Ils s'embuaient de larmes. De grands cernes rouges les soulignaient. Elle eut enfin un geste féminin et rajusta son vêtement, le tenant croisé sur son cœur de ses doigts longs et fins.

—Je vous demande pardon, Monsieur, ne cessait-elle de murmurer entre deux sanglots. Pitié ! Pitié ! De grâce, ne me tuez pas !

—Qui êtes-vous ? finit par articuler Jones.

—Mon nom est Elizabeth. Elizabeth Bridgewater.

Elle le dit d'un souffle, sans hésiter, comme pour se délivrer d'un horrible mensonge.

—Elizabeth Bridgewater, vous dites?

—Oui, monsieur.

—Alors, vous êtes bien une femme?

Bien involontairement, James Jones déclencha un fou rire nerveux qui se communiqua à l'ensemble des passagers rassemblés autour d'eux. Elizabeth elle-même esquissa un sourire mais le second ne se laissa pas attendrir par sa moue espiègle. Il la sortit au contraire de la cale avec brutalité puis la traîna et la tira sous l'œil interloqué de l'équipage qui ne comprenait pas vraiment ce qui se passait. Enfin arrivés à la grand'chambre, ils trouvèrent le capitaine assoupi dans son fauteuil, face aux cartes de marine étalées sur le guéridon. Il s'ébroua précipitamment.

—Capitaine, nous avons une femme à bord! s'écria Jones.

—Ciel! fit Daniel Bowers, serait-ce une sirène, Jones? Les vents alizés et la chaleur des nuits tropicales sont propices aux hallucinations mais je vous croyais à l'abri de ces dérèglements!

Goguenard, le capitaine regardait John et son second, puis il tourna le regard vers la jeune personne dont Jones tenait les mains derrière le dos pour qu'elle évite de se débattre. De toute évidence, cela ne lui effleurait même pas l'esprit! Daniel Bowers, d'abord incrédule, se ressaisit. Dès qu'il fut parfaitement réveillé, il s'approcha du visage d'Elizabeth. Tête baissée, elle ne disait mot. Il passa alors un doigt sur sa joue, fit une grimace, laissa glisser son index jusqu'à l'échancrure de son corsage, s'attarda sur un galbe chaud et velouté, fit une nouvelle moue puis se ravisa.

—Ma foi, Jones, vous ne semblez pas pris par les fièvres. C'est une femme, en effet! C'est bien votre avis John?

—C'est bien mon avis, se contenta d'approuver John, sur le ton d'un naturaliste découvrant une espèce nouvelle.

—Oui, c'est bien une femme et même un joli petit bout de femme! Vous avez vu cette peau? Chaude, douce... Et ces cheveux longs et souples? Et cette petite paire de seins? Mignons, ronds... Ah! pardonnez-moi Seigneur, s'excusa le capitaine qui venait d'accompagner ses propos d'une lippe gourmande. Faites monter son oncle.

Ce dernier se retrouva très vite devant le capitaine, encadré de deux solides marins. Elizabeth se tenait toujours tête baissée dans l'encoignure de la porte, sous l'œil vigilant de Jones.

Avery était un homme d'une quarantaine d'années aux cheveux rares et déjà gris. Peu loquace, il finit par expliquer qu'il avait aidé Elizabeth Bridgewater à s'échapper de la Clerkenwell House of Correction. Derrière des murs de vingt-cinq pieds de haut et de deux d'épaisseur, elle purgeait une peine pour vol et il avait fallu toute la ruse d'un Avery et le charme d'une Bridgewater pour se retrouver à l'air libre. Il raconta aussi — mais était-ce bien la vérité ? — que le père de la jeune fille, un ami d'enfance, lui avait fait jurer dans son dernier soupir de faire sortir sa fille de cette prison. Et comme il avait décidé d'embarquer pour l'Amérique, il avait profité de l'occasion pour cacher la jeune Elizabeth à bord du **Planter**.

Le capitaine demeurait de marbre et parfaitement insensible au plaidoyer d'Avery. Aussi ce dernier força-t-il le ton.

— Quelle différence cela fait-il, capitaine, avec toutes ces filles déportées, souvent de force, dans les colonies ?

— Une énorme différence, scélérat, reprit un Bowers vindicatif. D'abord, j'ai un convoi d'hommes exclusivement et Elizabeth est une femme ! Ensuite, elle a menti et s'est soustraite à la justice du roi. Enfin, j'ajouterai que nous n'avions nul besoin de la panique qu'elle a déclenchée à bord ! Tu as vu ces hommes ivres de luxure ? Ce gamin qui a attrapé une chaude-pisse ? La traversée comporte suffisamment de risques pour que l'on n'y ajoute de pareilles turpitudes...

Le capitaine vociférait et faisait trembler son auditoire. Des gouttes de sueur perlaient le long de ses favoris et accrochaient la lumière ocre des bougies. Son visage vermillon s'était tendu. D'un geste décidé il désigna Avery.

— Jetez-moi cette racaille aux fers. Demain, au zénith, il sera fouetté sur le pont. Vingt coups. Quant à cette Bridge-je-ne-sais-quoi, je ne veux plus la revoir jusqu'en Virginie. Nous nous occuperons d'elle là-bas.

Peu de marins ou de passagers surent ce qu'il advint d'Elizabeth pendant la traversée mais beaucoup eurent le sentiment que le capitaine s'occupa d'elle à sa manière, bien avant d'aborder les côtes américaines !

Le soir-même, comme ils le faisaient souvent au cours de ces longues veillées à bord, les Ecossais évoquèrent leur pays. Dans l'obscurité des cales et l'omniprésence d'un silence oppressant, alors qu'au dehors, seuls le mouvement régulier du navire et le grincement des bois vous raccrochent au monde, les hommes parlèrent de leur femme mais surtout de cette intruse sulfureuse du nom d'Elizabeth qui n'avait pas fini de faire parler d'elle... John ne les entendait plus. Il restait calmement étendu, les yeux grand ouverts dans la nuit.

Défilaient devant lui les images de l'été revenu. Ann tremperait la laine dans la grande bassine de bois. Il s'entendait murmurer des conseils dans le noir : "écrase très finement les fleurs blanches des orties si tu veux un jus d'un vert éclatant. Puis, fais comme le peintre de Lerwick : mélange le vert, le noir et le jaune. Colore nos belles laines et laisse-les gonfler sur nos rayonnages de bois". Peut-être sa famille le rejoindrait-elle avant que ne vienne le moment d'aller au grand marché vendre chandails et chaussettes... Dehors, la houle creusa l'océan et le navire tangua. Il aurait tant voulu les mains d'Ann sur son corps, ses mots tendres à ses oreilles.

8

— Ah!, si j'avais le talent de mon oncle Robert Ferguson! remarqua dépité Alexander Burnet. Tu sais? L'écrivain. J'aimerais tant pouvoir noter les sensations, les couleurs, la douceur du zéphyr. Ne trouves-tu pas, John, que c'est une merveilleuse expérience que nous vivons là? Pour nous qui n'avons jamais quitté nos eaux froides et grises du nord, nos landes rases et moussues balayées par les ouragans, le spectacle de ce vaste océan gris et de notre beau **Planter**, courageux et solide, me remplit de bonheur.

— Je ne connais aucun autre texte que la Bible, Alexander, mais ne dis pas que tu manques de talent! Je te crois au contraire excellent poète.

— Regarde ces vagues longues brunies par les algues que nous amènent les courants. Et ces reflets argentés dès que les premiers rayons du soleil irisent les flots!

Les deux hommes accoudés au bastingage fixaient l'horizon et se laissaient bercer par le mouvement régulier du **Planter**. Ils emplissaient leur thorax d'un air pur et salé.

Après une nuit passée entre les ponts dans l'odeur forte de la sueur des hommes, du brai et du suif qui imprègnent la cale, l'iode et le sel marin agissent au matin comme un baume bienfaisant. Comme il est agréable d'étirer ses muscles, de détendre ses chairs meurtries par des heures d'inconfort! Qu'on est mal, serré et recroquevillé entre les planches de bois d'un hamac trop petit!

— Oh! s'exclama John, tu as vu le poisson volant?

— On dirait un colin de chez nous. Sauf qu'il a une grande nageoire sur le dos. Tu vois? ça lui sert d'aile pour voler. Regarde! Encore un, ici, dans la vague. Et là, un autre qui fait une pirouette!

— Tu as raison. On dirait un colin de chez nous. Un colin d'au moins deux ans !

En dépit de l'heure matinale, il faisait déjà chaud et John se plaignait de ses chevilles brûlées par le soleil. Il avait commis l'erreur de quitter ses bas et ses souliers depuis trois jours et le soleil, ajouté au sel, avaient séché et gercé sa peau.

L'océan était calme ; le vent avait beaucoup faibli pendant la nuit. Le **Planter** ne devait pas filer plus de quatre à six nœuds.

— Allons, John, viens avec moi. On va se préparer un bouillon.

— Un bouillon de quoi ?

— Le même que tous les jours : biscuits cassés, vinaigre, huile, oignons et eau.

— Plutôt mourir. Ah ! non ! pas ça !

— C'est pourtant très bon pour éloigner la fièvre, fit Alexander d'un ton peu convaincant.

Il n'avait pas terminé sa phrase que retentit du haut du grand mât un sonore "Voile à bâbord, voile à bâbord". Les regards se levèrent en direction du jeune mousse qui pointait un doigt vers l'horizon lointain, encore brumeux. On avait du mal à distinguer quoi que ce soit et les hommes montés des cales à la hâte pour scruter les flots n'aperçurent le point minuscule que quelques longues minutes plus tard. Depuis qu'ils avaient pénétré dans l'Océan après avoir quitté les côtes d'Europe, c'était la première embarcation qu'ils rencontraient. Une immense joie s'empara de l'équipage et des passagers jusqu'à ce que le second ne fît remarquer qu'il pourrait aussi s'agir d'un navire aux intentions hostiles. Comme les oiseaux, les navires rapaces rôdaient le long des côtes dans l'attente d'une proie.

Inquiet, le **Planter** vit se détacher sur la ligne d'horizon un trois mâts élégant, de la race des Seigneurs des Océans, long, aux voiles largement déployées pour accrocher la moindre brise. John en compta une vingtaine. Brusquement, Daniel Bowers s'empara de la lunette du second.

— C'est une frégate, fit-il. Le **York**. Rassurez-vous, mes amis. Il a hissé le pavillon de Sa Gracieuse Majesté. Il vient à notre rencontre. Je pense que, comme nous, il a dû beaucoup dériver. Nous nous trouvons au large de la Barbade. J'ai fait le point sur la carte. Il faut maintenant remonter toutes les Antilles puis les côtes de Floride et de Caroline. Une bonne semaine encore, je pense... Si tout va bien !

Le beau voilier eut l'insigne élégance de s'approcher à quelques brasses du **Planter** et donna l'impression de vouloir l'accoster, alors que tout, le rang comme le tonnage, l'autorisaient à poursuivre son chemin sans se dérouter. En se rapprochant, Daniel Bowers eut l'agréable surprise de reconnaître le capitaine du York, son vieil ami William Ross. Le capitaine de Bristol avait lui aussi repéré le navire de son ami Bowers et avait souhaité le saluer. Depuis combien d'années ne s'étaient-ils pas revus ? Une bonne dizaine sans doute. La dernière fois, à Southampton, les deux hommes avaient passé trois jours et deux nuits ensemble, à boire et à rire avec les filles du port. "Nous étions encore jeunes", s'excusa Daniel Bowers. Puis la gazette des ports avait annoncé à William Ross que Bowers commandait un ancien navire de l'"Old Lady". Il y a cinq printemps, les navires s'étaient croisés à vingt-quatre heures d'intervalle sur les docks de Londres, lors de la première sortie du **Planter**. Depuis, à aucun moment, leurs destins ne leur avaient permis de se revoir.

La joie se lisait sur le visage de Daniel Bowers lorsqu'il descendit l'échelle de corde pour embarquer dans un canot. Sa barbe mal rasée riait dans l'éclat du matin et lorsqu'il adressa un salut amical à son équipage au moment où il s'éloigna du **Planter**, chacun sentit que son cœur était déjà ailleurs. Tous les marins comprenaient Daniel Bowers. On partageait son bonheur de retrouver un vieil ami à qui l'on va raconter ses aventures et qui va vous raconter les siennes. Autant d'histoires enjolivées au fil du temps dont on ne retient plus que l'effet qu'elles produisent. Elles vous procurent un réel sentiment de plénitude et d'éternité comme les légendes de votre enfance.

Les deux navires poursuivirent pourtant leur course. Tour à tour, ils prenaient soit de l'avance soit du retard, car il était difficile de régler l'allure des deux bâtiments. L'un était massif et puissant, l'autre élancé et rapide. Au bout de quelques heures, il fallut cependant se résoudre à la séparation. Depuis que le vent avait forci, le **York** marchait mieux. Une fois le capitaine Bowers revenu à bord du **Planter**, on vit le capitaine William Ross lancer des ordres du haut de sa dunette. Ses hommes s'envolèrent dans les mâts jusqu'aux plus hautes vergues et, telles des ailes célestes, les voiles couvrirent le navire. William Ross avait fait claquer le fouet et ses hommes éperonnaient le bel attelage. Le capitaine Ross, profitant de toute sa voilure, n'eut aucun mal à prendre, une longueur après l'autre, une avance conséquente sur son vieil ami Bowers.

Au crépuscule, le **Planter** se retrouva seul. Alors qu'à cette heure se mêlent d'ordinaire dans la brume orangée, l'horizon incertain et l'océan repu, une lueur violente embrasa le ciel. Des pointes d'argent acérées se brisèrent sur le plomb des eaux torturées. L'immensité grise, au lieu de plonger nonchalamment dans la nuit, fut prise de tremblements. Au loin, le roulement sinistre du ciel annonçait l'arrivée imminente d'une armée décidée dont les piques de feu inquiétaient tous les hommes de la mer. La houle commença à s'amuser du **Planter** comme d'une vulgaire brindille. Le vieux chat éternel prenait plaisir à rouler la coque arrondie comme une banale pelote de laine. La pluie oblique et chaude inondait les ponts. Les corps saturés de soleil, crevassés par le sel, se laissaient caresser par les gouttelettes. Les rires nerveux cachaient mal l'inquiétude des plus aguerris qui, les bras levés vers le ciel, en signe d'abandon aux éléments, prenaient des airs d'imploration et de prières adressées au Seigneur. Insensiblement, les gouttes se firent lourdes, froides et dures. Il fallut se résoudre à rentrer entre les ponts, trempé et grelottant, mais en fin de compte heureux d'avoir bénéficié d'une douche apaisante.

Comme l'avaient imaginé Daniel Bowers et James Jones, l'euphorie fut de courte durée car le ciel et l'océan s'affrontèrent alors dans un combat de titans, la fureur des vagues le disputant à la violence du tonnerre et des éclairs. Entre les deux, le **Planter** n'était plus rien. Jouet délaissé, abandonné à son sort, le bateau n'était qu'un amas de voiles trempées et déchiquetées — parce que pas assez vite ramenées — et un enchevêtrement de bois et de madriers secoués en tous sens.

—Dis-donc, fit John, quel jour sommes-nous?

—Lundi ou mardi.

—Non, je veux dire la date?

—Le cinq avril, je crois bien.

Les Ecossais s'accrochaient tant bien que mal aux cordelettes qui couraient en travers des ponts. Le spectacle des hommes malades, les visages tordus par la douleur, les longues plaintes et les râles, tout cela devenait insoutenable. Il fallait s'abstraire de cet enfer pour survivre. John semblait recueilli.

—C'est le "vore tullye", se surprit-il à dire à haute voix, prolongement involontaire de ses inquiétudes.

Il poursuivit, en marmonnant quelques paroles à l'adresse de son ami Stewart. Celui-ci avait du mal à entendre.

—... Ce qui m'étonne, vois-tu Stewart, c'est que l'équinoxe est derrière nous. A moins que sous cette latitude le combat n'ait lieu plus tard?

Alexander Kennedy s'était rapproché pour chercher du réconfort.

—... Oui, ce doit bien être le "vore-tullye", répéta John.

—Que dis-tu là ? fit Kennedy.

—Je dis que nous sommes pris au beau milieu du "vore-tullye" et que ce ne pouvait être pire ! Au beau milieu du combat.

—Arrête, avec tes histoires de Shetlandais. C'est une tempête, c'est tout ! Tu vois bien que Kennedy est mort de peur, coupa Stewart. Tu nous fous la trouille.

—Je suis sûr que c'est le "vore-tullye". Cela correspond exactement à la description que m'en a faite mon beau-frère Craigie. A chaque printemps, l'océan et l'affreux Teran se livrent un combat sans merci.

Tout à coup plus agressif, le visage crispé, les dents serrées et l'œil mauvais, Stewart attrapa John par la manche.

—Arrête avec tes histoires, je te dis. Fous-nous la paix !

John alla s'asseoir sur un tonnelet. Bien qu'il fût solide, les railleries de ses camarades l'avaient atteint. C'est vrai qu'il était Shetlandais. Et alors ? Il ne bougea plus de toute la nuit. Somnolant jusqu'à perdre l'équilibre, il se reprenait dans un sursaut. Alexander et Stewart étaient allongés à même le sol sur le pont gras. Ils regardaient fixement le plafond bas, les yeux brûlants d'horreur, les lèvres tremblantes, secoués en tous sens par l'océan en délire.

John se rappela le naufrage de la **Reine de Suède — Drottningen af Swerige** comme disaient les naufragés. Naufragés comme nous bientôt ! pensa-t-il. Il entendait son père racontant l'histoire du **Drottningen af Swerige** comme son grand-père l'avait racontée avant lui : le **Stockholm** et le **Drottningen af Swerige** faisaient route vers Cadix où ils allaient prendre livraison d'une cargaison de Chine quand, trois jours après leur départ, Teran, esprit de l'hiver, prit par surprise le capitaine Carl Gustav Breuliger... non, Treutiger — pourquoi Ann n'était-elle pas à ses côtés pour lui donner le nom juste ? Le beau navire de la "Swedish East India Company" s'en fut dans les eaux par à peine dix brasses de profondeur, au large de Lerwick, face à la maison de Henry Rose... Dans la passe de Bressay. L'hiver 45 était habité par un terrible Teran... Durant plusieurs années on vit les précieux objets du **Drottningen af Swerige**, "grand navire de cent quarante-sept pieds, trente-deux canons et cent trente hommes d'équipage" comme disait James Craigie. Combien de belles bouteilles de Bordeaux et d'alcools allemands, d'instruments de marine de Londres et de barres de plomb furent ramenés au port pour être vendus ? Et il revoyait ces Suédois blonds comme des Vikings déambuler dans

Twagoes et Lerwick. Et ce nom : **Drottingen af Swerige**, gravé sur le bois et flottant dans le port... Pourvu qu'il ne reste pas du **Planter** qu'un nom sur une planche !

Quand l'aube apparut, il ne savait plus s'il avait rêvé ou s'il avait vécu l'enfer. La nuit avait paru interminable. Les hommes en ressortirent harassés, hébétés, se demandant par quel miracle on pouvait échapper à la mort lorsqu'on subissait, à un tel degré de violence, l'assaut des éléments déchaînés.

Le capitaine, en passant près de John, lança :

— C'est cette Divine Providence dont parle le Duc de Milan, n'est-ce pas, le Shetlandais ?

— Je ne comprends pas, capitaine.

— Aucune importance. Plus tard, le Shetlandais, plus tard... Je t'expliquerai. **La Tempête** de Shakespeare, je te raconterai, John. Je l'ai vue jouée à Bristol.

— Dites, capitaine, c'était bien le "vore-tullye", n'est-ce pas ? Les hommes n'ont pas voulu me croire mais je suis sûr que c'était le "vore-tullye".

— C'est quoi le "vore-tullye", Harrower ?

— Je vous expliquerai, capitaine... Une croyance des Shetland. Moi aussi, j'ai des choses à vous raconter, capitaine !

Le **Planter** émergeait de la nuit et l'océan avait retrouvé son calme. Sur le pont, ce n'étaient que cordages enchevêtrés, mâts cisaillés, vergues suspendues au-dessus des flots comme des brindilles accrochées sans raison à une toile d'araignée : un bateau abandonné de Dieu et des hommes. Lorsque, peu à peu, le capitaine Bowers et son vaillant second mesurèrent l'ampleur des dégâts, il leur fallut commencer par rassurer un équipage et des serviteurs sous le choc. Avec méthode, ils entreprirent de réparer ce qui pouvait l'être pour que le bateau termine son voyage.

Au bout de quelques heures, sous gréement de fortune, à nouveau poussé par un vent léger, le **Planter** retrouva une petite allure.

Le soleil montait à l'horizon. Une belle boule dorée dont les rayons s'étalaient sur des flots apaisés. John s'assit sur des cordages, plume en main, se servant de ses deux genoux remontés sous le menton comme d'une écritoire. Puisqu'il ne pouvait convaincre les uns et les autres de la légende empruntée à son enfance, il confierait à son journal, à sa chère Ann et à ses enfants, la dureté de cette nuit.

En fait, tout le mois d'avril, qui avait commencé dans la souffrance, n'apporta que maladie et désespoir. Portées par les vapeurs putrides du **Planter** et la chaleur des Antilles, les fièvres décimaient des hommes épuisés, avec l'arrogance et la régularité d'une armée victorieuse. Lorsqu'on touche au but sans pouvoir l'atteindre comme c'était le cas du **Planter** qui léchait les côtes d'Amérique sans paraître avancer d'un pouce, le désespoir s'empare très vite des esprits les plus forts. Alors le mal s'infiltre et ébranle le moindre môle de résistance. Le **Planter** ne recelait plus de réserves. Les dernières poules bien maigres avaient été égorgées et il fallait se contenter de biscuits secs et d'un peu d'huile.

Le capitaine lui-même, après son second, connut les affres de la maladie. Il fit aussitôt appeler Harrower et lui confia la tenue du journal de bord.

— Tu trouveras le sextant sur le guéridon. Prends-en soin. Il vient de chez Nairne à Londres.

John se saisit du bel objet triangulaire, incrusté d'ivoire, dont les branches de chêne blond, longues d'une vingtaine de pouces, étaient reliées entre elles par trois arcs de bronze.

— Je vais t'en indiquer le maniement, poursuivit le capitaine abattu. C'est une clé de l'univers et, de sa bonne utilisation, dépend notre destin. Tu me donneras le résultat des mesures et tu répercuteras les ordres de manœuvres à l'équipage. Ils t'apprécient beaucoup et te feront confiance.

Ainsi fut fait sans encombres jusqu'aux derniers jours d'avril qui coïncidèrent avec l'arrivée du **Planter** en vue du cap Henry.

Pendant toutes ces longues journées, le navire avança lentement comme le fait le pionnier qui aborde un territoire inconnu. La pudeur le dispute un instant à l'envie de franchir le dernier pas mais le désir est plus fort et bouscule vite toute hésitation. Enfin libéré de toute entrave, il se décide à franchir le seuil.

Toutes les quatre heures, le **Planter** lançait des sondes. Lui qui avait filé à si belle allure par tous les temps depuis qu'il avait quitté l'Angleterre en était désormais réduit à avancer à tâtons. Navire aveugle cherchant son chemin à travers les bancs de sable à l'approche de la Baie de Chesapeake, il finit enfin par se frayer un passage pour se glisser dans les eaux calmes, comme aspiré par cette majestueuse porte des colonies d'Amérique.

La fatigue avait trop fait souffrir les organismes et les côtes trop lointaines ne révélaient pas encore tous leurs charmes. Seul le sentiment profond que le rêve se faisait enfin réalité put apporter un peu de bonheur aux hommes du **Planter**. Même s'ils avaient du mal à se convaincre qu'ils étaient enfin en Amérique !

Le visage creusé, la barbe drue retenant la sueur, marchant d'un pas lourd et traînant, le capitaine réapparut sur la dunette sous les hourras de ses marins. Il leur répondit d'un geste sobre et d'un sourire. Il parlait faiblement. John dut s'approcher de lui.

—On est arrivés, John. Demain, à Hampton, on fera monter un pilote. J'irai chercher des provisions. Des barrils d'eau et trois ou quatre cochons sur pieds. J'essayerai de placer quelques contrats. Les hommes sont à bout. Il était temps d'arriver. Trois mois que cela dure ! Une semaine de plus et on en perdait beaucoup...

—Et maintenant, capitaine ?

—Dresse-moi une liste de tous les serviteurs embarqués à bord : nom, âge, profession, origine. Je m'attacherai personnellement à vendre les contrats au mieux des intérêts de chacun. Quant à toi, tu resteras jusqu'au bout. Jusqu'à ce que je trouve quelqu'un chez qui je peux te placer en toute confiance. Peut-être comme précepteur. Tu lis et tu écris... Alors, avec un peu de chance...

DEUXIEME PARTIE

LA PLANTATION

* MAI 1774 – DECEMBRE 1775 *

« Ce pays connaît une situation très heureuse, entre les extrêmes du chaud et du froid, puisque c'est une région proche de la Latitude de la Terre Promise... »

Robert BEVERLEY

9

—Salut!

Stewart et Kennedy franchissaient la passerelle. C'en était fini du grand voyage. Daniel Bowers avait vendu leurs contrats. Sur le quai, les Nègres filaient comme des ombres, déchargeant les caisses des bateaux.

—Mon tour viendra.

—Demain, John, répondit le capitaine. Ce sera la fête à Fredericksburg et tu retrouveras à la course de chevaux un colonel de la milice, du nom de Daingerfield. Il a besoin d'un précepteur.

John se rappela combien il aimait raconter la légende du géant qui charge sur ses épaules la longue barque pour débarrasser les Shetland de tous ses trolls. Là-bas, les ruisseaux étaient encore gelés et tous les enfants mettaient le pied sur la glace qui casse. Et ils rentraient trempés à la maison.

Le regard du Shetlandais fut capté par une belle demeure sur la colline dont le blanc de la colonnade accrochait l'or du soleil levant. Le verre biseauté de ses vitres renvoyait des rais de lumière aveuglants. Le carré de brique de sa façade apparaissait comme un autre soleil rouge. De gros bouquets de cornouillers encadraient la maison.

—C'est beau, hein, John? Tu admires Brompton, là-haut sur la colline?

—J'y suis enfin... Je me sens heureux, capitaine. C'est donc ici que brille ma petite étoile...

Les hommes débarquaient caisses et tonneaux vides dans la tranquillité du matin. Les quais s'agitaient calmement autour du **Planter**.

—... La terre est si paisible, ici. Pas de lochs, pas de falaises. Que de la douceur!

—Profite de ce que tu vois, Harrower! Ce ne sera pas toujours le paradis!

—J'ai la tête en désordre. J'ai l'impression qu'elle est trop petite pour y faire rentrer tout ce que je vois et tout ce que j'entends.

Le soleil montait au-dessus du Rappahannock, fleuve langoureux. Le capitaine détourna le regard. John revit les visages d'Ann et des enfants. Il l'imagina assise au coin de l'âtre, racontant à son tour la légende du géant de K'neefell. K'neefell de son enfance, grand loch rempli d'eau, comme tous les lochs du Mainland, de Foula, de Papa Stour...

Puis bourdonna à ses oreilles la voix cassée de Daniel Bowers. Fragments épars comme venus d'un au-delà invisible. Des mots qui planent et vous frôlent comme le font les chauves-souris à l'approche de la nuit... Rappahannock... Fredericksburg... Course de chevaux... Et l'esprit de John qui s'arrachait à ses îles qui le retenaient encore.

—Excusez-moi, capitaine.

—De quoi, John?

—Je ne vous écoutais pas!

—Il faut que tu sois fort. Prêt à conquérir l'Amérique, ajouta-t-il d'un clin d'œil.

—Je pense encore à Lerwick, à ma chère Ann et à mes peeries.

—Tu y penseras toujours. Il n'empêche que tu dois penser à la Virginie. C'est ici qu'est ta vie désormais.

John s'était retourné pour échapper à la violence du soleil dont les rayons arrachaient tout sur leur passage. Les traits encore creusés du capitaine étaient accusés, du fait des ombres longues et grises et des taches rouges de son visage. La ville paraissait déchirée entre l'ombre et la lumière.

—Il vous faudra, vous aussi, reprendre des forces, capitaine!

—Moins besoin que toi. Je connais mon bateau et ma route. Pas toi. Demain, tu verras le colonel Daingerfield. Je pense que tu feras l'affaire. Gagne son estime. On m'a dit le plus grand bien des Daingerfield bien qu'ils n'aient qu'une modeste plantation à quelques miles d'ici, en aval sur les rives du Rappahannock.

—Je vais leur apprendre quoi?

—Ce que tu sais. Rien de plus. Lire, écrire, compter.

—Je saurai faire?

—Fais comme avec tes propres enfants. Soigne ton langage. Corrige ton accent.

—Mais je suis Ecossais, capitaine!

—Imite les Anglais. Leur accent est mieux perçu.

Le quai bruissait maintenant d'une activité désordonnée. Marchands, marins, esclaves et serviteurs criaient, se bousculaient, montaient et descendaient des bateaux. On entendait mille conversations. Et en allemand, danois, hollandais. Toutes les sortes d'anglais se mêlaient aussi. C'était même miraculeux que l'on parvînt à se comprendre.

—Ecoutez cela, capitaine. Et vous voudriez que je parle le meilleur anglais ? Mais quel est-il ce meilleur anglais ?

—Ne t'en fais pas, John. Achète le livre que lit toute l'Amérique. Le livre avec lequel les enfants apprennent.

—Lequel ?

—**The New England Primer.**

—**The New England Primer** ?

—Oui, **The New England Primer.** La Bible des enfants. Elle vient de Boston, dans la colonie du Massachusetts.

—Et la Virginie ? demanda-t-il soucieux.

Le capitaine s'était assis sur des cordages.

Le souffle léger qui remontait le fleuve mettait toute la mâture et les gréements en éveil. Un sifflement et un cliquetis rassurants se firent entendre.

—Ah, la Virginie !

Il prenait son temps, retenait son souffle. Il hésitait à se lancer dans une longue histoire. Il commença, malgré tout, lentement.

—Tu vois, John, depuis le Cap Henry, nous avons remonté presque toute la Baie de Chesapeake. Nous avons longé à bâbord les comtés de Princess Anne, Elizabeth City, York et Gloucester. Nous avons laissé la James River et la York River. Le Rappahannock qui coule ici, c'est le troisième. Plus au nord, on aurait trouvé le quatrième : le Potomac. On a remonté le fleuve autant qu'il est possible de le faire pour un navire comme le **Planter.** Et encore a-t-il fallu le haler ! Mais cela, tu l'as vu, n'est-ce pas, John ?

—Et ce cochon noir qui a sauté par-dessus bord à Port Morton et s'est enfui à la nage ? Vous vous rappelez ?

—... On n'a jamais réussi à le retrouver, tellement la forêt était dense ! Mais ne m'interromps pas, je t'en prie ! Tout ce trajet que nous avons suivi, eh bien, tu peux imaginer que c'est celui des pionniers lorsqu'ils ont découvert la Virginie.

—Ça fait combien de temps ?

—Attends, je te dis... Il y a vingt ans, j'ai rencontré à Williamsburg un descendant de Christopher Newport.

—Qui ça ?

—Un des trois fondateurs de la colonie qui les premiers ont mis le pied sur cette terre. Il y avait trois navires : le **Susan Constant** du capitaine Newport, le **Godspeed** de Gosnold et le **Discovery** de Ratcliffe. Et ils ont remonté la Baie au début des années 1600. Ils ont fait le même chemin que nous... Sauf qu'à l'époque, les Indiens leur tiraient dessus avec des flèches !

—Heureusement, on est mieux accueillis maintenant ! Et Fredericksburg, c'est eux qui l'ont fondé ?

—Oh ! non ! tu plaisantes ! Au début de ce siècle, il n'y avait rien ici ! C'est il y a à peine cinquante ans que la ville a été créée...

—Ça m'a l'air d'être un port prospère !

—Oui, et la ville a été baptisée en l'honneur du père de Georges III.

—Ils aiment tant le roi ?

—Que non ! Voilà quelque chose que tu dois savoir : parle le moins possible de notre roi. Certains se font arracher les yeux au seul nom du roi ! Il faut dire que c'est une coutume du pays que de s'arracher les yeux !

—Vous exagérez !

—Pas le moins du monde !

Très tôt le lendemain matin, mardi vingt-quatre mai, le capitaine William Anderson monta à bord pour rencontrer d'autres serviteurs et acheter leurs contrats. C'était un marchand estimé de Fredericksburg, ami de Daniel Bowers, et c'est à lui que le capitaine avait demandé de placer John dans les meilleures conditions possibles.

John descendit donc à terre avec Mr Anderson après avoir salué tout l'équipage et embrassé chaleureusement Daniel Bowers et James Jones. Le marchand lui indiqua la direction du champ de course où il retrouverait le colonel Daingerfield, but avec lui une chopine de lait en guise de petit déjeuner et prit congé.

Sur le coup des onze heures, le champ de course qui se trouvait à moins d'un mile de la ville s'emplit d'une foule nombreuse et élégante. Quatre ou cinq chevaux racés galopaient sur le turf gras, sous les regards amusés et passionnés de la haute société en crinolines et hauts de forme. Presque tous les gentlemen des comtés de Caroline, d'Orange, de King George, d'Essex et de Spotsylvanie se donnaient rendez-vous plusieurs fois l'an pour les courses de Fredericksburg. La richesse des planteurs et des marchands se mesurait à l'importance de leurs attelages. Si beaucoup d'entre eux arrivaient en voiture à quatre chevaux, quelques jeunes gens sur lesquels se portaient les regards intéressés des jeunes filles se montraient en attelages de six. Leurs jeunes cochers nègres assis sur les voitures discutaient entre eux tandis que les chevaux s'impatientaient sous le harnais.

John n'eut aucune difficulté à trouver William Daingerfield.

Il se dirigea vers lui.

—Excusez-moi, colonel. John Harrower du **Planter**. Le serviteur dont ...

—Ah oui, mon précepteur. Enchanté, Harrower. Mais vous ne pouvez pas venir à Belvidera dans cet état. Il faut porter votre linge à laver. Vous puez, mon vieux !

—Bien sûr, colonel.

—Voici de l'argent pour vous laver. Demain, je vous enverrai chercher par mon régisseur. Il s'appelle Lewis. Trouvez-vous à onze heures dans Princess Street devant la Loge N° 4.

—Entendu, colonel. Merci encore.

Le colonel Daingerfield sourit et tourna les talons pour reprendre sa place parmi les siens. C'était un homme d'une trentaine d'années. Massif, la démarche peu élégante, il promenait avec nonchalance un léger embonpoint. Son regard d'un bleu délavé ne paraissait pas pouvoir se fixer sur quoi que ce soit et pourtant, lorsque naissait un sourire à la commissure de ses lèvres, ses traits s'adoucissaient. Il inspirait alors confiance et John devina même sous ce masque ingrat un homme généreux.

La foule se pressait maintenant autour des barrières de bois qui longeaient le champ de course. Les responsables du Jockey Club de Fredericksburg profitaient de cette réunion hippique pour faire courir les plus beaux chevaux de Virginie sur un anneau d'un mile. De riches propriétaires venaient des quatre coins de la colonie pour que leurs montures tentent leur chance et, ce jour-là, parmi eux, un certain William Fitzhugh de Chatham, du comté de Stafford attira tous les regards. Ce propriétaire aristocrate, jeune, grand, mince et célibataire, déplaçait avec lui, dans un bruissement de brocarts et de dentelles riches et colorés, une nuée de dandys et de jeunes femmes énamourées. De course en course, au rythme des victoires remportées par son écurie, William Fitzhugh gagnait en célébrité et, lorsque sa jument grise Kitty Fisher l'emporta pour la quatrième fois sur Volunteer, un cheval hongre noisette, les belles demoiselles serrèrent d'un peu plus près encore le beau propriétaire. Dans le même temps, le colonel John Tayloe, de Mount Airy, cousin de William Fitzhugh et propriétaire du cheval vaincu, se retrouvait seul à taper de ses bottes crottées la terre grasse. Après Kitty Fisher, ce fut au tour de Regulus de prendre la relève et d'humilier un autre pensionnaire de John Tayloe, un cheval bai de deux ans, du nom de Single Peeper.

John passa ainsi la majeure partie de la journée à déambuler autour du champ de course, à observer le manège des gentilshommes et de leurs serviteurs, à échanger quelques paroles qui le renseignaient un peu plus sur la vie en Virginie et à encourager de ses hourras le cheval sur lequel il aurait misé si sa condition le lui avait permis.

Il y prit beaucoup de plaisir : son corps et ses sens appréciaient le sol ferme du pré, l'odeur forte et fraîche de l'herbe humide écrasée sous les pas, la ligne de hauts châtaigners qui bornaient l'horizon et le spectacle de la belle société de Fredericksburg en fête. Il ne regrettait pas les ponts de bois du **Planter**, le claquement des voiles et les ordres du second envolés dans la brise marine. Il était bien, voilà tout ! Et appréciait la douceur de la Virginie.

Le lendemain, comme il avait été convenu avec le colonel William Daingerfield, John parcourut à cheval les sept miles qui séparaient Fredericksburg de Belvidera en compagnie du régisseur Lewis. La route fut agréable entre les champs de maïs et les blanches cerisaies. L'eau du fleuve, en contrebas, clapotait le long des berges. Le chant des oiseaux, le pas lent et régulier des chevaux, le bercement imposé par le trot, tout incitait au repos. Quelle différence avec ces mois d'incertitude, de dangers et de folles équipées à travers l'Ecosse, l'Angleterre et l'océan ! Il laissait aller son corps d'avant en arrière, le retenant juste assez pour ne pas perdre l'équilibre. Comme un jeu ! Lewis ne parlait pas. La campagne était calme. Dans sa tête vagabondaient déjà quelques mots, ceux qu'il voulait vite écrire le soir-même sur son journal. Des mots qui venaient et repartaient. Il écrirait un poème, ce qu'il n'avait jamais osé faire jusqu'alors. Ce serait l'occasion de bien dire au Seigneur toutes ses craintes et tous ses souhaits. Les mots rimaient et chantaient, la cadence se précisait peu à peu. La Virginie douce et légèrement vallonnée, les pastels des prairies en fleurs, les arbres aux feuilles jeunes et tendres, la multitude des oiseaux et la paix d'un ciel limpide n'entonnaient-ils pas déjà un hymne à la gloire du Seigneur ?

Tout le monde avait déserté la plantation en cette après-midi de mai. Les Nègres festoyaient aux champs et la famille Daingerfield était partie en visite dans le comté de Spotsylvanie. John posa donc son ballot dans un coin du baraquement qu'il partageait avec Lewis et prit aussitôt son journal pour dire son bonheur d'être enfin arrivé. Il ne voulait rien perdre de tout ce que le voyage lui avait inspiré et il se mit à écrire, longtemps, jusqu'au soir.

Me voilà à Belvidera, en Virginie.
Puissent-ils trouver grâce, ceux qui m'ont obligé
A me séparer de mon épouse chérie,
Des Shetland et de mes trois peeries tant aimés.

Je suis installé ici comme précepteur ;
Et j'ai signé pour une durée de quatre ans.
Puissé-je vivre dans la crainte du Seigneur ?
Puissé-je toujours suivre ses commandements ?

Depuis toujours je suis entre vos mains, Seigneur,
Et j'ai l'intime conviction qu'à point nommé,
Si je me soucie de vos préceptes, Seigneur,
Près d'Ann et de mes peeries vous me renverrez.

Ô, puisse Jésus dans son immense bonté
Donner à manger à ceux qui me sont si chers !
Bien que nous soyions aujourd'hui tous séparés,
Ô Jésus, préservez mes peeries et leur mère !

Puissiez-vous me donner la force qu'il faudra
Pour qu'à ma fortune je puisse travailler !
Ce que votre faveur ici m'accordera,
Vers mes îles Shetland je l'envoie sans tarder.

Ô Seigneur, mon Dieu, puissiez-vous leur épargner
Les dangers de la vie, la maladie, la mort !
Puissent-ils tous les jours s'habiller et manger !
Puissent-ils toujours se fier à Vous sans remords !

Puissions-nous ensemble glorifier Votre Nom,
Et chanter Vos louanges sur toute la terre,
Et faire connaître avant tout le renom
de Jehova, le Roi Tout Puissant de la terre.

Ô, soit à tout jamais béni Notre Seigneur,
Le Roi de l'Univers, du Ciel et de la Terre !
Exaltons Son Nom, chantons, prions tous en chœur !
Soyons reconnaissants ! Oui, merci Notre Père !" (6)

—Miss Lucy! Miss Lucy! William Allen est encore tombé dans le fleuve. Miss Lucy! Miss Lucy! Venez vite!

Edwin se précipitait à toutes jambes en direction de la Grande Maison pour aller chercher la gouvernante. Il était suivi à quelque distance de Bathurst qui courait tellement vite qu'il en trébuchait.

—Qu'y-a-t-il encore? s'irrita Mrs Daingerfield par la fenêtre à guillotine du premier étage.

—Notre petit frère est tombé dans l'eau. Où est Miss Lucy?

—J'arrive.

Accompagnée de John, elle venait des baraquements des esclaves.

—Ne crains rien, Lucy. Je vois déjà William Allen qui revient. il est dégoulinant, comme d'habitude... Mr Harrower, je crois que vous pourrez commencer vos leçons aujourd'hui. Ils en ont grand besoin! Allez, les enfants, rejoignez Mr Harrower.

Dans l'encadrement de la fenêtre, Sarah Daingerfield apparaissait plus grande qu'elle ne l'était en réalité. Cette jeune femme à l'abondante chevelure noire de jais, aux traits francs et à l'allure aristocratique paraissait sévère. Dans l'ombre de son front haut et droit, ses yeux noirs et lumineux trahissaient une volonté farouche et une intelligence fulgurante. Bien qu'elle ne fût en aucun cas charmeuse, émanait d'elle la grâce enjôleuse d'une courtisane et ceux qui la connaissaient bien affirmaient qu'il lui arrivait d'en jouer. Lucy Gaines avait, quant à elle, une dizaine d'années de moins. Jeune fille petite et blonde, gracieuse et serviable, elle était à Belvidera depuis une bonne année maintenant et s'entendait à merveille avec les quatre enfants Daingerfield qui s'amusaient à compter les taches de rousseur de son visage et tirer la tresse soignée qui s'échappait de sa coiffe de dentelle.

—Bathurst, William Allen, Edwin, rejoignez Mr Harrower, votre précepteur.

—Nous nous installons sous le tilleul, indiqua John. Edwin, venez à ma droite, Bathurst, à ma gauche et vous Trollamog...

—Trollamog? ricana William Allen ... Qui c'est, Trollamog?

—C'est vous, jeune homme! Vous êtes un "trollamog", c'est-à-dire un petit être malicieux et farceur. Je vous raconterai les légendes des trolls. Vous verrez que vous êtes des leurs!

—Je ne comprends rien de ce que vous dites, Mr Harrower, fit remarquer Bathurst.

—Je parle pourtant anglais, non?

—Vous avez un de ces accents bizarres! Même Dadda Gumby, il parle mieux!

Les trois garçons s'esclaffèrent et il fallut bien quelques minutes au précepteur pour les ramener au calme.

—Cela suffit maintenant. Asseyez-vous. Votre mère ne sera pas contente si elle apprend comment vous vous comportez.

John retira de la poche de sa grande veste de velours brun le livre qu'il avait acheté à Fredericksburg. C'était un petit ouvrage de quelques pouces carrés, peu épais sur la couverture duquel on lisait en gros caractères **The New England Primer**. Il l'ouvrit à la première page et les trois garçons se ruèrent sur lui pour mieux découvrir le dessin à la plume qui figurait une mère faisant la lecture à ses deux enfants, dans l'angle confortable d'un bel intérieur. Puis il tourna à nouveau la page et montra du doigt les lettres de l'alphabet et des syllabes. Edwin, qui avait huit ans, lut les mots de deux syllabes qui se trouvaient au bas de la page. Bathurst se borna aux lettres de l'alphabet — mais il est vrai qu'il n'avait que sept ans! — et Trollamog, le petit de cinq ans, dit n'avoir jamais vu d'objets plus étonnants que ces lettres et ces mots imprimés!

—Je crois que nous aurons du travail, les enfants! Il faut commencer tout de suite. Voilà le programme: lever sept heures, petit déjeuner avec Miss Lucy à huit heures...

—Oh non! firent-ils tous les trois.

—A neuf heures, Lewis fait sonner la cloche pour appeler les ouvriers au travail...

—Les Nègres, vous voulez dire? coupa Edwin.

—S'il vous plaît! A neuf heures, donc, ce sera le début de la classe. On s'arrêtera à midi et nous reprendrons à trois heures.

—Ah, ça non! Pas l'après-midi, précepteur! Moi je veux pas!

hurla Bathurst.

— Je répète : l'après-midi, de trois heures à cinq heures et demie. Et cela, du lundi au samedi.

Les mines défaites d'Edwin et Bathurst contrastaient avec l'espiègle indifférence de Trollamog qui se souciait bien peu de l'emploi du temps dicté par le précepteur. Sans doute n'en mesurait-il pas bien la rigidité, à moins qu'il eût déjà pris le parti de n'en faire qu'à sa tête...

— ... Je veux ajouter que votre père m'a accordé la construction d'une école. Là-bas, de l'autre côté de l'allée plantée, en haut du talus qui plonge vers le fleuve. J'ai également l'autorisation de recruter d'autres élèves dans le comté, ce qui vous permettra de vous mesurer aux enfants des familles de planteurs.

Belvidera était une plantation comme il en existait beaucoup dans cette région des basses terres de Virginie, encore sensibles aux effets des marées : la région du Tidewater, séparée des régions hautes du Piedmont par les chutes qui empêchent les bateaux de remonter les fleuves plus en amont. Les planteurs, qui n'étaient que de simples paysans aux activités plus ou moins prospères avaient défriché les forêts, repoussant toujours plus loin le "wilderness" le long des quatre fleuves et cultivaient les clairières ; la noblesse de leur demeure — leur "Grande Maison" installée le long des cours d'eau — indiquait à tout le monde leur degré de réussite. Belvidera appartenait déjà à une catégorie supérieure, résultat du travail de deux générations.

Jamais, depuis son départ de Lerwick, John n'avait eu l'esprit aussi tranquille. Les multiples activités qu'il envisageait, son installation à Belvidera, aussi bien que l'accueil que lui avaient réservé Lewis, Lucy Gaines, les enfants, le colonel et Mrs Daingerfield, lui faisaient oublier la fatigue et le chagrin. Il était heureux et reposé. Son corps respirait mieux. Il s'efforçait de bien s'habiller pour tenir son rang. Précepteur ! Les siens seraient fiers de lui, s'ils le voyaient. Précepteur à Belvidera ! En Virginie ! En Amérique !

Malgré les fortes gelées de ces derniers jours qui avaient tué la vie printanière naissante, peu à peu, la nature conquérante, le chant des oiseaux, le croassement des grenouilles ravissaient la vedette à l'hiver.

Comment pouvait-il se faire que toutes les contrées de cette bonne terre fussent traitées aussi différemment ? Quelle injustice ! Que sont les prairies rases des Shetland à côté de l'herbe grasse de Belvidera ? Pourquoi ces taillis rabougris sur le Mainland et ces arbres fruitiers en fleurs à deux pas de la Grande Maison, sur la butte qui surplombe le Rappahannock ? Pourquoi tant de magnolias et de cornouillers le long des chemins ? Et ce n'est pas tout, se dit John. Même les animaux sont différents ! Voyez ces cinquante brebis et agneaux blancs qui broutent sur la rive du fleuve... Ils sont aussi gras ici en mai qu'ils ne le seront jamais dans les Shetland, à la Saint-Michel !

La nature s'acheminait ainsi vers l'été avec la force et la sérénité des grands fleuves qui coulent vers la Baie de Chesapeake.

Ce jour-là, à la mi-journée, John profita du repos pour se promener en direction de Snow Creek, à moins d'un mile de la Grande Maison. Le chemin était poussiéreux et, à chaque pas, ses souliers lourds soulevaient une nuée de sable roux aussi fin que des épices moulues. Que cette promenade était plaisante ! Elle le réconciliait définitivement avec les chemins... A travers les haies, au hasard du relief, il apercevait le fleuve peu profond dont les eaux limpides ricochaient sur les gros galets.

Puis il vit le moulin à blé planté sur un monticule herbu et la petite maison de Snow Creek. Les cris des enfants ne couvraient pas les rideaux d'eau qui entraînaient la roue de bois en cadence. A quelques pas, Sarah Daingerfield était assise sur des rochers plats, avec sa fille Hannah Bassett.

Lorsque la jeune femme relevait les yeux, son regard noir et profond vous saisissait. Elle vous fixait quelques secondes et l'on paraissait ne pas pouvoir s'en détacher.

—Bonjour, John, ne trouvez-vous pas cet endroit charmant ?

—C'est très beau, madame ! Je ne pensais pas que de tels paysages puissent exister sur notre bonne terre.

—Mais dites-moi, John, fit-elle agacée, d'où tenez-vous cet horrible accent ? C'est à peine si je vous comprends.

John perdit aussitôt contenance. C'était donc vrai. Il avait un terrible accent ! Le capitaine Bowers le lui avait dit. Bathust aussi. Et maintenant sa maîtresse ! Ses deux mains moites et gauches cherchèrent quelque chose à serrer très fort au fond de ses grandes poches. Tête baissée, il luttait pour ne pas céder à la panique, à la colère ou au désespoir. Son regard brouillé avait du mal à fixer les boucles de ses souliers. Sarah fit mine de ne pas remarquer son désarroi. Elle s'occupait de ses enfants et lissait de ses grands doigts les cheveux blonds d'Hannah Bassett.

—Je vois que je ne ferai pas l'affaire, madame, reprit-il, le souffle court.

—Mais non! Pas du tout, John! Tout ira bien. Les enfants vous adorent déjà.

Elle avait dit cela sur le ton le plus naturel qui soit, comme si elle avait voulu consoler un enfant qui s'en veut d'avoir fait une grosse bêtise. John regretta un instant le temps du voyage, l'océan, les hommes d'équipage, la dureté de la vie à bord. Sur le **Planter**, tout le monde se ressemblait et l'action interdisait tout état d'âme. Comme à la guerre, la seule différence qui valait d'être relevée, c'est celle qui existait entre un homme vivant et un homme mort. On ne s'attachait qu'à la force des corps qui luttent pour survivre et non aux accents et aux mots qui ne servent qu'à paraître.

Sarah regardait à nouveau le Shetlandais qui venait de s'asseoir sur l'herbe épaisse.

—Vous êtes un homme solide, John! Vous vous plairez à Belvidera.

—Merci, madame.

John s'était ressaisi. Juré, il ne laisserait plus jamais transparaître son découragement! Il n'offrirait plus jamais une victoire aussi facile à la jeune femme.

—Savez-vous, John, que c'est mon mari qui a construit ce moulin il y a quatre ans mais que c'est mon grand-père qui a édifié la Grande Maison voilà une bonne cinquantaine d'années? Juste à la frontière entre les comtés de Spotsylvanie et de Caroline.

—La plantation appartenait donc à votre famille, madame?

—Je l'ai héritée de mon père, qui la tenait lui-même de mon grand-père, le colonel John Taliaferro. Il est décédé l'année de ma naissance. C'était un pionnier vaillant et intelligent. Heureusement qu'il nous a légué Belvidera! Vous vous apercevrez vite que ce n'est pas facile de faire vivre un tel domaine. Il faut de la volonté, de l'énergie et du flair! Il n'y a qu'un homme dans la famille qui recèle toutes ces qualités, c'est...

—Votre mari?

—... Non, non, mon frère Philip, un officier de l'Armée des Patriotes. Il se bat dans le Massachusetts en ce moment, aux environs de Boston. Peut-être aurez-vous la chance de le rencontrer. C'est lui qui porte aujourd'hui le flambeau des Taliaferro. Malheureusement, il n'est pas à mes côtés!

John fut étonné d'une telle franchise. Sarah Daingerfield était fière. Elle s'était redressée. Tête haute, elle regardait le cours lent du fleuve qui emportait les brindilles lancées par les garçons. On devinait, sous son épaisse chevelure, un cou gracile et satiné. Elle sourit.

— Le colonel Daingerfield m'a parlé d'un jeûne, demain premier juin, se risqua John.

— Ah bon! fit-elle surprise. Il vous a parlé de ça ? Il n'est pourtant pas très convaincu... C'est vrai, j'ai demandé aux femmes et aux hommes de la plantation d'observer ce jeûne. Les esclaves feront ce qu'ils voudront, quoique si Dadda Gumby le leur demande, ils suivront...

— Dadda Gumby, le patriarche ?

— Il dit qu'il a plus de quatre-vingt-dix ans, répondit Sarah d'un haussement d'épaules. C'est le plus écouté de tous les Nègres! C'est lui qui me parle de mon grand-père. Il a même connu mon arrière-grand-père! S'il leur dit "Mrs Sarah fait observer le jeûne demain, nous devons obéir à Mrs Sarah", ils le feront! Je l'ai vu hier. Je lui ai dit que le capitaine Philip et les Patriotes se battent contre les Anglais à Boston. Je lui ai expliqué qu'ils avaient déversé la cargaison de thé de trois bateaux dans le port de Boston pour s'opposer à la taxe de trois pence sur chaque livre... Je n'en reviens pas : ils ont transformé le port de Boston en une gigantesque théière! J'aime que mon frère me parle de cette grande aventure. Rendez-vous compte : il y était! Un grand moment de la lutte de nos treize colonies contre le roi George.

Sarah était sincère. Elle était de ces femmes qui rêvent d'exploits pour elle-même et qui n'ont d'autre solution que de les vivre à travers les hommes de leur vie. Elle irradiait de bonheur quand elle entreprit de raconter dans le moindre détail et avec fougue l'épisode de Boston. Son corps tout entier s'anima et son regard brûlant tint John en haleine de longues minutes.

C'est ainsi qu'elle expliqua comment le Parlement britannique avait décidé une année auparavant de privilégier l'"East India Company" en lui permettant de transporter et de vendre elle-même le thé en Amérique. Ce qui privait les gros marchands américains comme John Hancock de Boston, d'une part considérable de leurs revenus, au bénéfice exclusif de quatre ou cinq autres marchands de la ville qui, eux, avaient reçu l'agrément de l'"East India" pour faire le commerce avec les colonies.

Devant un John médusé, Sarah mit toute son énergie à faire revivre la réaction des assemblées coloniales face à ce monopole. Ce fut d'abord le boycot du thé et du rhum et, depuis cet hiver soixante-treize, l'interdiction de débarquer des marchandises au port de Boston.

Et c'est là que Sarah se fit la plus prolixe et la plus drôle. Elle alla jusqu'à mimer les faits et gestes des Patriotes.

—... Fin novembre, fit-elle en plissant les yeux, le **Dartmouth**, navire de l'"East India" arrive à Boston. Partout dans la ville, sur des affiches placardées sur tous les arbres, on peut lire que le thé maudit est arrivé au port et que l'heure de la destruction a sonné. Trois semaines plus tard, l'**Eleanor** rejoint le **Dartmouth**. Et, à la mi-décembre, le **Beaver** complète la flotte. Bien entendu, aucun d'entre eux n'a pu décharger sa marchandise !

Sarah fit alors passer ses doigts sur son visage pour indiquer que les hommes se grimaient. Ses yeux riaient.

—... Les patriotes se déguisent en Indiens Mohawks. Des hachettes à la main, imitant un dialecte, ils font irruption à la nuit tombée sur les trois bateaux. Ils n'ont aucune peine à maîtriser les quelques marins de garde. Dans le plus grand silence, alors que la marée remonte, les Mohawks attachent des chaînes aux caisses de thé pour les treuiller hors des cales. A coups de haches, elles sont éventrées. Le thé tombe alors en pluie fine dans les eaux noires. Comme des enveloppes de blé emportées par le vent à l'époque de la moisson, vous savez John ?

Elle n'eut même pas le temps de noter l'approbation de son unique spectateur.

—... Rendez-vous compte qu'en moins de trois heures, près de trois cent cinquante caisses sont vidées. Le thé fait des montagnes à la surface des flots. Il atteint de telles hauteurs qu'il retombe sur le pont des bateaux et qu'il faut à nouveau le repousser à coups de pelles.

—Maman, maman, maman ! Au secours !

Hannah Bassett hurlait. Juchée par ses trois frères sur une souche d'arbre coupée d'où elle ne pouvait redescendre, la petite fille terrori-sée rappelait à Sarah et à John l'actualité de Belvidera. D'un bond, John se précipita et la prit dans ses bras.

—J'imagine très bien cette même scène à Lerwick, fit-il. Cela ferait du bien à certains. Décidément, votre Amérique est bien surpre-nante ! Chapeau !

—Notre Amérique, vous voulez dire ! N'oubliez jamais que vous êtes des nôtres, John. Cette Amérique, c'est aussi la vôtre, même si vous n'êtes encore qu'un serviteur sous contrat.

Le même soir après dîner, le colonel Daingerfield vint s'asseoir à côté de John sur les marches de la maison. Les deux aînés, Edwin et Bathurst, les rejoignirent aussitôt.

La lune éclairait les chapiteaux en arc et les appuis de pierre des cinq fenêtres de la façade principale. Au rez-de-chaussée, la maison de brique abritait, autour du hall, les pièces de séjour et la cuisine d'un côté et la chambre des maîtres et le bureau de l'autre, tandis qu'à l'étage se trouvaient les chambres des enfants — que l'on appelait "nursery" — et celle de Lucy Gaines. Le porche d'entrée supporté par deux colonnes doriques cachait dans son ombre la porte épaisse restée ouverte.

—Vous pouvez commencer la construction de l'école demain, John. On a coupé les planches et les menuisiers viendront vous aider.

—J'en suis très heureux, monsieur.

—Dès demain, je vais annoncer votre venue et l'ouverture de notre école aux planteurs pour qu'ils vous envoient leurs enfants. Nous en ferons une grande école du comté. Le colonel de la Milice que je suis se doit de montrer l'exemple. Je compte sur vous, John.

—C'est une belle ambition. Je ferai tout ce qui est en mon pouvoir pour m'en montrer digne.

D'une main, John avait rapproché le chandelier. Il le mit à ses côtés sur une marche de pierre. La flamme des trois bougies vacilla puis se reprit tandis que les fumées laiteuses montaient droites avant de se mélanger en un nuage opalescent. Il prit **The New England Primer** et demanda aux deux garçons de l'écouter attentivement.

—Chaque soir après dîner, nous nous réunirons quelques minutes avant d'aller au lit. Nous lirons une morale, prise dans l'abécédaire, et nous conclurons par la prière du soir. Quand vous en serez capables, c'est vous qui ferez la lecture. Commençons ce soir par la lettre A.

"A wise son maketh a glad father, but a

Foolish son is the heaviness of his mother"(7)

—C'est tellement vrai ! fit le colonel. Puissiez-vous vous en souvenir ! Vous allez répéter, l'un après l'autre, après votre précepteur.

Bathurst et Edwin s'exécutèrent en pouffant chaque fois qu'ils trébuchaient sur un mot.

John prit ensuite la dernière page du livret et lut.

—"Courte Prière Pour Le Soir :

"O Seigneur, j'implore votre bonté et votre grâce paternelles : pardonnez toutes les offenses que j'ai commises ce jour envers vous et votre loi divine, que ce soit par la pensée, par le verbe ou par mes actes. Et maintenant, Seigneur, puisque la nuit est là et que je vais prendre du repos, je vous implore afin que vous illuminiez mon regard. Que mon sommeil ne soit pas éternel et que mon lit ne soit pas un tombeau..."

11

Belvidera passait un été 1774 paisible et John terminait en cette fin d'après-midi sa promenade le long du fleuve, les poches emplies de noisettes. Il n'en avait jamais ramassé de pareilles, à la coquille tellement dure qu'il lui fallait un marteau pour la casser. Entre l'école et la maison, sur le chemin herbu que l'on planterait de jeunes marronniers avant le printemps suivant, il dut se frayer un passage entre les brebis et les agneaux blancs qui venaient paître chaque jour sans se préoccuper des allers et venues sur la plantation. Il faut avouer que chaque fois que Sarah Daingerfield avait demandé au régisseur de les éloigner, les garçons, Edwin et Bathurst en tête, s'étaient précipités pour les rabattre au plus près de la maison. Ils prenaient tellement de plaisir à les faire courir, à les attraper et à effrayer tout le troupeau en installant Trollamog sur le dos de l'un d'entre eux !

— Je viens chercher un marteau pour ces noisettes, fit John à Lucy Gaines qui coiffait les longs cheveux dorés d'Hannah Bassett.

Dans la grande salle à manger, le colonel, assis devant une fiole de gin en étain dont il avalait quelques gorgées, en même temps qu'il grignotait des galettes de maïs, avait l'air absent. Son regard transparent fixait l'encadrement de la fenêtre et paraissait ébloui par la lumière blanche qui s'y engouffrait. Les cris lointains étouffés par la moiteur de l'été ne semblaient pas l'atteindre. Même ceux de sa fille, gesticulant sous la brosse de la gouvernante, ne parvenaient à le faire ciller. John s'assit sur le banc, de l'autre côté de la table. Pendant un long moment, ni l'un ni l'autre ne voulurent dire quoi que ce soit. Ils se contentaient de s'éventer d'une main pour arracher à leurs peaux moites les mouches au vol lourd. Dehors, le chant des cigales striait le temps.

—John?

—Oui...

Les mots avaient du mal à déranger la pesanteur de l'après-midi. William Daingerfield s'ouvrit à John sur le ton de la confidence. Ce n'était pas le maître qui s'adressait à son serviteur mais bien davantage un ami qui demandait un peu de réconfort.

—La saison sera dure, John! Pour la main d'œuvre louée, la moisson m'aura coûté plus de vingt-trois livres... Sans compter la nourriture et la boisson! Le blé n'est pas très haut cette année. A cause du gel d'avril. En bonne année, mes quatre cents acres me donnent trois mille six cents boisseaux. Nous n'en aurons pas plus de la moitié cette année. Ce sera dramatique. Et Lewis fait mal son travail. Il n'est ni craint ni respecté des Nègres qui, de ce fait, ne donnent pas le maximum. Il ne sait que les humilier, ce qui est pire que tout. J'ai pris ma décision : il faut que je le renvoie.

John avait compris que le colonel vivait une de ses heures noires comme il lui arrivait d'en connaître. Il valait mieux ne pas l'interrompre.

—... Tu es d'accord pour que je renvoie Lewis?

—Vous avez dit qu'il ne faisait pas bien son travail!

—Je veux ton avis. Tu sais bien qu'il n'est pas un bon régisseur...

Il se versa une rasade de gin, déchiqueta un morceau de galette et se tourna machinalement vers la porte où un agneau égaré venait de passer la tête.

—... Tu sais aussi, ajouta-t-il, presque avec indifférence, que non seulement il fait mal travailler nos Nègres mais qu'en plus il les maltraite!

Comme John ne pipait mot, William Daingerfield le regarda de biais et se fit plus insistant, martelant chaque mot :

—Tu le sais, n'est-ce pas John, qu'il maltraite nos Nègres?

Il n'y avait pas de piège dans sa question. Aussi John décida-t-il de confirmer les dires de son maître.

—... Qui te l'a dit? poursuivit-il. Dadda Gumby?

—Oh non, il est trop sage pour cela.

—Alors qui? Pas Sucky tout de même?

John hésitait. Fallait-il accabler davantage Lewis? Pourtant il ne méritait aucunement qu'on le prît en pitié. Fallait-il compromettre quelques Nègres de la plantation, qui risqueraient, c'est certain, de payer très cher le prix de leur dénonciation?

—Ils me l'ont dit et je l'ai vu. Oui, de mes yeux, je l'ai vu, Monsieur. Je ne peux vous dire que ça. Non, ce n'est pas tout...

Permettez-moi d'ajouter que c'était horrible. Horrible et inhumain, Monsieur.

Cela se passait en juillet, alors que les esclaves et les ouvriers sortent des cases après midi pour retourner aux champs. Le soleil est au zénith, la sueur ruisselle sur la peau brûlée. Tous les Nègres partent vers les champs de maïs. Tous ? Non, un jour, un reste en arrière : Abram. Et une fillette, au lieu de suivre les ouvriers, décide de filer à toutes jambes vers l'école. Ganzara, la jeune mulâtre d'une dizaine d'années, à qui le précepteur de Belvidera a jusqu'alors refusé de lire le catéchisme, déboule dans la salle de classe. Ses yeux fiévreux, sa chevelure défaite, son souffle haletant, témoignent d'une terreur folle. "Vens vit', M'sieur. Vens vit'... Ab'am, i'va mourir". Et elle tire John de toutes ses forces en courant à travers la prairie jusqu'à la case abandonnée. John pousse la porte ; elle ne s'ouvre pas. Une chaîne la maintient fermée. Il fait sauter les planches disjointes de plusieurs coups de pied. La porte cède enfin. On ne distingue rien dans la pénombre de la case : quelques lames de lumière et de poussière qui filtrent à travers la paille de la toiture aveuglent l'homme et la fillette. On entend le râle d'un homme et l'on devine son corps pendant, long et nu, accroché par les poignets à une solive. On voudrait que cesse le bourdonnement excédant des mouches. John met du temps à détacher le Nègre. Tout le poids de l'homme a tiré sur la corde et les nœuds sont serrés. Lorsqu'enfin, à coups de serpette, le chanvre est tranché, les hommes tombent à la renverse sur la terre dure et sèche du sol. Le Nègre se relève, hagard. Honteux de sa nudité, il se sauve en titubant. Ganzara a détourné son regard et il lui faut s'y reprendre à plusieurs fois avant de pouvoir expliquer comment Lewis procède.

— Rega'dez c'pieu, M'sieur. I' l'est long d' dix-huit pouces et i' l'a taillé comm'un clou éno'me. I'l'attache les Nèg' au-dessus et i' les fait tou'ner. Au début i' s' débattent puis i' s' fatiguent... alors i' saignent... et tout l' monde s'en va ! I' vont tous aux champs, M'sieur. I' n' veulent ren voi'...

— Mais pourquoi ? demanda John éberlué, la nausée aux lèvres.

— V'là, M'sieur : quand on déplaît à M'sieur Lewis, i' nous fait la saut'relle.

— La sauterelle ?

— C'est comme ça qu'i' l'appelle. "On va fai' griller la saut'relle", qu'i'dit.

— Alors, pourquoi Abram ?

—I' l'a empêché de prend' ma sœu' Caroline. I' l'a vu fermer la
port' l'aut' soi' avec Caroline dedans. Alors, Ab'am qui l'est amoureux
de Caroline, i' n'était pas content. I' l'a fait fui' M'sieur Lewis. I'
l'aurait ben voulu empêcher not' maît' aussi! Mais lui, on peut pas,
c'est not' maît'!

—Le colonel aussi?

—Ben sû', fit-elle d'un haussement d'épaule.

Et souriant de toutes ses dents, comme pour se moquer de la naï-
veté de John, elle ajouta :

—... Mais lui, i' fait pas fai' la saut'relle! I' l'est gentil, M'sieur
Daingerfield! I' dit à Caroline qu'i' l'aime ben! ... Surtout ses p'tits
seins durs et chauds, j' crois ben qu'i' dit!

Et Ganzara de pouffer de rire en portant ses deux mains devant sa
bouche. Ses yeux pétillants étaient un clin d'œil à la vie.

—Je vais te dire quelque chose, Ganzara. Maintenant, je suis certain que tu es une grande fille, alors je peux te lire le catéchisme.

—C'est vrai? exulta-t-elle.

Puis, les yeux plissés, les traits sévères, elle devint plus grave.

—... Et not' maît'esse, Mrs Sarah?

—Elle ne le saura pas.

—I' l'est vraiment très gentil, not' M'sieur John!

La leçon du lendemain matin fut des plus agitées, comme si la
touffeur matinale avait de très bonne heure saisi les esprits. Sarah fut
prompte à montrer son mécontentement et déclencha les hostilités en
rendant visite à John. Le précepteur, assis avec les enfants dans le carré
d'ombre de l'école, la reconnut tout de suite à sa silhouette décidée qui
arpentait l'allée sablonneuse en soulevant à chaque pas un nuage de
poussière. Il entendait le bruissement soyeux des plis de sa robe dont le
rouge tranchait sur le ciel laiteux. Le mouvement énergique de ses
bras, couverts eux aussi de soie cerise jusqu'au coude, de même que le
battement frénétique des manchettes de dentelle écrue, ne présa-
geaient rien de bon. Il sentait déjà poindre l'orage! La marche vive de
Mrs Daingerfield lui parut interminable. Elle arborait, fièrement
agrafée à son corsage, un magnifique rhododendron dont John savait
qu'il avait été coupé dès l'aube par un Lewis venu implorer son rachat.
Lorsque Sarah se piqua enfin dans un garde-à-vous militaire devant le
cercle étroit de sa classe, John se leva. Le visage fermé, les lèvres pincées, le regard noir de la Lady de Belvidera étaient à l'image de cette
inhabituelle coiffure austère, impeccablement ramenée en chignon,

sous la fontange de dentelle offerte par le colonel à son retour de Williamsburg. Sarah Daingerfield jouait à nouveau de sa légendaire férocité Taliaferro.

—Harrower ! Je crois que vous vous méprenez sur votre condition.

—Pardon, madame ? fit John faussement surpris.

—N'oubliez surtout pas que vous n'êtes ici qu'un serviteur sous contrat, un quasi esclave qui n'a pas droit au chapitre. N'oubliez pas que Belvidera est ma plantation et que personne d'autre que moi ne peut utilement conseiller mon mari sur la conduite des affaires. J'ai appris ce matin que le colonel a décidé de renvoyer notre régisseur et que vous n'êtes pas étranger à cette décision. C'est tout à fait inacceptable !

John subissait, sans manifester, les assauts répétés de la jeune femme dont le ton acerbe trahissait une hargne farouche.

—Il faut bien que vous compreniez, Mr Harrower, qu'il vaut mieux vous en tenir à votre seul rôle de précepteur...

—Mais, madame...

—... Je vous en prie, ... De quoi d'autre seriez-vous capable d'ailleurs ? Pourquoi seriez-vous venu en Virginie si vous aviez connu tant de succès en Ecosse ?

—Madame !

Le Shetlandais se redressa. Son regard, qui jusqu'alors avait cherché à fuir au-delà de la ligne des arbres, de l'autre côté du fleuve, pour ne pas rencontrer les yeux de feu de Sarah, la fixa soudain. Ses traits étaient crispés, ses lèvres pincées. Il lui tenait tête.

—... Il faut faire votre travail, John, et rien d'autre.

—Je ferai mon travail comme vous l'entendez. Je suis à vos ordres, en effet, mais c'est mon devoir de vous dire les sévices que Lewis fait subir aux Nègres.

—Ne recommencez pas, je vous en supplie. Je croyais m'être faite comprendre...

—Au moins le Seigneur saura que j'ai fait mon devoir ! Tout le monde sait bien que ce Lewis est un "tueur de Nègres". Même Dadda Gumby, il l'appelle comme ça...

Le visage de la belle Virginienne se décomposa comme si la vigueur et la sincérité de John avaient eu le pouvoir de faire fondre la glace Taliaferro. Imperceptiblement, le temps d'un regard fugitif et d'une moue réfrénée, John eut le sentiment que le regret — sentiment indigne de sa condition ! — traversait son esprit. Il fit mine de ne pas s'en apercevoir, d'autant plus que Sarah eut vite fait de se reprendre pour lui reprocher d'avoir réprimandé ses enfants. Mais la conviction faisait alors défaut au ton de sa voix et ses piques ne faisaient plus mouche.

Dans l'air pincé de Sarah, John reconnut les mêmes traits qui tendaient le visage d'Ann lorsqu'elle s'en allait fâchée! Sa voix était alors aussi inquiétante que le démon des mers. Mais il entendit aussi, portées par la brise océane, ces paroles caressantes qu'Ann lui destinait : "Patiente, mon John. Il le faut. Patiente..."

Les cris aigus et insistants des enfants ramenèrent John à son livre et à la lecture. Sarah s'en était retournée.

La bataille d'arrière-garde de Mrs Daingerfield n'eut aucun effet puisque le colonel avait donné son congé à Lewis et que ce dernier fut obligé de quitter la plantation dans la journée. William Daingerfield confia alors l'intérim à John et l'associa à la marche de la plantation.

—John, viens avec moi, fit-il, soudain plus proche. C'est aujourd'hui que l'on nous installe une nouvelle machine à battre le blé. En décembre dernier, j'avais vu un article à son sujet dans la **Virginia Gazette**. Mr Isaac Hobday, le frère de l'inventeur, s'est proposé lui-même de la présenter et de la monter. Il est arrivé très chargé ce matin de Hobbes Hole et je crois que c'est un peu pour cela que Lewis était particulièrement furieux. Il voulait à tout prix assister à cette installation. Nous en avions beaucoup parlé ensemble. Je serai le seul à disposer d'un matériel aussi moderne. Rends-toi compte qu'il a reçu la médaille d'or en juin dernier de la "Society for the Advancement of Useful Knowledge".

Sous l'auvent des écuries, Mr. Isaac Hobday, un géant de plus de six pieds six pouces à la crinière blanche exhortait les Nègres à la tâche, commandant les uns de serrer davantage un nœud et réprimandant les autres lorsque l'attelage des chevaux ne convenait pas.

—Ah! Vous voici, Mr Daingerfield! fit-il doctement. Comment faites-vous pour obtenir quelque effort de cette bande de paresseux? Je m'en vois... Bah! Nous y arrivons cependant. Vous avez là une belle machine très utile que l'on vous enviera dans toute la colonie.

Cet Isaac Hobday était un savant mélange d'ingénieur, de batteleur et de contremaître. Il avait aussi de l'artiste quand il reculait de quelques pas pour considérer son œuvre. Le grand cercle de bois d'une soixantaine de pieds de diamètre prenait sa forme définitive. Une grosse poulie de chêne, plantée au centre, commandait, bâties comme les aiguilles d'une grande horloge, trois tiges d'un bois moins dur placées l'une derrière l'autre. Entre elles, des rouleaux de bois de trois cent vingt rayons chacun balayaient sur une longueur de six pieds une couronne placée à la périphérie du cercle, tandis que les grandes herses de bois tournaient en permanence sur un plancher épais de quelques pouces, bordé à l'extérieur comme sur sa face interne par des ridelles.

La machine montée, il fallut atteler quatre chevaux. Cela prit du temps, tant l'excitation des hommes rendait les bêtes nerveuses. L'une allait dans un sens pendant que l'autre, d'une ruade, enchevêtrait les lanières du harnais et se retrouvait à contresens. Il était évident qu'elles ne savaient pas ce que l'on attendait d'elles. Isaac Hobday, le seul homme d'expérience, n'avait aucune chance de se faire entendre dans le brouhaha général. Dadda Gumby regardait ce vacarme d'un air amusé. Assis sur un billot de bois, à l'ombre d'un tilleul, il posait son menton sur sa canne et donnait des ordres que personne ne paraissait entendre.

—Tire sur la corde, le Nègre, lançait-il à Abram.

Il se relevait, plissait un œil en connaisseur, puis se rasseyait en hochant de la tête, peiné, semble-t-il de voir tout le monde s'agiter de manière aussi désordonnée.

D'un hurlement guttural, le colonel obtint le silence.

—Ecartez-vous! On va mettre la machine en route. Ecartez-vous!

Les plus âgés bousculaient les plus jeunes pour former un cercle. Puis les chevaux avancèrent au coup de fouet et, dans un craquement de bois, la machine s'ébranla. Les rouleaux hésitèrent, calèrent, les chevaux hennirent de douleur, se cabrèrent puis l'ensemble avança d'un mouvement lent et régulier sous les applaudissements de l'assemblée. Les épis volaient au-dessus de la machine et chacun se trouva enveloppé dans une nuée de brindilles.

—C'est une bien belle machine, tu ne penses pas John? s'extasia le colonel.

—Cent boisseaux par jour, n'est-ce pas? fit John. C'est vraiment formidable. Mais maintenant que va-t-on faire de tous ces Nègres? Il n'y aura plus de travail pour eux...

William Daingerfield n'écoutait pas. Il était tout entier à son nouveau jouet. Son bonheur se lisait sur son visage et il serait toujours temps de se soucier du reste plus tard.

12

Tout le ciel s'était coloré d'un bleu sombre. La ligne d'horizon ne s'auréolait plus que d'une brume safranée, de la même couleur que des galettes au sortir du four. John avait fait sentir à son élève que les criquets tairaient bientôt leurs stridulantes mélopées. Dadda Gumby allait se lever, arc-bouté sur la branche nue qui lui tenait lieu de canne. Il prendrait dans quelques instants le chemin de sa case, évitant soigneusement les cailloux du chemin en les écartant du bout de son bâton. Peut-être les longs poils blancs de sa barbe accrocheraient-ils déjà quelque rayon de lune pour rendre sa silhouette encore plus majestueuse.

John était assis sur la rive du fleuve sombre. Le jour avait trop décliné pour qu'il pût encore apprendre quoi que ce soit à John Edge, son nouvel élève. Fils illégitime de Samuel Edge, John était sourd et muet. "Je te l'amènerai", avait dit le père de ce grand gaillard de quatorze ans. "Il est bon à rien. Essaie de lui apprendre quelque chose".

Il jouait à présent avec les pétales d'aubépine qu'il posait délicatement sur le sable de la berge où John lui avait donné sa leçon. Le précepteur avait écrit "FLEURS" en énormes caractères et avait placé en-dessous une aubépine, une rose et un bleuet. Puis il avait écrit "MAISON" et avait dessiné une maison, puis il en avait fait de même avec un soleil, puis une barque. Et son jeune élève avait tracé des lettres d'une main maladroite. John inventait ainsi une nouvelle méthode d'apprentissage de la lecture et de l'écriture. Il agissait selon son cœur, au gré de ses trouvailles. Et son élève appréciait ses leçons de vie. Lui qui avait toujours été rejeté, se sentait enfin entouré. On s'occupait de lui pour la première fois et cela lui faisait du bien.

Le fleuve mourait en silence sur les plis sableux du rivage. Au-dessus de l'autre rive, beaucoup plus basse, une nuée de cormorans planait en décrivant des cercles imprécis. Voraces, ils piquaient vers les flots où ils se posaient et flottaient comme de vulgaires volatiles en agitant leurs têtes alourdies par de longs becs crochus. Deux ou trois oiseaux, parmi les plus téméraires, traversèrent d'un coup d'ailes le fleuve alangui et vinrent marquer de leur empreinte le sable meuble, à quelques pas du précepteur et de son élève.

Ils avançaient, la tête haute, comme pour s'excuser de leur démarche pataude, avant de reprendre lourdement leur envol. Ils se perdirent vite là-haut dans le ciel sombre, oubliant leurs tourments terrestres.

John Edge montra du doigt les oiseaux et fit signe à son maître de lui écrire le mot sur le sable. Mais il faisait trop nuit et John se contenta de dessiner de son index chaque lettre l'une après l'autre dans le creux de sa main gauche.

—Ces grands oiseaux, je les vois depuis que je suis enfant, tu vois, John! Ils me rappellent mes Shetland. Mais dis-moi : Ganzara n'est pas venue ce soir.

L'élève regarda son maître et lui fit signe de répéter.

—... Je dis que Ganzara... Tu sais? Elle n'est pas venue pour que je lui lise le catéchisme. J'en suis triste, John.

Le jeune Edge acquiesça d'une moue de regret.

—Elle viendra sûrement demain, pour que je lui lise encore quelques versets. Dans la journée, nous retournerons chez toi, John, et j'en profiterai pour rendre visite à tous les parents. Il faut qu'ils me paient ce qu'ils me doivent. Je passerai chez le contremaître Richards et il me proposera — c'est sûr — de goûter son miel. Nous verrons ensuite tes parents et je prendrai l'argent que ton père me doit pour toi, ton frère Philip et ta sœur Dorothea. Le colonel m'a parlé de deux personnes, un charpentier, du nom de Thomas Brooks, et un certain Spotswood, qui voudraient que je leur enseigne l'arithmétique le dimanche soir. J'espère avoir le temps de faire tout le tour...

John avançait sur le chemin de la Grande Maison en parlant à voix haute comme si son élève qui s'accrochait à sa veste avait pu comprendre quoi que ce soit. Soudain, Edge émit des grognements d'effroi. Son regard terrifié s'éclaira d'une lueur de panique. Il stoppa John, en le tirant par les plis de son vêtement. Harrower eut vite compris qu'une tragédie était en train de se nouer : le champ de blé vers le vieux chêne était en feu. Il ne fallut d'ailleurs pas attendre longtemps avant que le roulement des flammes, le grondement du feu et les pluies de brindilles n'envahissent le ciel.

John regagna la Grande Maison à grandes enjambées, en obligeant le jeune garçon à presser le pas.

Lucy Gaines fut la première à le voir.

—Ah! Monsieur John, on vous cherchait de tous les côtés... Le champ de blé a pris feu. C'est un ouvrier qui a tombé le feu de sa pipe sur une meule. Il faut aller vite... On dirait que le feu court de partout...

—Où est le colonel?

—Il cherche des seaux dans toutes les baraques.

—Va lui dire de ramener tous les hommes sur la rive. Dis aux femmes de se munir de tous les récipients qu'elles trouveront. Qu'elles les amènent près du ponton sur le fleuve. On fera une chaîne. Que Ganzara et Caroline vous aident à rassembler les enfants autour de la Grande Maison. Tous les enfants, Blancs et Noirs. Si le feu devient trop menaçant, avec Mrs Daingerfield, vous les dirigerez sur Snow Creek.

Les ordres de John étaient clairs. Rapidement, la plantation s'organisa et les cris cessèrent. A la lumière de la lune, on vit la longue chaîne des hommes et des garçons, parmi lesquels avaient pris place Edwin et Bathurst, puiser l'eau à même le fleuve, la remonter sur les talus abrupts, et la déverser courageusement au cœur de l'incendie. Une large vague de flammes, poussée par le vent du nord, déferlait sur tout le champ. Il était urgent de protéger les cases et les baraques, même au sacrifice de quelques boisseaux de blé. Abram commandait les Nègres avec discernement, rendait compte à John et portait ses ordres aussitôt.

Sucky, qui courait en tous sens pour porter les messages, cherchait John. Elle le trouva debout sur le toit de la Grande Maison où il avait grimpé pour juger de l'étendue du désastre. Il redescendit prestement par l'échelle quand il entendit qu'elle l'appelait.

—Mr John! Mr John! J'ai d' mauvaises nouvelles. L' feu, i' l-a pris en deux aut' endroits : derrière l' bosquet dans la prairie et su' la riv', entre Snow Creek et ici.

La jeune Négresse s'effondra en larmes sur le sol, épuisée, les cheveux collés sur le front par la sueur. John l'aida à se relever. Elle s'appuya contre le mur de la maison.

—C'est bien ce que je craignais, Sucky, quand j'ai vu tout ça de là-haut. Je me suis douté qu'il y avait un foyer derrière le bosquet. La fumée monte au-dessus des arbres. Je vais ramener les hommes sur Snow Creek. Il ne faut pas que nous nous fassions encercler!

Le colonel venait lui aussi aux nouvelles...

—Colonel, il est trop tard pour envoyer les enfants à Snow Creek. Le feu a pris sur le chemin dans les broussailles. Il faut y mettre tous les hommes, sinon... sinon on est pris comme des rats !

—On maîtrise le feu du champ de blé, John. J'ai laissé quelques Nègres et je t'envoie tous les autres.

—Après, on ira au bosquet.

—Au bosquet aussi, ça brûle ?

—Oui, colonel.

On pouvait lire le désespoir sur le visage du planteur. Il se frappa la poitrine à coups de poing pour ne pas pleurer. Il avait pourtant envie de tout abandonner.

—Il faut tenir, colonel ! Pensez à vos fils. Pensez à toutes ces femmes et à tous ces hommes qui comptent sur vous...

—Tu as raison, John. Mais pourquoi cela m'arrive-t-il à moi ? Qui m'en veut à ce point ?

Ainsi, le colonel venait de comprendre, lui aussi, ce que John avait compris quand il avait découvert les foyers du sommet de la Grande Maison.

—... Tu sais, John, poursuivit-il, que Patty, la mère de Ganzara, a vu s'enfuir un homme. Il a volé une barque pour franchir le Rappahannock et s'est volatilisé. Maudite bile verte qui tient les hommes !

—Nous ferons tout pour le retrouver, Monsieur, mais l'urgence, c'est le feu.

Heureusement, le long du fleuve, le vent n'avait aucune prise et le feu de broussailles fut vite circonscrit. D'autant plus que la terre humide étouffait aussitôt les flammèches. Il en fut tout autrement derrière le bosquet. Le feu avait gagné en ampleur et effrayé les brebis qui s'étaient précipitées vers le fleuve où deux d'entre elles s'étaient noyées. L'herbe haute crépitait et chaque brindille ressemblait à un tison. Les flammes sautaient en tous sens. La quarantaine d'hommes fatigués se remit au travail sans relâche. Même les plus jeunes et les femmes furent conviés. Sarah insista pour participer. Elle encourageait les uns et les autres.

—Mon grand-père Taliaferro serait fier de vous voir lutter pour sauver la plantation. Sa plantation ! Oui, il serait fier de toi, Jacob ! Et de toi aussi, Abram ! Encore un effort !

Elle accompagnait ses paroles de gestes amples qui les poussaient à se montrer encore plus courageux.

— On y arrivera, Madame! fit John.

— Je n'en ai jamais douté, Harrower! Je crois que vous avez bien pris les choses en mains...

John savoura ce compliment. Il avait tant souhaité que les circonstances lui donnent l'occasion de prouver sa force de caractère.

— Le Rappahannock est un présent de Dieu, vous savez Madame, plus précieux qu'un "simple serviteur sous contrat"! renchérit-il, un sourire aux lèvres.

— L'un a besoin de l'autre, vous le savez bien.

Les combattants du feu avaient réussi à endiguer le péril. Le bosquet était à l'abri et l'on avait évité que le feu ne contournât la butte.

— Si le feu avait utilisé cette faille, admit le colonel, la voie lui était ouverte vers les cases et les baraques. Il avait alors notre maison en ligne de mire, Sarah...

— C'est vrai, M'sieur! J'ai eu peu' d' cela, fit Jacob. Et l' blé, i' l'est tell'ment mûr là-bas qu' l' feu aurait couru très vit'!

— Tu es un père exemplaire, Jacob, dit Sarah, et je te dis que tu peux être fier de Ganzara et de Caroline. Elles ont été merveilleuses, tu sais.

Le colonel parut surpris de tant d'amabilités. Il lui en fit la remarque.

— Après notre Shetlandais, voilà que tu complimentes nos Nègres... Que t'arrive-t-il, Sarah? Ce n'est pas très Taliaferro, cela?

— Ils se battent pour Belvidera. C'est ça, être Taliaferro. Ils se battent pour notre plantation.

Les hommes et les femmes, dans un ultime effort, accéléraient le mouvement. Les seaux et les outres passaient de l'un à l'autre encore plus vite. Les pelles écrasaient les braises. Ils sentaient que la victoire était à leur portée.

Ils avaient raison. Même si le combat se prolongea encore tard dans la nuit, le feu était vaincu. Il suffisait désormais de surveiller la terre brûlante et les fumerolles qui pouvaient encore cacher un germe de foyer. Un souffle de vent aurait pu raviver l'incendie et ruiner des efforts de plusieurs heures.

John expliqua patiemment aux hommes harassés qu'il leur faudrait à tour de rôle veiller sur ces terres calcinées. Il faudrait attendre le jour, mesurer l'ampleur des dégâts, nettoyer les champs et se remettre au travail pour que la saison suivante ne porte plus les stigmates de cette calamité. Il s'imposa à lui-même cette veille sur le pas de la porte de son école, l'œil rivé sur le Rappahannock. Ses joues étaient chaudes, ses

108

muscles fatigués. Il somnola à plusieurs reprises ; sa tête tombait alors sur un côté mais il s'en rendait compte juste à temps pour se reprendre : il ne fallait pas dormir. Au cas où le feu reprendrait ou, au pire, au cas où l'incendiaire reviendrait... Même en s'interrogeant et en examinant toutes les hypothèses, John ne voyait pas qui pouvait en vouloir assez aux Daingerfield pour détruire leur plantation. Quant à lui, il ne connaissait pas beaucoup de monde ! Cependant, peu à peu, lui vint à l'esprit l'idée désagréable que c'est à lui, John Harrower, que l'on pouvait en vouloir, et que cet incendie était dirigé contre lui. Il s'imaginait que Lewis, ou un Nègre à qui il aurait déplu, étaient venus se venger. Le poids de cette spéculation l'étreignait, le serrait dans la poitrine... Il parlait doucement à voix basse, dans la nuit, pour ne pas dormir. Et c'est à Ann qu'il s'adressait : "tu es en ce moment assise à notre table avec nos peeries, n'est-ce pas, ma précieuse ? Le soleil s'est levé sur Lerwick. Ici, c'est la nuit. Ce colonel m'a expliqué une chose étrange : quand il fait jour en Angleterre — et dans nos Shetland aussi, je suppose — eh bien, ici, il fait nuit ! C'est que Mr Daingerfield a étudié l'astronomie, avec le grec, la littérature et le latin en Angleterre. Je crois bien que notre bon pasteur Sands nous avait dit la même chose : la terre est ronde et ne s'appuie sur rien... C'est inquiétant !"

La lune passa derrière un nuage aussi fin qu'un foulard de soie. Ses lèvres s'entrouvraient à peine : "je pense très fort à toi ; cela m'aide à avoir du cœur... Sais-tu que Mrs Sarah était très fière de moi." Il entrouvrit sa chemise. La chaleur de la nuit le serrait à la gorge. "Je t'imagine dans mes bras, Ann. Je voudrais très fort tes jambes si agiles autour de mon ventre..."

Le froid de l'aube et les tremblements convulsifs de son corps le ramenèrent à la dureté de sa veille de nuit. Depuis combien de temps ses yeux ne voyaient-ils plus l'ombre des arbres dans le lointain ? Depuis combien de temps ses oreilles n'entendaient-elles plus les bruits inquiétants dans ce décor familier ? Ah ! qu'il s'en voulait d'avoir abandonné sa garde pour ses îles ! Il savait bien pourtant que le feu ne pouvait pas reprendre, tant les serviteurs noirs restaient attentifs. Et il était bien improbable que le brigand ne risquât une nouvelle incursion sur la plantation.

13

Le lendemain, dimanche sept août 1774, sur le chemin de Snow Creek, un groupe de jeunes Nègres dansait et battait la mesure en cadence au son d'un banjo et d'un qwaqwa, sorte de tambour grossier. Parmi ceux-ci, John reconnut Abram, Jacob, Patty, Sucky, Caroline et Ganzara. Quand elle vit William Daingerfield et son précepteur approcher, Caroline sortit prestement du lot et s'enfuit à toutes jambes à travers les épis de maïs, sur la butte qui domine le fleuve. John n'avait jamais remarqué la taille monumentale de ces épis qui se refermaient sur le passage de Caroline et la dissimulaient à la vue de tous.

— Est-ce de nos chevaux qu'elle a peur, colonel ?

— Aujourd'hui, c'est dimanche et les Nègres vont au festin de plaquemine. Ne trouves-tu pas qu'elle est délicieusement belle, cette petite mulâtre ?

— De qui voulez-vous parler, colonel ?

— De Caroline, bien sûr. Et un peu plus de respect pour ton maître, je t'en prie...

— En tout cas, je n'ai jamais vu de maïs aussi impressionnants, colonel. Plus de six ou sept pieds, certainement ! Quelle tragédie, ces acres partis en fumée !

— Parlons d'autre chose, veux-tu ?

— Je n'arrive pas à me sortir de la tête ces vingt boisseaux de blé perdus, cette prairie complètement ravagée et tous ces taillis et ces grands arbres réduits à l'état de squelettes.

— Arrête, je t'en prie. Arrête, je ne veux pas entendre cela !

Les deux hommes allaient à cheval, côte à côte. Dès le lever du jour, le colonel, visiblement fébrile, était venu chercher son serviteur et lui avait proposé de l'accompagner à l'église. Insigne faveur que d'arriver à St-George en compagnie du planteur de Belvidera. Sarah, quant à elle, n'avait pas voulu suivre.

—Mon épouse préfère rester avec Lucy. Trop de fatigue... Il vaut mieux qu'elle prenne du repos, compte tenu de son état. Je crains que les émotions et les efforts de cette nuit ne laissent quelque trace... C'est qu'elle attend un enfant. Vous le saviez, n'est-ce pas, John ? Nous fêterons cela bientôt. J'espère que ce sera un garçon !

—Non, colonel, je ne le savais pas, mais je vous félicite. Belvidera a besoin de bras. Vous avez raison de souhaiter un garçon. Fort, valeureux... Comme vous, colonel !

—Mon épouse dirait plus volontiers "comme un Taliaferro" !

Le dimanche à l'église était un moment de la première importance pour le planteur. C'est là qu'il retrouvait tous les membres de la gentry locale avec qui il échangeait des informations sur le cours des céréales ou le prix du tabac. C'est là encore que les chevaux passaient d'un propriétaire à l'autre et que l'on lisait les annonces et les informations de la **Virginia Gazette.**

En arrivant à Fredericksburg, John découvrit l'église au milieu d'un attroupement considérable. Les carrosses à six chevaux des riches planteurs ne parvenaient pas à se frayer un passage dans la foule, malgré les cris poussés par leurs escortes de cavaliers. Au-dessus de la marée humaine, se détachait la brique pourpre de la façade. Le colonel et John n'eurent, quant à eux, aucune peine à s'approcher, après avoir laissé leurs montures à quelque cent cinquante yards de l'église, le long du muret qui entoure le cimetière. William Daingerfield donna des coups de chapeau discrets aux gentilshommes connus qui arrivaient dans leur sulky ou leur cabriolet. Il fallait entretenir les meilleures relations avec la bonne société de Fredericksburg. L'année 1774 serait mauvaise et il y avait fort à parier qu'il faudrait emprunter auprès des plus riches.

William Daingerfield s'arrêta pour glisser malicieusement à l'oreille de John :

—Ne te méprends pas, John. J'en évite aussi soigneusement quelques-uns... Ceux à qui je dois de l'argent !

Les hommes de Belvidera se rapprochèrent de William Porter et de Harbine Moore, tous deux planteurs à quelques miles de Fredericksburg.

—On raconte que Belvidera a flambé cette nuit ? fit William Porter, curieux. Même qu'on a vu des flammes depuis Christ Church...

—Depuis Christ Church, peut-être pas. Mais c'est vrai que je n'avais pas besoin de pareille calamité. Ajouté aux mauvaises gelées d'avril et à l'acquisition de cette nouvelle machine à battre, ça nous fera une année bien difficile...

—On dit même que ce serait criminel, ajouta Harbine Moore.

—La rumeur court plus vite que le feu dans les champs, à ce que je vois, se permit John.

—J'ai lu dans la **Virginia Gazette** les avis de recherche. On y trouve toujours le nom de quelque bandit de grand chemin. Parfois les Nègres qui s'enfuient reviennent tuer leur maître et mettre à sac la plantation.

Harbine Moore prenait des airs de conspirateur. Il faisait l'homme qui sait. Il avait bourlingué, lui!

—On va lire le journal, fit le colonel impatient. Quoique, en ce qui nous concerne, les soupçons se porteraient davantage sur notre régisseur, ce "tueur de Nègres" de Lewis, que je viens de renvoyer.

—C'est vrai que cette race n'aime pas qu'on donne raison à nos Nègres! Je ne sais pas si je l'aurais fait. C'était risqué, dit Moore.

William Daingerfield lisait la liste des avis de recherche. Il avait chaussé une paire de petites lunettes cerclées, peu adaptées à sa vue, et promenait le journal d'avant en arrière sous le nez de John qui, de ce fait, n'arrivait pas à déchiffrer un seul mot!

—Rien, ni personne, que je connaisse, fit-il en passant la gazette à John. De toutes façons, s'il s'agit d'un forfait de Lewis, il ne peut se trouver dans le journal! Jette un coup d'œil, John.

Ce dernier parcourut la page finement imprimée et s'arrêta sur un entrefilet. Harbine Moore et William Porter s'acheminaient déjà vers le portail de l'église où les appelait le pasteur, tandis que la cloche sonnait à toute volée.

—Il y en a bien un que je connais, Monsieur William, mais je ne m'attendais pas à le trouver dans les colonnes de la gazette.

John et William se mirent à l'écart et lurent l'article, à l'ombre d'une haie de myrtes odoriférantes.

RECOMPENSE $ 20
ENFUI OU VOLE AU DECLARANT, LE 25 DU MOIS DERNIER UN SERVITEUR SOUS CONTRAT, BLANC, DU NOM DE WILDE. L'HOMME EST PETIT. LE CHEVEU EST RARE ET ROUX. IL A LES YEUX BLEUS. IL PORTAIT UNE VESTE DE LAINE

BLANCHE. IL A UN FORT ACCENT DU YORKSHIRE. IL CONNAIT BIEN LES METIERS DU BOIS. LA SUS-DITE RECOMPENSE SERA VERSEE A TOUTE PER-SONNE QUI ME LIVRERA LE SERVITEUR. IL EST POS-SIBLE QU'IL SE FASSE PASSER POUR LIBRE.

Philémon Richards
Planteur dans le comté de Lancaster

—Si celui-ci est notre incendiaire, ajouta John, je ne manquerai pas d'y mettre la main dessus. Je m'en occupe sur l'heure. J'ai de bonnes raisons pour cela... Avec votre permission, bien sûr, colonel.

—Encore une histoire entre serviteurs. Vous ne nous amenez que des ennuis. Vous feriez mieux de rester en Angleterre... Ou en Ecosse ! Allons d'abord à l'office. Nous en reparlerons après, si tu veux bien.

Le colonel était contrarié. Il bougonna pendant toute la messe, garda le visage fermé et prit des airs bourrus.

Le prêche du pasteur Mayree parut interminable à John, tant l'idée de retrouver cette fouine de Wilde l'excitait au plus haut point. Il ne parvenait pas à se concentrer sur le sermon qui, en ce jour d'août, évoqua le patriotisme des colons du Massachusetts, aux prises avec les armées du roi, avant d'aborder, à la plus grande joie de tous, le délicat — mais ô combien délicieux — sujet de la vie conjugale. Ce bon pasteur Mayree revêtait, à s'y tromper les traits du Vicaire de Wakefield, l'inénarrable Primrose, dont John venait de lire les aventures dans le livre prêté par William Daingerfield. Il se prit à sourire tout seul au milieu d'une assistance attentive. La seule chose dont il souhaita se souvenir fut l'anecdote concernant Patrick Henry siégeant au Congrès de Philadelphie. Le grand patriote virginien, héros de la colonie, brillant orateur, avait lancé : "Unis, nous pouvons rester debout. Divisés, nous tomberons". Combien cela lui paraissait juste, à lui, qui avait tant lutté et était finalement tombé sous les coups des contrô-leurs des finances écossais ! A lui qui s'était battu seul dans Londres ! Seul, le plus souvent aussi à bord du **Planter** ! Seul, enfin, à Belvidera... Seul, encore aujourd'hui face à ce voleur de Bible et à ce voleur de montre, ce scélérat de Hands-Wilde !

A la sortie de l'église, il prit congé de son maître et se dirigea aussi-tôt vers la "Rising Sun Tavern" de Caroline Street.

Il n'eut qu'à longer Princess Street pour découvrir la belle enseigne de bois de la taverne : un soleil rouge se levant derrière le Rappahannock, d'un bleu outremer.

113

La taverne était un long bâtiment de bois racheté en 1760 par Charles Washington, frère du Général-en-Chef de l'armée des patriotes. Il était facile d'attacher son cheval à la barrière de bois qui courait le long d'une galerie couverte, surélevée de quatre ou cinq pieds par rapport à la rue.

Là, John savait qu'il retrouverait une vieille connaissance qui ne manquerait pas de le mettre sur le bon chemin...

Les salles lumineuses et joliment décorées de la taverne étaient quasiment désertes : les clients n'avaient pas encore eu le temps d'affluer de St-George Church ou de la très récente Baptist Church. Peut-être s'attarderaient-ils à l'ombre des grands marronniers ? Lorsque la serveuse se présenta, John n'eut aucun mal à reconnaître Elizabeth Bridgewater. Et cela, malgré une toilette bien mise, une coiffure élaborée, un visage plein aux traits fins. On était loin du passager clandestin découvert en haillons à bord du **Planter**. Il revit instantanément la pâleur de son visage et ses joues creuses, cette taille si mince qui l'avait ému et ces cheveux blonds qu'elle portait plus longs.

Elle s'approcha, comme elle l'aurait fait de n'importe quel client, arborant un sourire de circonstance. Bien sûr, elle ne l'avait pas encore reconnu. Mais dès qu'elle posa les yeux sur l'homme de confiance de Bowers et de Jones, elle revécut aussitôt son humiliation, sa marche à travers les ponts, les meurtrissures et la pourriture des cales. Elle eut un mouvement de recul.

—Ne crains rien, la belle! Le **Planter**, c'est du passé. Je viens en ami, aujourd'hui. On m'avait dit que tu étais engagée à la "Rising Sun" depuis peu.

—Je ne demande qu'à te croire mais...

—Oublie le passé, Bettie. Que me sers-tu?

—Bière, gin, flip?

—Flip?

—C'est la nouvelle boisson à la mode, ça vient de Boston. Ramenée par les soldats. Tu connais pas le flip?

—Non.

Elle éclata d'un rire moqueur.

—Ah! Ça y est! Harrower est un vrai "Peau de Daim"! Il faut sortir de ta plantation, le Shetlandais! Il ne connaît pas le flip : bière chaude et œuf battu, Monsieur!

Agacé, John se leva et la fixa.

—Ne m'insulte pas, je t'en prie, sinon...

Et il fit le geste de la pendre haut et court à la poutre. A son tour, il éclata de rire et se rassit. Elizabeth n'avait même pas esquissé un mouvement de frayeur... Les affres du **Planter** étaient bien oubliées.

—C'est pourtant vrai que tu es un petit planteur de rien du tout. Que dis-je "un planteur"? même pas... Tout juste un minuscule serviteur! Mais, dis-moi, qu'est-ce qui t'amène, "Peau de Daim"?

—Tu te rappelles sûrement ce gringalet de Hands-Wilde, cette espère de rouquin chétif à tête de fouine? Ne l'aurais-tu pas vu, par hasard?

La serveuse marqua son inquiétude d'un recul subit.

—... Tu sais qu'on le recherche, n'est-ce pas? ajouta-t-il.

—Tu ne cherches pas la bagarre, non?

—Peut-être pas, si tu me dis où il est.

—Tu sais que c'est un "arracheur d'œil"... Il est excellent à cet exercice et il soigne ses ongles comme une poulette! Je l'ai vu les passer à la bougie. Mais tu ne penses quand même pas que je vais te le livrer, alors qu'il y a sur sa tête une récompense de cinquante dollars!

John avait compris. Il sortit de son gousset trois pièces d'argent qu'il fit tinter en les jetant sur la table.

—Voilà un geste qui sied à un Ecossais qui veut devenir un vrai Virginien! Mais ce n'est qu'un début... Encore trois comme celles-là.

Il s'exécuta.

—C'est bien. Un vrai gentilhomme, notre John! Pardonne-moi, je m'étais trompé sur ton compte.

—Alors?

—Reviens ce soir quand tout le comté se donne rendez-vous ici. Ton homme y sera sûrement. Il aime la compagnie des jeunes et jolies femmes. Et si tu as encore quelques belles pièces, je te servirai du crabe et des fraises du jour... Et un peu plus, selon ton bon plaisir...

John n'apprécia pas qu'elle se jouât de lui comme de n'importe quel marin soûl. Il voulait bien se laisser prendre au jeu mais à condition de gagner. Il se leva brusquement, prêt à lui serrer le cou de ses deux mains puissantes.

—Si c'est pour le retrouver ici ce soir, ça ne m'intéresse pas. Là, maintenant, il est où?

—Encore deux pièces...

Il se fit beaucoup plus menaçant...

—... Il est fort notre Shetlandais, très fort... Et bel homme, de surcroît! Mais il n'aime pas plaisanter...

Elle se rapprocha de lui. Il sentait son souffle chaud et tout son

115

corps frôlait le sien. Il ne fallait pas qu'il cédât. Elle s'essuyait machinalement le revers de la main sur son tablier de dentelle comme un maquignon sur le point de conclure un marché, l'air enjôleur, la pose triomphante.

—Tu ne sais rien, tu promets, Harrower? Ton homme, tu le trouveras peut-être à bord d'un bateau...

—Lequel? hurla-t-il en plaquant sur la table deux shillings.

—Bravo, fit-elle, encaissant la mise. Le **Swallow**.

—Le **Swallow**?

—Une goëlette. Capitaine : Balinger.

John avait entrebâillé la porte. Leur négociation les avait insensiblement amenés à la porte de bois vitrée. Dans le rai de lumière crue, sa peau au grain très fin parut veloutée. Ses lèvres gourmandes luisaient comme la peau d'une cerise. Il se surprit à la désirer. Elle se dégagea pour le laisser passer.

—A ce soir, le Shetlandais. Reviens-moi entier, espèce de brute!

La chaleur moite de l'été et le ciel blanc aveuglant de Virginie avaient vidé les rues de Fredericksburg. Les derniers fidèles qui s'étaient attardés après l'office s'étaient installés à l'ombre des peupliers qui bordaient le fleuve le long de Sophia Street. La fraîcheur du Rappahannock rendait malgré tout l'heure supportable. John tenait son cheval par la bride et parcourait à pied les quelques centaines de yards qui séparaient Fauquier Street de l'Entrepôt Colonial du Tabac. Comment avait-il pu oublier l'odeur des fûts de rhum, des feuilles de tabac séché, des voiles et des bois salés, du chanvre humide? Une bouffée de souvenirs l'attendait sur les quais. Les images défilèrent en lui : la passe de Bressay, le **Planter**, James Craigie, Ann, Londres... Des sensations anciennes, des odeurs, des mots que sa nouvelle vie sur la plantation lui avait dérobés.

Il se ressaisit car il n'était pas venu pour s'épancher. La goëlette du capitaine Balinger ne fut pas difficile à repérer au milieu des mâts. On la lui montra, amarrée à un brick majestueux que le marchand John Glassel, lui aussi originaire d'Ecosse, chargeait de coton et de tabac. Enjambant les caisses, les cordages et les bastingages, se faufilant avec l'agilité d'un chat sur les étroites passerelles, notre Shetlandais crut revivre ses jeux d'enfant.

Le pont du **Swallow** était désert et l'on n'entendait que le "floc" de l'eau contre l'étrave et le grincement des bois qui se frottaient, au gré des humeurs du fleuve, à ceux du brick.

116

Hands-Wilde avait bel et bien trouvé refuge sur la goëlette. Ah! cette Elizabeth Bridgewater, elle en savait long sur les allées et venues des hommes de toute la colonie!

Allongé à l'ombre d'une caisse en osier, la tête reposant sur une voile pliée, le petit homme à visage de fouine dormait paisiblement. Dans son sommeil, il esquissait un léger rictus, juste à la commissure des lèvres, comme un sourire forcé, presque moqueur. Les poils roux et clairsemés de sa barbe mal rasée retenaient des gouttelettes de sueur. Il avait l'air beaucoup plus vieux et las que lors de son passage à l'auberge de Brigend, plus fripé que lors de sa traversée sur le **Planter**. Le soleil commençait à gagner son front : il ne tarderait pas à l'aveugler. John décida d'attendre ce moment et s'assit à ses côtés, à hauteur de la tête, prêt à répondre à la première réaction du fuyard, l'œil rivé sur ses serres de rapace.

Comme le Shetlandais l'avait prévu, dès que les premiers rayons du soleil eurent atteint ses paupières, Hands-Wilde, telle une horloge mal remontée, s'ébranla, tourna, bien décidé à replonger dans son sommeil. C'est le moment qu'il choisit pour le plaquer au sol, un genou posé sur la clavicule gauche, l'autre sur la droite, tandis que ses mains tenaient fermement ses bras. Le visage horrifié de l'Anglais qui ne savait plus s'il rêvait ou s'il était réveillé se convulsa lorsqu'il reconnut la tête de John, à quatre ou cinq pouces au-dessus de la sienne, à l'envers.

—Ce n'est pas un cauchemar, fit John.

—Ah! ce n'est que toi, soupira-t-il, presque soulagé, les dents serrées.

—Ce n'est que moi, en effet, mais ce n'est déjà pas si mal, non?

Prenant appui sur ses talons, Hands-Wilde donna une ruade pour tenter de se dégager mais Harrower, d'une claque magistrale et d'un coup de coude dans les côtes, l'étendit à nouveau sur le pont. Il se gardait à chaque instant de ses mains aux ongles acérés, entraînés à vous sortir les yeux des orbites d'un coup de pince sanglant. Sa carrure modeste, sa maigreur maladive, ne pouvaient pas impressionner un homme de la force de John. Il ne fallait redouter que sa ruse, sa souplesse et ses "pinces de homard".

—Alors? Le feu de Belvidera, c'est toi?

Hands-Wilde, le souffle coupé par les coups violents assénés par le Shetlandais, secoua la tête. C'était non. Deux nouvelles claques qui balancèrent de droite et de gauche sa tête menue sur le pont de bois, comme une noisette dont s'amuserait un écureuil, eurent raison de son entêtement. Il finit par avouer, terrifié et inquiet quant à son sort, les yeux rivés sur le regard impénétrable de John.

Celui-ci coupa court à la conversation et au corps à corps. Il chargea un Hands-Wilde tremblant sur ses larges épaules, se protégeant le visage des coups de dents et de griffes de l'Anglais du Yorkshire et le balança par-dessus bord dans les eaux émeraude du Rappahannock en moins de temps qu'il ne faut pour le dire.

John libéra sa tension et sa colère contenues par un immense éclat de rire lorsqu'il vit revenir l'homme chétif à la surface des eaux. Il s'ébrouait pour reprendre son souffle, barbotait comme un chiot, gesticulait, alors que personne ne pouvait le voir, hurlait, alors que le courant empêchait quiconque de l'entendre.

—C'est une première leçon, cria John, les mains en porte-voix. Si tu recommences, je t'envoie par le fond. Et je ne te laisserai pas le loisir de remonter à la surface... A moins que cette fois ne soit la bonne ? Et tout cela, pour la seule beauté du geste, vois-tu, car la récompense, je m'en fous, je m'en fous complètement... Pourvu que cette terre soit débarrassée de toi.

John hurlait et sa voix se perdait sous les frondaisons tandis qu'il regardait l'épave de Hands-Wilde rouler dans les remous blancs d'écume, à l'approche de l'île qui partageait le fleuve en deux.

Comme il s'abandonnait à la flânerie le long des quais, son cheval le suivant quelques yards derrière lui, John avait l'air serein. Qui aurait pu penser qu'il se fût livré à une telle bagarre ? Il salua John Glassel qui se dirigeait vers le navire. Tout le monde le connaissait à Fredericksburg et dans le comté, tant sa fortune avait été rapidement acquise. C'était un homme bien mis, d'une cinquantaine d'années, aux épais favoris argentés. Une canne à pommeau l'aidait à marcher. Une blessure à la hanche qui remontait à plusieurs années l'obligeait à une démarche saccadée. C'était devenu un signe qui lui permettait d'être reconnu de loin, une coquetterie dont il s'amusait.

Fredericksburg l'estimait et il le rendait par une prodigalité devenue légendaire. En ce dimanche, malgré son travail qui le conduisait vers la saleté des quais et des fûts, des ponts et des entrepôts, Mr Glassel présentait une tenue soignée : un manteau léger et des culottes en ottoman mauve, une veste à boutons de nacre et brocart d'argent, ainsi que de très fines chaussures à grosses boucles. Malgré la chaleur estivale, sa dignité naturelle l'empêchait de montrer quelque embarras à porter cet ensemble, acquis lors d'un récent voyage à Paris.

— Comment va le précepteur de mon ami Daingerfield ? Comment va Belvidera et sa ravissante maîtresse, la fille de mon défunt ami Taliaferro ?

— Le mieux du monde, Mr Glassel. D'autant mieux que je viens de régler son compte à un vaurien, à une canaille qui avait mis le feu à la plantation.

— J'ai entendu cela, en effet !

— Je suis heureux d'avoir débarrassé Fredericksburg d'une espèce de bâtard : une fouine à pinces de homard. Vous voyez ?

— Pas très bien, je l'avoue, mais, si j'en juge de par votre excitation, ce doit être un exploit ! Mais pourquoi ne pas l'avoir livré à la Milice ?

— Pas eu le temps d'y penser...

— Ah bon !

— Vous partez bientôt ? demanda John, s'efforçant de dominer son bonheur.

— Ce brick part à la fin de la semaine pour Londres et un de mes gars rentre sur Dundee. N'oubliez pas de me confier votre courrier. Je serai heureux de l'acheminer.

— Je vous remercie, Mr Glassel. Je vous ferai porter une lettre pour ma chère Ann à votre comptoir de Caroline Street. D'autant plus que je ne sais toujours pas si la première que j'ai envoyée en avril dernier pour l'avertir de mon installation lui est bien parvenue.

— Eh bien, passez-moi vite votre lettre.

Le marchand s'était fait plus familier et il avait pris le Shetlandais par le bras comme s'il s'était agi d'un fils. Ils firent ensemble le tour du brick. L'œil avisé de Mr Glassel ne laissait rien échapper et il rythma son propos de quelques remontrances concises et fermes, de nature à inquiéter le plus docile des marins. Puis ils reprirent le chemin de sa belle demeure, une maison de style géorgien à un étage, ornée d'un balcon central, flanquée de deux énormes cheminées. Face aux quais privés qu'exploitait John Glassel, elle avait l'œil sur tout le trafic de Fredericksburg.

Les deux hommes restèrent longtemps à bavarder à l'ombre fraîche des murs épais. Leur conversation tourna autour des souvenirs d'Ecosse et des paysages de leur enfance. Ils s'entretinrent aussi avec le plus grand sérieux de la débauche et de la misère qu'ils côtoyèrent à Londres, avant de se lancer dans l'aventure américaine. Ils eurent au cours de l'après-midi maintes fois l'occasion de se désaltérer grâce à une bière de qualité amenée par une servante noire fort gracieuse. Aussi, lorsque John prit congé, son esprit était déjà bien embrumé.

Les rues de la ville lui parurent longues. Lorsqu'il attacha son cheval à la barrière de la "Rising Sun Tavern", il eut tellement de mal à faire le nœud qu'il abandonna et se contenta de faire rouler une grosse pierre sur le bout de la corde.

— Je fais une courte halte sur le chemin du retour, s'excusa-t-il auprès du tenancier qui avait vu son manège. Je ne suis pas très sûr de pouvoir monter sur cette vieille jument ! Et sept miles à pied, par cette chaleur, non merci...

D'un coin de la salle destinée aux clients ordinaires, là où quelques bougies faisaient danser des ombres grotesques sur les murs enfumés, un homme le héla. Son vieil ami Kennedy, Alexander Kennedy d'Edimbourg, son compagnon de traversée, décortiquait une volaille. Assise sur son genou, une forte fille prenait la becquée tandis qu'il serrait sa taille contre lui.

— Viens donc t'asseoir à mes côtés, vieille fripouille, s'exclama l'Ecossais. Pourquoi ne t'es-tu pas montré depuis tous ces mois que nous sommes arrivés ? Tu sais que je suis tonnelier dans cette ville ? Je connais tout le monde.

— J'ai passé l'après-midi avec John Glassel.

Kennedy venait d'écarter sans ménagements la jeune personne qui trébucha et se retrouva à genoux.

— Je vois que mon vieil ami Harrower fréquente du beau monde... Vous avez entendu ? rajouta-t-il à la cantonade... mon ami le précepteur John Harrower est invité chez John Glassel. Vous voyez que nous autres Ecossais, nous sommes bien installés dans le comté de Spotsylvanie !

Personne n'avait prêté attention à ses propos exubérants, dans la fumée et l'agitation de la taverne, à l'exception d'Elizabeth Bridgewater qui, au nom de Harrower, se détourna aussitôt de son travail pour le saluer.

— Pourquoi mon Ecossais est-il aussi discret ? Tu ne t'es même pas annoncé ? Pourquoi te caches-tu de Bettie ? Tu sais que ton dîner t'attend ! Et ton homme du Yorkshire ? C'est déjà bien qu'il ne t'ait pas réduit en purée ! Et que tu voies encore clair...

— C'est moi qui l'ai envoyé par le fond comme un vulgaire tonneau pourri... Comme une charogne qui pue...

— Je suis fière de notre Ecossais. Buvons à sa santé. Il est fort, mon John ! Allez, mangez de bon appétit.

Quel festin, cette chair de crabe, blanche et rose, ferme à souhait ! Et ces fraises juteuses nappées de crème ! Et ce flip qui vous transportait sur les terres mêmes des combattants du Massachusetts ! Et Bettie ! Cajoleuse, qui exhalait de ses dentelles des senteurs estivales envoûtantes : la mousse humide, le jasmin, le chèvrefeuille. Elle s'était assise tout près de John. Ses doigts se promenaient sur sa nuque et fourrageaient sa chevelure bouclée. Elle avançait son décolleté pour que John pût y déposer un baiser entre deux bouchées avides. Le Shetlandais entendit d'une oreille distraite son ami Kennedy, lui aussi fort occupé, entonner une ballade populaire.

"If the heart of a man is depressed with cares,
The mist is dispelled when a woman appears".

Et John, et Bettie, et beaucoup d'autres reprirent en chœur :
"Press her,
"Caress her
"With blisses,
"Her kisses
"Dissolve us in pleasure, and soft repose".(8)

Lorsque Bettie se leva et le tira par une manche, il n'opposa aucune résistance. Il se prit néanmoins les pieds dans le banc de bois, trébucha, et eut beaucoup de mal à déjouer tous les pièges qui conduisaient à l'étage. Du haut de l'escalier qui surplombait le hall enfumé et bruyant il ne distingua personne. Dans le même élan, il se retrouva étendu sur un lit moelleux, Bettie au creux de ses bras. Il ne pouvait articuler une seule parole — d'ailleurs en avait-il vraiment envie ? — et les battements de son cœur résonnaient jusqu'à ses tempes comme un tambourinement profond et régulier tandis que les mains expertes de la jeune servante s'aventuraient. John était parvenu à déchirer son corsage plus qu'il ne l'avait dégrafé. Son buste ferme et fier se promenait en longues caresses sensuelles contre son visage. Il la renversa et plaqua ses mains fortes sur ses seins laiteux. Elle feignit un sourire admiratif.

—C'est bon, hein, mon John ?

Il ne répondit pas...

Dans un océan de dentelles, elle se laissa aborder.

—Il y avait longtemps, hein, mon John ?

Il y eut d'autres tempêtes, d'autres abordages au son d'une mélodie plaintive savamment répétée. Et Bettie disait toujours "C'est bon, hein, mon John ?", et lui ne répondait toujours pas, même lorsqu'elle lui demanda, sur le ton assuré des grandes séductrices : "Tu avais envie de moi depuis le **Planter**, hein, mon John ?"

Il lui sembla pendant son sommeil que des mots évocateurs furent prononcés : Clerkenwell, Bowers, flip, baisers... jusqu'à ce que l'alcool et l'amour se rendissent maîtres de son corps. Il lui sembla aussi que d'autres, aussi imbibés que lui, chavirèrent dans les parages, sous des édredons de plumes, et que l'on entendait toujours cette même mélodie et ces mêmes soupirs langoureux.

Aux premières lueurs du matin, la tête lourde et la bouche pâteuse, mais le corps détendu, il se retrouva à même le sol dans le coin de la pièce aux odeurs de corps enlacés. Il rajusta ses vêtements fripés et fouilla machinalement dans ses poches. Bettie s'était servie. Bien servie même ! Des quatre shillings qui lui restaient, il ne trouva aucune trace. De toutes façons, il valait mieux partir sans demander son compte. Il ne lui restait plus qu'à enfourcher son cheval et à retourner à la plantation à bride abattue pour ne pas faire attendre ses élèves.

Tout au long du chemin, afin de ne pas se laisser dévorer l'esprit par l'image diabolique de Bettie le chevauchant et par le remords d'avoir cédé à la chair, il s'accrocha à la mise en garde de Sarah Daingerfield, maintes fois répétées sur un ton dominateur : "Vous n'êtes qu'un serviteur sous contrat, Mr Harrower !" Encore fallait-il qu'il fît tout pour le demeurer !

14

Il ne fut aucunement question de mettre fin à son contrat. La seule chose que l'on retint de son expédition, fut qu'il s'était débarrassé du pyromane et lui avait infligé une correction magistrale. Le colonel le congratula abondamment et Belvidera n'eut bientôt en tête que la naissance d'un petit John. Un garçon !

Le joyeux événement retenait Sarah à la Grande Maison, et John en profita pour ajouter une nouvelle activité à celles qui l'occupaient déjà : il ouvrit la classe du samedi soir, à l'abri des regards et des oreilles indiscrets.

C'était la classe qui réunissait les esclaves, tous ceux qui, depuis des mois, le pressaient de leur apprendre à lire. Et ils étaient devenus en quelques séances, de véritables dévoreurs de catéchisme ! Ils voulaient tout savoir de la vie de Jésus et se passionnaient pour sa généalogie. La litanie des noms les amusait et si, d'aventure, l'un d'eux oubliait un maillon au passage, il se faisait sévèrement sermonner !

Le colonel préféra quant à lui — par sagesse ou impuissance ? — tout ignorer de cette activité. Après le coucher du soleil, il déclarait abandonner son pouvoir aux astres de la nuit. Et les plus perfides disaient qu'il lui arrivait, plus souvent qu'à son tour, d'oublier de le reprendre le matin.

En cette nuit d'hiver, dans la petite école sombre, les amis de John avaient pris place en rond autour de lui.

Comme il le faisait souvent, John avait commencé par une légende shetlandaise. Il la disait dans son anglais des hautes terres. Un vocabulaire et un accent qui, bien que difficilement compréhensibles, ajoutaient à la magie du moment et rendaient l'interdit encore plus agréable à braver. Ses phrases, longues et gutturales, appuyées de

123

123

gestes incantatoires, faisaient frémir son auditoire. Des regards apeurés le regardaient comme s'il était venu d'un autre monde.

La tension touchant à son comble, ils attendaient comme une délivrance la phrase rituelle qui marquait la fin de l'histoire : "Et ceci est aussi vrai que je vous parle ; ce n'est pas une fable car ma mère me l'a raconté de ses propres lèvres et elle ne m'aurait pas raconté de mensonges". Alors, comme par enchantement, le cercle des esclaves se détendait. Les uns et les autres étiraient leurs membres ankylosés et leurs fronts angoissés se déridaient.

A ce moment-là, John ouvrait **The New England Primer**. Et c'est ce qu'il fit encore ce soir-là pour ne pas déroger au rite. Il le tint, comme à l'accoutumée, à peu de distance de la flamme et se pencha au-dessus des petits carrés bruns imprimés avant de se tourner vers Jacob.

—Jacob, tu écoutes mes questions et tu réponds.

—Oui, M'sieur John.

Les mains jointes posées sur ses jambes croisées en tailleur, l'élève plissait les yeux pour mieux se concentrer. Il paraissait intimidé.

—Quel est ton nom ?

—Jacob.

—Qui t'a donné ce nom ?

— Mon pèr', M'sieur John.

—Non, Jacob.

—I' faut dire comm' M'sieur John i' l-a appris l'laut' jour, fit Abram agacé.

—Pa'don, M'sieur John.

—Je recommence Jacob. Qui t'a donné ce nom ?

—Mes parrains d'baptême, lorsqu' j'ai été fait memb' du Christ, fils d' Dieu et héritier du Royaume.

—C'est bien, Jacob. Maintenant, réponds à cette autre question : qu'ont fait tes parrains pour toi ?

—I' z-ont promis et fait vœu d' trois choses su' mon nom : premièr'ment qu' j' d'vrais r'noncer au diable et à tout' ses œuvres, à tout' les pompes et vanités du monde impu' et à tous les pêchés d' la chair ; deuxièm'ment, qu' j' d'vrais croire en tous les Articles d' la Foi Chrétienne ; et troisièm'ment... et troisièm'ment... j' n' sais plus, M'sieur John.

Caroline tira John par la manche.

—Dis-nous, M'sieur John, l' troisièm'ment. Tu vois ben qu'on n'sait plus !

—Euh, troisièmement, se ressaisit John... Bien sûr, mais vous le savez bien... Troisièmement, "que je devrais suivre la Sainte Volonté et les Saints commandements de Dieu et marcher sur ses pas tous les jours de ma vie".

En même temps que Jacob s'appliquait à répéter, le cercle des élèves murmurait les mêmes paroles pour mieux s'en pénétrer et apprendre par cœur. Leurs lèvres prononçaient des mots que John n'entendait que de très loin, comme si un océan de brouillard l'avait soudain séparé de ses amis.

Machinalement, il posa une autre question :

—Ne penses-tu pas que tu es obligé de croire et de faire ce que tes parrain et marraine ont permis en ton nom ? A toi, Abram...

—Non, j'veux répond', M'sieur John, moi j'sais, fit Ganzara.

—Alors à toi !

—Oui, à toi, j'veux ben, reprit Abram soulagé.

—Oui, ben sû'; et grâc' à Dieu j' l' pourrai. Et j'remercie not' Pèr' céleste...

John avait la tête ailleurs. C'était en 1767, pendant l'été. Un enfant était né et la bruine était douce. "Tu te rappelles, Ann, que nous lui avions donné le nom de ton frère : James", pensa-t-il au fond de lui-même. Sur la montagne moussue du Mainland, l'arc-en-ciel étincelait de mille gouttelettes. Les eaux de la terre et celles du ciel se mêlaient. "Trollie Wadder", s'entendit-il murmurer.

—Que dis-tu, John ? s'étonna Ganzara.

—Je pensais à mes Shetland. A ces eaux trollie, ensorcelées par les trolls qui passent à travers la laine et la peau, ces eaux qui pourrissent tout, jusqu'à la mort. Et dans le ciel, au ras des toiles, allaient les ailes noires des corbeaux. C'était terrifiant, mes amis.

—Nous aussi, on a ben des co'beaux, John !

—C'est les ailes lourdes de mort... Ils tournent autour des grands chênes. Depuis que le petit John de Mrs Sarah est né...

Il pensa sans le dire que même le Rappahannock restait immobile. C'est vrai que leur petit James s'en était vite allé. Enveloppé dans les brumes du ciel, reparti à tire d'ailes par-delà l'océan, dès que le grand vent était revenu.

—... J'appréhende, mes amis, quand le ciel blanc et lourd va se découvrir. Vous avez vu la lune, ce soir ? ... les corbeaux ont quitté Belvidera. C'est mauvais signe.

Ses élèves s'impatientaient.

—Alors, Mr John ? demanda Jacob.

—Je crois que nous reprendrons une autre fois.

Il posa les yeux sur Caroline. C'était une belle mulâtre et l'on comprenait aisément que le planteur pût la désirer. On ne savait plus si ses grands yeux étonnés, ses cils délicats comme des ailes de papillons, le pourpre de sa bouche mutine, les courbes avenantes de son corps, étaient un présent du ciel ou plutôt une machination du démon.

Elle lui prit la main.

—Dis-donc, maît' John, pourquoi tu n' m'écoutes pas ?

—C'est vrai qu' tu n' nous écoutes pas ! renchérit Jacob mécontent.

—Tu é z-un méchant précepteur ! bougonna Ganzara.

John bafouilla :

—Vous avez bien raison. Je crois qu'il vaut mieux s'arrêter là. Avant de se quitter, nous allons prier pour la santé du fils de nos maîtres, le colonel William et Mrs Sarah. Je suis inquiet, vous comprenez.

Il tourna quelques pages du **New England Primer**. Ses yeux fatigués déchiffraient à peine les lettres minuscules.

—Je prends la "Prière du Soir pour le Petit Enfant" :

"Maintenant que je suis dans mon lit,
"Je vous prie, Seigneur, de veiller sur mon Ame,
"Si je devais mourir avant de me réveiller,
" Je vous prie, Seigneur, de veiller sur mon Ame".

Et le chœur reprit dans la nuit. La ferveur de Jacob, d'Abram, de Caroline, de Sucky, de Ganzara et de Patty se lisait dans l'étincelle de leurs yeux tournés vers le ciel. John comprit qu'il amenait à Dieu les âmes des Nègres dont pourtant tous les Blancs disaient qu'elles n'existaient pas... Il en fut heureux. Puis il poursuivit seul. Tous ses amis avaient tourné leurs visages vers lui. Les yeux mi-clos, ils priaient avec le précepteur.

—"Seigneur, tournez-vous vers l'enfant de Mr William et de sa chère épouse, nos maîtres bien-aimés de Belvidera dans la colonie de Virginie. Bien sûr, Seigneur, vous ne connaissez peut-être pas encore le dernier né de vos serviteurs. Comment pourrait-il en être autrement ? Il n'a que deux mois à peine... Et il est si chétif, si malade ! Jamais sa voix ne vous parviendra. De plus, Seigneur, il est tellement petit et votre troupeau est si grand...

Puis il leva les mains, les paumes ouvertes face aux ciel, dans un geste de paix et d'offrande, comme il l'avait vu faire par tous les pasteurs, à Lerwick ou à Fredericksburg.

126

—... Nous vous prions, Seigneur. Accordez grâce et miséricorde à ce tout petit être ! Délivrez-le de la maladie ! Accordez-lui la force de vivre. Nous vous confions son âme.

Ils quittèrent l'école en silence. Ganzara et Caroline séchaient leurs larmes. John sortit aussi et se dirigea vers les eaux du fleuve où se reflétait la lune. Les herbes hautes frémirent à ses pieds au passage de quelque animal qu'il venait de déranger. Etait-ce une musaraigne ou plutôt une taupe ? Le vent agitait les branches dégarnies. Au bord du Rappahannock, il ne fut pas surpris de découvrir la silhouette du colonel, debout face au cours du fleuve, le menton haut, le regard portant au loin, en direction des collines du comté de King George. Il faisait froid.

—C'est toi, John ? Je reconnais ton pas.

Il s'arrêta quelques instants avant de reprendre :

—... Notre petit John n'est plus.

—Je sais, colonel.

—Tu sais ? Regarde ces feuilles tombées des arbres qui macèrent dans ces trous d'eau et pourrissent. On sent déjà l'odeur de la mort. A l'instant, me revenaient des vers de Shakespeare. Tu ne connais pas Shakespeare, n'est-ce pas ? "Meurs, meurs, brève lueur ! La vie n'est rien qu'une ombre errante, un pauvre comédien qui se démène et gesticule une heure sur la scène, et se tait à jamais".

—Vous savez bien, colonel, que jusqu'à mon arrivée en Virginie, je n'avais lu que notre Sainte Bible. Et elle, elle dit que l'homme ressemble à une fleur qui n'est pas plutôt éclose qu'on la coupe... C'est un peu pareil, n'est-ce pas ?

—Regarde cette branche, là-bas, prise par les galets près de la rive. Elle se décompose et pourrit sans que quiconque n'en soit ému. Tel est notre destin.

Les yeux clos, il se tourna vers sa maison.

—Je dois retourner à la Grande Maison. Il faut entretenir le feu. Cette pauvre mère en est bien incapable, tant sa douleur est grande. Pauvre Sarah.

15

—Le petit John aurait bien complété cette jolie assemblée, commentait le précepteur, assis sur un billot à deux pas d'un Dadda Gumby pensif, s'amusant d'un caillou du bout de sa canne.

—Oui, lâcha-t-il faiblement, soulevant à peine ses paupières plissées, oui, mais c'est l'Seigneu' qui l'a voulu, alo'...

—Tu n'es pas surpris, Dadda Gumby, de voir tous ces écoliers à Belvidera? C'est vrai que c'est une révolution sur la plantation. Quand tu étais au service du père et du grand-père de Mrs Sarah, on n'apprenait rien aux enfants!

Le vieux serviteur laissa échapper un soupir. Ses mains jointes sur la branche qui lui tenait lieu de canne s'agitaient fébrilement comme si la terre s'était mise à trembler sous ses pieds. Quelle pensée! Qui avait bien pu mettre de pareilles idées dans la tête de ce Shetlandais? Il était à craindre qu'avec son école il n'ébranlât les fondements de la plantation et que chacun, Blanc ou Noir, s'en ressentît pour l'éternité.

—Voyez l'fleuve, là, M'sieur John; i' coule... Voyez l'ciel; i' noircit... Voyez les arb' morts... C'est l' mond' qui va ainsi, M'sieur John. Après l'hiver, i' viennent l' printemps et l'été... et après, c'est l'hiver qu' i' revendra. C' n'est pas vot' école qu'ell' chang'ra l' mond'!

—Mrs Sarah me dit pourtant que les livres portent en eux des ferments de liberté, et qu'un jour les colonies seront libres! Et nous avec! Les livres portent le bon grain. A nous de récolter!

—C'est l' fleuv' qui charrie les brindilles... L' bâton dans l'eau, i' n'arrêt' pas l' courant, M'sieur John!

C'était vers la fin décembre, quelques jours avant Noël. La foule joyeuse des écoliers s'égayait autour de la Grande Maison. Bathurst avait juché Hannah Bassett sur ses épaules pour qu'elle attrape les premiers flocons de neige.

—Pourquoi il tombe du ciel aujourd'hui, le coton? cria-t-elle à Lucy Gaines.

—C'est de la neige, écrevisse pourrie! rétorqua Trollamog.

En pleurs, elle courut se réfugier dans les jambes de John, tandis que Lucy Gaines attrapait déjà le petit effronté pour lui administrer une belle correction.

—John, dis-moi, John, pourquoi il ne veut pas rester dans mes mains, John, le coton qui tombe du ciel, John?

Dadda Gumby qui avait assisté à la scène se leva, la barbe et les cheveux enveloppés d'une délicate pellicule plus blanche que de coutume. Il souriait.

—Vous entendez, M'sieur John? Ell' répète c' qu' j'ai dit à sa mèr' et à son grand-pèr' : la neige, c'est l' coton tombé du ciel! Vous voyez, M'sieur John, vot' école c'est ben un peu ça, non? Eh ben, ell' existait à Belvidera longtemps avant qu' vous n'arriviez... Soyez donc un peu plus humble!

John rit.

—Gagné, Dadda Gumby! admit-il beau joueur, consolant la petite Hannah Bassett d'une caresse paternelle.

Puis il raccompagna Dadda Gumby en l'aidant à marcher sur le sol gelé. Le vieil homme se dégagea pour bien montrer qu'il était alerte.

Les grands peupliers décharnés battaient au vent comme les mâts dans le port de Lerwick. Des rameaux brisés jonchaient le sol où la neige, peu à peu, les recouvrait. Le Rappahannock se figeait à l'approche de l'hiver, bien moins cependant, et beaucoup moins tôt que les ruisseaux du Mainland. Loin des regards de John et de Lucy Gaines, les fillettes s'amusaient. Assises en rond à côté de la case d'Abram, certaines feignaient de tricoter à l'aide de baguettes de bois; une autre, qui devait avoir six ou sept ans, avait attaché un fil à une chaise et faisait semblant de filer, tandis que sa grande sœur Fanny arborait fièrement un ventre rond de femme enceinte. Dès qu'elle entendit le précepteur et le patriarche approcher, elle s'arrêta, confuse, et sortit prestement de dessous son tablier les chiffons qu'elle y avait bourrés. De l'autre côté du chemin, dans la neige, les mains rouges, Harriott imitait les gestes des femmes qui lavent leur linge en frottant des haillons à même le sol. La neige continuait à tomber à gros flocons lourds et étoilés. Le ciel blanchissait par l'ouest. A la lumière d'un halo de soleil, Belvidera s'illuminait. John remarqua que jamais Fort Charlotte ne pouvait se parer d'une même luminosité. Jamais dans les Shetland les rayons du soleil n'avaient la force de percer la brume et la nuit.

— J' voudrais vous d'mander un' faveur, M'sieur John...

Le Shetlandais se rapprocha ; la voix cassée du vieillard lui parvenait difficilement. Leurs pas craquaient et ils soulevaient une plaque de neige durcie chaque fois que leurs galoches s'arrachaient du sol.

— ... Pourriez-vous m'écrir' la généalogie d' ma famille ? Ces p'tit' qui jouent, i' faudra qu'ell' sachent qui l'était Dadda Gumby, et avant lui son pèr', et enco' avant lui son grand-pèr'.

— Mais tu ne sais pas lire Dadda Gumby ?

— Eux, i' sauront.

— Eh bien, je commencerai dès que nous en aurons fini avec les cochons, c'est promis.

Le vieil homme planta sa canne dans la neige et prit les mains de John dans les siennes. Il les serrait très fort pour ne pas pleurer. On lisait sur son visage un réel soulagement, comme si John l'avait déchargé d'un poids. Comme s'il l'avait assuré de l'éternité.

— J' savais... j' savais qu' vous étiez bon, Maît'. J' vous dis "merci", Maît'. J' vous gard' un d' mes plus beaux coqs.

Le matin même un bateau avait débarqué à Snow Creek trente-cinq cochons qui avaient été parqués non loin de la berge dans un enclos remis en état par les esclaves. Dans la neige boueuse, cet étrange troupeau de bêtes noires vit arriver avec inquiétude le colonel, son fils Edwin, Lucy, Abram et Jacob. Ils couraient, se heurtaient, hurlaient, se piétinaient. Un spectacle pitoyable !

Jacob et Abram avaient heureusement l'habitude de cette course annuelle. Passer la barrière et courir dans la fange pour plaquer une bête au sol, comme ils l'auraient fait avec une volaille, c'était un jeu. Les pattes leur glissaient entre les doigts, ils tombaient sur le sol glaiseux, avaient du mal à reprendre pied, pleuraient de rire... John leur lançait une corde et en un tournemain l'animal était traîné sur quelques yards près des baraques où le colonel conduisait les opérations, sous les yeux envieux d'Edwin. C'est là que l'animal était égorgé, qu'il était découpé et transporté jusqu'aux hangars, près des quartiers des esclaves, où le bacon fumé, les jambons et les épaules recouverts de salpêtre étaient suspendus.

— Un autre cochon de cent cinquante livres ! Vraiment de beaux cochons ! ne cessait de répéter le colonel, fier de ses acquisitions.

Des flaques rouges inondaient la neige blanche. Les enfants, noirs ou blancs, s'éclaboussaient de gouttelettes rouges jusqu'à ce que Lucy les menaçât du même traitement que les cochons. Alors, ils se dispersaient mais revenaient très vite à leur jeu, profitant de l'occupation frénétique des adultes.

—Tu vois, John, chaque année, j'y prends plus de plaisir.

—Du plaisir, colonel?

—Oui, je crois que l'on peut appeler ça du plaisir. Quand je suis arrivé à Belvidera avec Sarah, j'avais la tête pleine de livres savants. Pour moi, tuer le cochon, c'était de la sauvagerie.

—Il faut bien manger!

—Il y a plus que cela, John. Aujourd'hui, j'aime toucher la chair chaude et molle de ces bêtes, la sentir raidir sous mes doigts quand je donne le coup de couteau fatal, puis mollir à nouveau...

—C'est effrayant! Vous m'inquiétez, colonel...

—C'est juste un tout petit coup de couteau, John. Tu sais, c'est la peur qui les fait hurler, pas la mort.

—Justement...

—Au lieu de pourrir à trois ou quatre pieds sous terre, comme nous, les cochons passent noblement le pas de la mort. Je suis leur charron, en quelque sorte...

—Vous êtes macabre, colonel. Je préfère m'intéresser à ces beaux jambons salés et fumés qu'à toutes vos histoires, fit John, visiblement interloqué.

Edwin s'était approché.

—Moi aussi, père, je veux en égorger un.

—Allons-y pour ton premier cochon!

Pendant que les esclaves tenaient fermement l'animal, le colonel aida son fils à se saisir du couteau, lui montra comment le tenir, indiqua l'endroit où la pointe viendrait se porter, conseilla rapidité, force et précision et Edwin s'exécuta. Le bras du père accompagna le bras du fils dans la course ultime du couteau. Le colonel desserra son étreinte et, dans un calme absolu, une fois passées quelques secondes de tension lorsque l'animal se relâche, s'écroule et expire, une clameur et des applaudissements accueillirent l'acte héroïque d'Edwin. "Il pourra bientôt prendre la suite de son père", murmuraient les spectateurs.

Sarah était accourue. Haletante, elle prodigua maints compliments à son aîné puis se rapprocha de son serviteur.

—Bravo, Edwin, bravo, s'exclama-t-elle. Comme ton grand-père, Edwin...

131

—Comme son père aussi, fit remarquer un William Daingerfield visiblement courroucé.

—Pourquoi me contredire ? N'es-tu pas heureux d'avoir maintenant un homme en Edwin ? Il faut fêter ça !

—Oui, Mrs Sarah a raison, fit John. Faisons la fête, colonel.

A Belvidera, comme dans toutes les plantations de Virginie, la danse marquait les grands événements de la vie. Lorsqu'on tuait le cochon, à la moisson, aux semailles, la nuit de la St-Jean, à la St-Michel, à la Fête des Rois, ou bien lors d'un baptême ou d'un mariage, William Daingerfield envoyait chercher Jacob et son banjo, pendant que lui-même prenait son violon. Il appelait toute sa famille, faisait venir ses amis, retenait ses plus proches serviteurs et attendait que le hall exigu de la Grande Maison débordât et qu'un cercle se formât. Il tapait dans ses mains pour obtenir le silence à la manière du précepteur, lançait sa phrase rituelle : "Mes amis, montrez que vous êtes de vrais Virginiens de sang. "Danser ou mourir". Vous n'êtes pas de mon avis ?" Les hourras qui couvraient ses derniers mots se perdaient dans la nuit. Les bruits épars de l'assemblée se muaient comme par enchantement en un battement de mains régulier, le banjo de Jacob plaçait les couples face à face et, selon le tradition, Sarah Daingerfield tendait une main gracieuse au-dessus de la piste improvisée pour convier son planteur de mari à une première gigue.

Ce soir-là, pour la circonstance, elle avait revêtu une robe commandée à Paris. C'était sa première danse depuis la mort du petit John. Son aîné l'avait comblée et lui avait redonnée goût à la vie et foi en l'avenir. C'est ce qui l'avait poussée à quitter le deuil. Elle avait troqué sa robe noire contre sa belle tenue de couturier français dans les dernières minutes qui avaient précédé la fête. Ceux qui la connaissaient bien remarquèrent comme une hésitation avant de s'élancer sur la piste. Elle baissa les paupières, sembla se recueillir l'instant d'un soupir puis, d'un coup, aux premiers accords du banjo, se redressa fièrement et s'élança comme elle l'aurait fait du haut d'une falaise, prise de vertige.

Les jeunes femmes et les servantes admiraient cette splendide robe de lin lavande, ouverte devant sur un jupon molletonné et brodé. Les mêmes motifs fleuris ornaient le jupon et les pans de la robe. Le froufrou des tissus venait caresser au passage l'assistance comme une invitation à entrer dans la danse. Trollamog s'amusait à attraper un pan de la robe de sa mère jusqu'à ce que Lucy Gaines y mît un terme, en la saisissant brutalement par le bras.

—N'en finirez-vous donc jamais avec vos sottises, Billie ?

Il la regarda, amusé et espiègle, profita d'un instant de relâchement, et se faufila à travers l'assistance pour se cacher sous une chaise.

A chaque tour de piste, la robe de Sarah se soulevait suffisamment pour que l'on découvrît ses élégants souliers noirs à larges boucles et la pâleur laiteuse de ses chevilles.

Après quelques gigues joyeusement enlevées, le front ruisselant de sueur, le colonel se tint à l'écart et prit son violon. Il avait décidé de mener la danse. Dans l'assistance, John reconnut Mrs Richards, une veuve du comté qui dansait avec le charpentier John Pattie. "Une louve dans une peau d'agneau", avait dit d'elle Sarah Daingerfield, un jour où elle l'avait soupçonnée de courtiser son mari. Harbine Moore et son épouse avaient également honoré Belvidera de leur présence, tout comme les Morton du Comté d'Albermale, les Wright du comté de Spotsylvanie ou les Jones. Joseph Jones ne pouvait passer inaperçu : c'était de toute évidence le plus célèbre de tous les invités. Homme d'une cinquantaine d'années, juriste éminent du comté de King George, ami des grands hommes de Virginie, George Washington, Thomas Jefferson ou Patrick Henry, il siégeait depuis deux ans à la "Chambre des Bourgeois". Il ne dansait pas mais, un verre de porto à la main, s'entretenait des affaires coloniales avec William Anderson, marchand renommé du comté d'Hanovre. Sarah Daingerfield passa près d'eux à cet instant. Elle était radieuse.

—Vous comprenez, ma chère Sarah, que les hommes de mon âge n'ont pas suivi de cours au "College of William & Mary". J'ai étudié à Oxford et le droit romain laisse peu de place aux bacchanales. Mon temps libre de jeune homme, je le passais, comme tout bon Virginien, à chasser le renard... ou l'Indien !

—Moi non plus, je ne suis pas allée à "William & Mary". Il n'empêche que la danse fait partie de l'éducation d'un Virginien ! Mais en ce qui me concerne, avec mon sang Taliaferro, je vous assure que je n'ai pas besoin d'un maître...

—Si ce n'est que la gigue doit quand même mieux vous convenir que le menuet !

—Ne croyez pas m'offenser. C'est tout à fait exact : je préfère la gigue. Je suis jeune, non ?

—Pour redevenir sérieux, voyez-vous, chère Sarah, ce qui m'inquiète, ce n'est pas que "William & Mary" dispense aujourd'hui des leçons de maintien et de danse. Je pense seulement que les jeunes Virginiens auraient mieux à faire !

— Vous pensez à cette guerre qui couve ? interrogea William Anderson.

— Avant qu'elle n'éclate, amusons-nous ! coupa Sarah en s'éclipsant.

— Vous pensez bien que ce n'est pas la gigue qui nous permettra de vivre libres et indépendants. Vous devriez vous préoccuper, je vous assure, des grandes philosophies de Locke ou de Montesquieu. Vous devriez lire nos concitoyens Paine ou Franklin. Vous trouverez en eux les ferments de notre juste révolte. C'est à eux que nous devons d'avancer vers la lumière. Grâce à la force et à la nouveauté de leurs écrits, notre lutte nous conduira vers un nouvel Eden...

Etonnés de sa fougue et de son désir de convaincre, les hommes qui l'entouraient ne savaient que répondre. Même s'ils soutenaient les patriotes du Massachusetts, cela leur paraissait très lointain ; les cours du blé et du coton dans leur colonie du sud les préoccupaient bien davantage.

Sarah entraînait ses invités dans des gigues endiablées. Elle accrochait les uns et les autres par le bras et les faisait virevolter alors que Jacob et son banjo précipitaient le mouvement. Soudain, elle s'avança vers John et le tira de la foule des spectateurs.

D'abord surpris, le Shetlandais résista puis accepta de la suivre. Les serviteurs et les invités s'étonnèrent d'une telle impudence. On parla. La confusion enfla. Inviter Harrower, un serviteur sous contrat, un quasi esclave ! Où donc la maîtresse de Belvidera avait-elle la tête ?

— Je n'aurais pas dû accepter, madame.

— Comment ?

Le bras de Sarah, s'enroulant autour de sa taille, le détourne de ses pensées. Et il doit à son tour passer son bras autour d'elle. Et il sent malgré lui la chaleur de son corps à travers le lin de sa robe... Pour la première fois.

Les longs plis de sa robe frôlent sa veste. Et le précepteur, qui s'est d'abord senti si gauche, devient plus sensible aux impulsions de la danse.

Il n'a pas dansé depuis son mariage à Lerwick. Il revoit dans l'éclat du sourire de Sarah celui d'Ann, gris argent, à la lueur des bougies.

Les yeux de braise de Sarah rougissent les joues du Shetlandais. Son regard Taliaferro dont elle est tellement fière. Ces yeux qui embrasent Belvidera !

"Pardon, Ann", pense-t-il en se rappelant ses yeux transparents comme l'eau de Tingwall Loch. La Grande Maison tourne autour de lui comme le soleil autour de la terre.

Puis le rythme de la gigue l'emporte loin de Twagoes. Loin de Lerwick. Loin des Shetland. Loin de tout. Le balancement du corps jeune de Sarah l'empêche de voir les grimaces d'une Mrs Richards et les rires sardoniques d'un Morton ou d'un Wright. Pourquoi doit-on toujours se moquer du bonheur des autres ?

Cette petite musique qui m'appelait, pense John, cette petite musique que j'entends depuis mon départ des Shetland, sur les chemins d'Ecosse, sur les quais de Londres, au milieu de l'Océan, était-ce l'écho du banjo de Jacob ? Est-ce possible d'être ensorcelé par la musique ?

Est-il possible que les trolls investissent aussi les maisons de Virginie ?

16

John garda longtemps le souvenir sensuel de cette danse avec Sarah. Mais le lent et infini travail de la plantation noya tout de son écrasante monotonie. Comme lorsque le fleuve sort de son lit au printemps et recouvre de ses eaux boueuses les prairies et les taillis. La campagne n'est plus qu'un glacis brun, un lac argenté éclairant le ciel d'une lueur surnaturelle. Et quand vient la décrue, les prairies renaissantes ont perdu leur charme d'antan pour laisser la place à une nature arrogante. C'est le printemps qui enfle, boursoufle la terre jusqu'à l'épuisement fiévreux de l'été.

On se retrouva ainsi en septembre 1775. La rosée fraîche qui ourlait d'un chapelet de perles les herbes hautes aurait presque fait penser que l'été était fini. Heureusement, quelques oiseaux moqueurs délivrés de la nuit s'égosillaient sur les branches. Leurs chants appelaient le soleil. Le voilà qui montait déjà à l'horizon. L'énorme boule qui, la veille au soir, avait roulé, brune et brumeuse dans l'éther lointain, par-delà les collines et l'Océan, renaissait enfin. Cercle pâle qui s'arrachait aux pesanteurs de la nuit. Une lumière grandissante jeta sur le chemin des ombres approximatives. Parmi elles, celle de John. Il se rendait à Fredericksburg.

Les plis d'encre du Rappahannock se creusaient et s'illuminaient. Miroirs pourpres et bleutés qui guidaient le précepteur jusqu'à la ville.

Le Shetlandais tenait tranquillement les rênes des chevaux qu'il amenait à William Daingerfield et son épouse, de retour de Williamsburg.

Trois semaines auparavant, le colonel avait en effet permis de faire rattraper un esclave qui s'était enfui de la plantation des Mc Alley. Et ces derniers avaient invité les planteurs de Belvidera dans leur demeure de Williamsburg pour les remercier.

—Quel bon vent t'amène ? lança le jovial Kennedy.

—Les Daingerfield sont en voyage. Je leur amène leurs chevaux. Mais, dis-moi, pourquoi tous ces soldats dans la ville ?

—C'est la guerre, John. Le Général Washington lève une armée de vrais soldats. Tu sais bien que la Milice n'est bonne qu'à parader, et encore ne faut-il pas être trop difficile sur l'uniforme ! La preuve en est que ton colonel de planteur se promène, alors que les colons sont aux prises avec les Redcoats du roi George.

—Je ne te permets pas, Alexander ! Le colonel Daingerfield est un bon patriote...

Disons qu'il est poussé par la volcanique Sarah...

Comme John ne réagit pas, il reprit sur un autre chapitre.

—... As-tu entendu dire que George Washington est venu en personne voir sa mère Mary, à Kenmore en juin dernier, lorsqu'il était en route pour Cambridge, Massachusetts ?

—Bien sûr, tout Fredericksburg en a parlé...

—Ce que tu ne sais sûrement pas, c'est qu'il a beaucoup hésité à lui rendre visite. Il n'osait pas lui dire qu'il avait accepté le Commandement en Chef que lui a confié le Deuxième Congrès Continental de Philadelphie. D'autant plus que, d'après la **Virginia Gazette** du mois de juin, il était très réticent. Il ne voulait pas de cet honneur dont il ne se trouvait pas assez digne ; Je l'ai vu, tu sais, de mes yeux vu, à cheval dans la rue avec une escorte de quatre hommes. C'est un géant. Et il a à peu près notre âge. Je l'ai salué au passage de son cheval et je suis resté médusé par son regard pénétrant. Quelle allure majestueuse ! Un vrai Commandant en Chef, je te jure !

La mâchoire de fer de Kennedy eût inquiété si, dans le même temps, son regard juvénile, ses boucles blondes et son front haut et dégarni n'eussent rassuré. John et Alexander étaient restés de bons amis depuis l'époque du **Planter**. Chaque fois qu'ils se rencontraient, le tonnelier d'Edimbourg, de quelques années l'aîné de John, lui posait mille questions sur la situation en Virginie.

Il ne lisait pas et seule la rumeur alimentait son information alors que John, lecteur assidu de la **Gazette,** qu'il allait chercher lui-même au bateau de Snow Creek, confident du colonel, qui lui faisait part des ragots en cours dans la Milice, et de Sarah qui s'enflammait à la lecture des aventures patriotiques au travers des lettres de son frère, détenait une mine de renseignements. Depuis quelques jours, tout allait plus vite et l'activité fébrile de Fredericksburg ne se faisait pas encore sentir à Belvidera. En l'occurrence, Alexander était mieux informé que son ami.

Entre-temps, la belle Bettie s'était approchée des deux compagnons. Toujours aussi accorte et enjouée, elle minaudait en caressant du revers de la main la joue du précepteur. Il la rabroua brusquement.

—Qu'est-ce qu'il a, mon John ? Il aime plus sa Bettie ?

—Laisse-nous tranquilles. Tu es agaçante. Je n'ai pas le cœur à ça maintenant.

—Plus tard, alors ? Je te réserve ma soirée, hein, mon beau maître d'école ?

—Il n'y aura pas de plus tard. Je dois rentrer à Belvidera avec mes maîtres. Arrête ton manège, veux-tu ? Nous parlons sérieusement.

—Oh la la ! C'est pas ce que tu dis quand...

—Et là, les amis, arrêtons ! coupa Kennedy. Ta bière n'est pas mauvaise, mignonne. Mais apporte-nous donc du rhum des Antilles. Mon vieux John, j'aurai du mal à t'offrir l'équivalent de celui que tu me sers chez toi.

—Attends. Ah ! oui, le dernier, c'est vrai que je l'avais acheté spécialement à l'arrivée du **Betsy**. Le second, Mr Foster, est un ami. Il m'a coûté cher. Un shilling et trois pence !

—Alors, du rhum pour les Ecossais ?

—Du rhum, c'est dit !

Les rais de lumière éclatants qui traversaient la fenêtre à meneaux inondaient la taverne. Sur la table, désinvoltes, les timbales d'étain brisaient net ces lames blanches. John était heureux de se plonger dans l'activité de la ville. Même si Belvidera occupait ses journées, du lever du soleil jusqu'à son coucher, et même si le calme et la tranquillité lui étaient agréables, il ne rechignait pas à retrouver la fièvre de Fredericksburg.

—Tu as dit que c'est la guerre, Alexander ? Tu le penses vraiment ?

—C'est la guerre, je te le dis, John.

—La guerre, oui, tu as sans doute raison.

—Bien sûr, John. Les Virginiens s'y mettent. Après les Bostonniens, ils se rebellent contre George III.

—Je suppose qu'on ne tient pas longtemps un peuple sous le joug...

—Qu'est-ce qu'on en a à faire du roi, ici ?

—Ah ! Si notre Ecosse pouvait connaître le même élan !

—Sais-tu que le général Washington a levé une armée de cinq cents artilleurs dans la Colonie et qu'il a fallu tirer au sort ceux qui seraient retenus, tant les demandes étaient nombreuses ? Il y a quelques jours, le beau-frère du Général, Fielding Lewis, a contrôlé lui-même les opérations dans Princess Anne Street. On a cloué un tableau d'un pied carré à un arbre, on y a dessiné dessus un nez de taille moyenne — de bonne taille, devrais-je dire ! — et les volontaires sont passés à tour de rôle.

— C'est pas vrai ?

— Si, je te le dis. D'une distance de cent yards, on leur a fait tirer sur le tableau et on n'a retenu que ceux qui s'approchaient le plus du nez. Et avec une seule balle.

— Une seule balle ?

— Oui, une balle ! Mais autant te dire qu'après trente essais, le nez avait disparu et qu'à la fin de l'exercice, on ramassait les débris du tableau qui avait volé en éclats !

Les deux hommes devaient parler fort pour se faire entendre. Les conversations bruyantes se multipliaient aux quatre coins de la salle et les serveuses passaient de table en table pour prendre les commandes. C'était un incessant va-et-vient de timbales, de fiasques et d'assiettes fumantes. Le vin de Madère, le rhum, le porc salé et le pois chiche mélangeaient leurs odeurs alléchantes.

— Je suis inquiet pour Ann, reprit John.

— Pourquoi ?

— Elle a répondu à mes longues lettres il y a peu mais elle manque d'argent et tant que durera ce différend entre les Colonies et la Grande-Bretagne, j'aurai du mal à lui en envoyer.

— Prends une Virginienne !

John se retint pour ne pas s'étouffer. Il posa bruyamment son verre, qui faillit basculer, et éclata de rire.

— ... Qu'est-ce qui t'arrive ? Elles sont belles, non ? Il y a de belles veuves... J'en ai trouvé une qui habitait dans le comté d'Orange, au pied des Blue Ridge Mountains. Une fille enjouée et pas du tout farouche. Je lui ai fait un fils qu'elle a bien voulu appeler Scot en souvenir de mon Écosse. Puis elle a cherché à s'employer dans une plantation du Tidewater. Maintenant, elle est à Port Royal, et quand je serai libre, je la rejoindrai. Plus que deux ans et demi, hein John ?

— Tu l'as trouvée où, ta Virginienne ?

— Ici même. Elle arrivait juste de ses montagnes et elle avait besoin d'être réchauffée, fit-il gaillardement.

John leva les yeux au ciel comme s'il rassemblait toutes ses pensées. Puis, d'un soupir amusé, la tête pleine du souvenir flou d'Ann, de Sarah, de Lucy, de Sucky et de tous ces visages de femmes rencontrées, il reprit :

—Ma précieuse craint justement que je ne me console dans les bras d'une Virginienne...

—C'est vrai que ta Sarah Daingerfield est belle femme ; on dit même qu'elle te fait les yeux doux !

John baissa la tête.

—Dieu m'en préserve ! Elle n'est pas veuve, se contenta de répondre John.

—Je n'ai pas voulu t'embarrasser, mon vieux. Tu fais ce que tu veux et, qui plus est, tu es mon ami. Cela me fait penser que j'ai vu son frère voilà un mois environ. Ici même. Il tenait Bettie et Linda par le cou. Il a bu comme un bœuf toute la soirée, a terminé là-haut avec les deux filles et nous a raconté par le menu la bataille du dix-sept juin entre les Bostonniens et les Britanniques. C'était à Charlestown.

—J'ai lu ça dans la **Gazette**.

—Ce Taliaferro a un succès fou auprès des dames ! A se demander si ce n'est pas elles qui ont dû le payer pour avoir le privilège de coucher avec lui !

—Arrête tes imbécillités ! Raconte plutôt ce qu'il a dit.

—Il a raconté la bataille avec force détails. Voilà comment tout a commencé : "La veille du dix-sept juin, le soir, les Patriotes ont décidé de construire des fortifications. Avec près de mille artilleurs, le colonel Prescott a pris la route de Bunker Hill. Le Comité de Sécurité avait autorisé les Américains à prendre la colline qui se trouve au-dessus de Charlestown. Ils ont longtemps marché avant de passer l'étroit pont de bois qui sépare l'île de la terre ferme. Un détroit très fin. A main gauche, il avait la Mystic River et à main droite la Charles River...

Sur ces entrefaits, le silence s'était fait autour de Kennedy et d'Harrower. L'Ecossais mimait le capitaine Taliaferro avec succès et les hommes souriaient de la ressemblance. Les mots magiques de "Charlestown", de "Comité de Sécurité", de "Bunker Hill" avaient été prononcés et toute la "Rising Sun Tavern" écoutait. Un homme d'âge mûr aux cheveux clairsemés s'était approché. Son allure docte imposait le respect et les tabourets se reculaient sur son passage. Il prit une chaise que lui avait tendue, en levant son chapeau, un homme simple du nom de Randolph. Il s'assit. Kennedy s'était arrêté. Il esquissa un sourire poli à la vue du Dr Hugh Mercer, l'apothicaire renommé de Fredericksburg. Il venait tous les jours de sa jolie boutique d'Amelia Street, boutique que l'on reconnaissait aisément aux vases de couleur, représentant les quatre humeurs, qu'il avait placés dans la vitrine. Patriote convaincu, actif défenseur de l'Indépendance, ami de George

Washington qui prenait conseil auprès de lui, le Docteur Mercer était l'histoire vivante du comté de Spotsylvanie.

—Avec votre permission, Monsieur, je voudrais conter à nos amis l'aventure de nos vaillants soldats à Boston. Je sais de qui vous la tenez mais je ne suis pas certain qu'elle soit aussi fidèle à la réalité que la version que je tiens de la bouche même de notre Commandant-en-Chef, le général Washington.

Un brouhaha s'ensuivit. On entendit des voix anonymes. "Allez-y, Docteur Mercer!", lançaient les uns, "Oui allez-y". "On ne va pas laisser une telle histoire dans la bouche d'un serviteur..." dit un autre. Une poignée de clients profita de la confusion pour s'éloigner en silence. Sans doute les plus frileux défenseurs de la cause américaine... D'un geste apaisant, l'apothicaire rétablit le silence, Kennedy s'était reculé d'un pas pour le laisser aux avant-postes.

—Allez-y, Docteur, allez-y! On veut connaître l'histoire racontée par le général Washington, s'enflamma Elizabeth Bridgewater, les yeux gourmands de curiosité.

—Elle a raison. On vous écoute, Docteur, reprit la pulpeuse Linda.

—Comme notre ami le tonnelier a commencé à le dire, le colonel Prescott que notre compatriote George Washington a bien connu lors des guerres franco-indiennes se met dans la soirée du seize à la construction d'un fort de plus de cent vingt pieds de côté et de six pieds de hauteur sur Breed's Hill qui domine l'église et les maisons de Charlestown que les Britanniques ont fait évacuer. Ils travaillent dans la boue des marécages et, malgré toutes les précautions prises pour ne pas attirer l'attention, dès l'aube, les Anglais les entendent. Le **Lively**, frégate anglaise, ouvre le feu...

Dans la salle, des sifflets et des huées interrompent les propos du docteur Mercer.

—... Il faut savoir, reprend-il aussitôt, que plus de deux mille grenadiers et fantassins n'attendent qu'un ordre pour envahir l'île. Heureusement, notre ami, le général Prescott, est bien décidé à repousser les Britanniques jusqu'aux portes de l'Enfer. Nos hommes sont mal équipés. Rendez-vous compte qu'ils ne disposent en tout et pour tout que d'une tasse de poudre, quinze balles à mousquet et un silex chacun. Comble de malchance, un boulet décapite un de nos jeunes paysans, le valeureux Asa Pollard, et nos hommes, paniqués, horrifiés à la vue de ce corps sanglant et de cette tête éclatée, commencent à fuir...

"Lâches", entend-on à la cantonade. Mais l'apothicaire exige le respect de son air impérieux. Il se lève, les genoux légèrement fléchis, et, les sourcils broussailleux dressés sur son front plissé, tance les plus indisciplinés.

—... Je vous en prie... Je vous en prie, Messieurs. Ce sont nos compatriotes !...

Puis il reprend :

—... C'est alors qu'intervient le général Stark, qui est à ce moment cantonné à l'arrière, à Medford, si je me souviens bien...

Il se tourne ostensiblement vers John qui, intimidé, se montre surpris.

—... Le frère de Mrs Daingerfield, le capitaine Taliaferro, appartient au régiment du général Stark. Son unité se compose principalement d'hommes du New Hampshire. Ils ont beaucoup de mal à rejoindre Charlestown. Les navires britanniques qui entourent les lieux du combat les aspergent de boulets de neuf, douze, et même vingt-quatre livres...

John, toujours aussi captivé par le regard foudroyant et le visage glacé de l'apothicaire répète comme pour lui-même "vingt-quatre livres !"

—... Vingt-quatre livres, oui ! Des boulets énormes qui pleuvent de droite comme de gauche. De la Charles River, aussi bien que de la Mystic River, au passage du pont. Les hommes sont démoralisés et la troupe décimée, avant d'avoir commencé à se battre ! Le général Stark est éclaboussé de la cervelle et du sang de ses soldats... On le voit serrer les dents mais il continue dans la fournaise de l'après-midi, coincé entre le feu de Charlestown et le feu du ciel. Pendant ce temps, les fantassins de Howe marchent sur le fortin des Patriotes. Les unes après les autres, les lignes britanniques tombent. Les corps des Redcoats s'entassent les uns sur les autres et la colline se couvre de cadavres. Il y en a autant qu'un troupeau de moutons. Les nôtres sont en train de gagner...

La "Rising Sun Tavern" éclate alors d'une clameur et de sifflets victorieux. Les hommes se distribuent de grandes tapes fraternelles dans le dos. Quelques-uns en profitent pour boire mais le docteur Mercer leur signifie amicalement que la bataille n'est pas terminée.

—... Les nôtres ont gagné une première manche mais ils sont épuisés. Rappelez-vous qu'ils n'ont pas dormi, qu'ils ont travaillé toute la nuit pour élever des fortifications et que, depuis l'aube, ils se battent. Le crépuscule est proche et il ne leur reste, pour toute munition, que des clous et quelques morceaux de ferraille. On entend alors le tambour anglais qui bat le rappel. Comme un glas dans le lointain. Howe envoie le capitaine Harris à la charge. Il est lui-même décapité et les lignes anglaises s'écroulent au fur et à mesure qu'elles escaladent la colline. Les Patriotes ne voient que les têtes et les torses des Redcoats qui montent la pente et s'affaissent sous les balles. Trois fois de suite. Puis c'est le drame. Prescott ne peut obtenir le renfort demandé au général Putmann. La nuit est là. Il ne leur reste que l'épée ; alors ils battent en retraite, poursuivis par les Anglais. Au moment de quitter le fort, le général Warren est lui aussi tué. C'est la défaite...

Les hommes se regardaient médusés. Pourtant, plus d'un avait déjà entendu cette histoire des batailles de Charlestown, de Breed's Hill, de Bunker Hill. Il n'empêche : l'effet restait le même. Toujours cette déception et cette rancœur vis-à-vis de ces mauvais Redcoats. Un homme s'exclama alors :

—Mais on était tellement moins nombreux, n'est-ce pas, docteur Mercer, que ces canailles de homards de fils de putes ?

—Bien sûr, mon ami ! Et vous savez que nous avons tué mille Britanniques et en avons blessé cinq cents. Nous devons nous battre. Le général Washington recrute des soldats dans nos treize colonies. Il faut l'aider. Sa tâche est rude car notre Milice est mal organisée. Battons-nous, nous les Virginiens, car notre cause est juste. Exigeons notre Indépendance. Réclamons le droit à la justice et à la liberté pour les colonies d'Amérique.

John se tourna vers Kennedy :

—Je demanderai à mes garçons de rejoindre les troupes de Washington dès leur arrivée.

—Laisse-leur le temps de devenir des hommes, répondit-il. On leur fera une carrure de vaillant soldat, ici. Tu n'auras qu'à me les confier.

Le docteur Mercer avala son verre de rhum. John se leva.

—Vous avez raison, Docteur ! hurla-t-il. Il a raison, mes amis. Quand les colonies seront libres, ma femme, ma chère Ann et mes peeries me rejoindront. Il faut aider le docteur Mercer, lui qui a fait Culloden, comme mon père, sait ce que c'est que le combat.

—Culloden ? releva l'apothicaire soudain intéressé. Vous aussi, vous connaissez ? C'était il y a bien longtemps ! C'est là que j'ai tout appris de la guerre...

Sa voix se perdait dans le brouhaha. Il commanda du madère pour la vingtaine de gaillards qui étaient restés à l'écouter tandis que les filles pressaient le pas pour servir les hommes.

La journée n'était pas terminée pour John et elle lui réservait même une bien désagréable surprise. Il avait en effet attaché à la barrière de la taverne ses trois chevaux. Quelle ne fut pas sa stupéfaction de constater que l'un d'entre eux, celui de Sarah Daingerfield, avait disparu ! L'instant d'un éclair, il se demanda s'il ne l'avait pas attaché par mégarde à un autre endroit, sur le côté de la taverne par exemple, près du puits de bois, ou à un arbre de Caroline ou de Fauquier Street. Il n'avait pourtant pas bu plus que de raison ! Peut-être le cheval avait-il pu lui-même se détacher... Il comprit très vite que cela ne pouvait être le cas. Quand il fut à côté des deux chevaux restants, il vit la bride du cheval tranchée net, sans doute à l'aide d'un couteau. Elle restait attachée à la barrière avec les deux autres et pendait dans le vide, à un pied du sol.

Le cheval avait donc été volé.

John pensa d'abord à ce qu'il pouvait faire. Il laisserait son cheval à Sarah et rentrerait à pied. Mais cela ne réglait pas tout ! Comment annoncer à ses maîtres qu'il s'était fait voler un cheval parce qu'il avait passé la majeure partie de la journée à la taverne ?

Il y retourna. Son ami Kennedy était parti. Il s'assit à la première table qu'il trouva et se prit la tête entre les mains. Elizabeth Bridgewater l'avait vu ; elle s'approcha. Il commanda du gin.

— J'ai besoin de me donner du cœur, fit-il désabusé, à l'adresse de la servante, surprise de le revoir aussi vite. On a volé un des chevaux des Daingerfield.

— Ne te fais pas de soucis, le Shetlandais ! Cela arrive tous les jours maintenant. Avec tous ces immigrants qui débarquent... Les condamnés, les serviteurs, toute la racaille de la terre entière.

— Des gens comme nous, en quelque sorte, fit John.

Elle rit de toutes ses dents. John écarquilla les yeux puis sourit.

— ... Sans compter tous ces Nègres qui s'enfuient des plantations ! ajouta-t-elle. Mais, rappelle-toi, Fredericksburg n'est pas Londres. On est au calme ici.

Elle avait un air malicieux et John entrevit, le temps d'un éclair, comme cela arrive parfois chez certaines personnes qui par un excès subit de sincérité tombent le masque, le visage de la petite fille aux yeux pétillants qu'elle avait été. La petite fille tendre et facétieuse des ruelles de Covent Garden.

John lui prit la main comme un père qui veut dire à son enfant qu'il comprend sa douleur. C'est vrai qu'ils avaient fait du chemin l'un et l'autre. Le temps du **Planter** leur paraissait si loin... Londres et ses

144

Docks, de Ratcliffe ou de Wapping, restait enfoui au fond de leurs mémoires. L'océan avait refoulé la douleur du temps passé, avait gommé les traits des gens rencontrés et estompé les couleurs de la ville. A quoi bon remuer tant de boue ? Il n'était pas utile de se rappeler les longues soirées passées à voler, à se prostituer dans les bas-fonds, à fuir la police ou les truands, à croupir dans la pourriture des prisons.

Elle détourna le regard. Elle ne supportait plus que l'on vît son regard mouillé et sa douceur d'enfant triste.

Elle se dégagea de la main large de John et reprit le chemin de l'office, se contentant de répéter :

—Ne te fais pas de soucis, l'Ecossais !

Le schooner **Judith** se fit attendre quelques heures au milieu d'une foule de serviteurs, de marchands et de Nègres qui parlaient et gesticulaient bruyamment. La nuit tombait lorsqu'il glissa enfin le long des quais pour s'amarrer à Tobacco Wharf. Elégant et empressé, le couple Daingerfield apparut sur la passerelle. Leur gaîté n'était pas feinte.

Mais elle fut de courte durée. L'allégresse céda le pas à la colère. John avait eu raison de craindre la réaction brutale de Mrs Daingerfield.

Elle avait vécu quatre jours parmi les plus grands et elle s'imaginait encore entourée des six cents esclaves et des soixante mille acres de terre des Carter de Nominy Hall. Elle se voyait en conversation avec Lady Dunmore, l'épouse du Gouverneur. Sans doute les plis de sa robe de soie cachaient-ils encore les airs affectés de la capitale des colonies. Il était évident qu'elle n'appréciait pas de se retrouver à Fredericksburg parmi les petits planteurs. Les "Buckskins" ! Au milieu des siens !

A l'arrivée sur le quai, William et Sarah n'étaient plus que les modestes planteurs de Belvidera et, même si leur école leur permettait d'être connus dans le comté et si le nom d'un Daingerfield ou d'un Taliaferro était respecté, ils restaient malgré tout peu entourés. En revanche, lorsque les Mann Page et leur suite descendirent sur la passerelle, il en fut tout autrement. Le colonel Mann Page, riche planteur, entraînait avec lui son épouse, deux jolies femmes — on disait de la plus grande aux longs cheveux bruns et au teint mat qu'elle était sa maîtresse — ainsi qu'une dizaine d'esclaves portant caisses et paniers. Ils étaient attendus par un détachement de la Milice qui rendit les honneurs au représentant de la Colonie à la "Chambre des Bourgeois".

Bien sûr, il ne s'agissait que d'une petite troupe composée d'hommes vieux et mal habillés mais leur présence réhaussait leur arrivée et tout Fredericksburg n'avait d'yeux que pour eux.

Pour attirer sur elle une attention que lui refusait sa place dans la société virginienne, l'ombrageuse Sarah n'eut d'autre moyen que d'invectiver vertement son serviteur. Au moins pour montrer qu'elle en avait un! John reçut les coups et plia l'échine sans réagir. L'air déconfit et impuissant du colonel lui indiqua d'ailleurs très clairement qu'il ne pouvait espérer aucune aide de son côté. Il accepta donc cette humiliation publique sans broncher mais se promit de ne pas en rester là.

17

Dès le lendemain, comme pour signifier au colonel qu'il n'avait pas apprécié sa mollesse et qu'on ne pouvait plus le traiter avec brutalité alors qu'il avait le sentiment d'accomplir au mieux ses tâches de précepteur et de régisseur, il se résolut à s'ouvrir au colonel de sa résolution.

— Vous devez choisir vite, colonel, entre une école renommée et une production abondante. Je ne peux plus mener les deux de front, annonça-t-il fermement.

Il fut entendu et c'est ainsi qu'un certain Anthony Frazer apparut.

Homme fort, d'environ vingt-cinq ans, il eut vite fait de faire oublier par son attitude digne les vilenies de Lewis. Il se fit respecter car il sut se faire obéir. Et on l'aima car il connaissait son travail.

De loin, sa voix ferme et grave couvrait le chant des oiseaux et le clapotis du Rappahannock. Lorsque sa silhouette se détachait sur l'horizon, on reconnaissait facilement son doigt pointé sur quelque épi de maïs oublié ou sur une tige de lin mal battue. Aucune imperfection, aussi légère fût-elle, ne lui échappait. L'ouvrier indélicat reprenait alors son ouvrage sans contester car les remarques de Mr Tony, comme l'appelaient les serviteurs blancs et noirs, sonnaient juste.

Il donnait lui-même l'exemple et l'on voyait pendant l'été les Noirs s'approcher de lui pour prendre une leçon de teillage. Il connaissait le travail du lin mieux que personne. Il fallait le voir lancer le fouet au-dessus de sa tête, un genou en terre, le faire claquer et l'abattre avec précision sur les tiges qui éclataient!

Virginien depuis trois générations, il était issu d'une famille de pionniers des hautes terres du Piedmont, de l'Albermale et du comté d'Orange, où la principale activité se limitait au défrichage de nouvelles terres et à l'abattage de forêts impénétrables. C'était un homme de la Frontière, élevé sur la terre vierge et sauvage des pionniers.

Son grand-père était Ecossais et le soir il évoquait avec John ses lointaines origines. Alors, dans la solitude de la petite école qui leur servait de chambre, lui revenaient à l'esprit toutes les histoires racontées par les anciens.

—C'est vrai, faisait-il, j'avais oublié les trolls…!

—Et la Garde Noire, ça te dit quelque chose?

—Oui, mon vieux Bob de grand-père m'en parlait, c'est vrai! Je me souviens qu'il me disait aussi que le sol d'Ecosse était tellement aride. Il fait très froid là-bas, hein?

— Rien à voir avec le soleil chaud de Virginie! Je peux te dire que je n'ai jamais vu de maïs, de blé et de légumes aussi beaux qu'en Virginie.

—Ah! s'il n'y avait ces Anglais pour nous opprimer, on serait au paradis…!

Lucy Gaines fut également des plus heureuses lorsqu'Anthony débarqua à Belvidera. Gouvernante dévouée et travailleuse, dont les Daingerfield n'eurent jamais qu'à se louer, on lisait sous sa mèche brune, au fond de son regard tendre, comme un pétillement juvénile qui la rendait précieuse aux yeux des enfants, une lueur franche que Frazer ne mit pas beaucoup de temps à remarquer.

Ainsi, les semaines qui s'écoulaient étaient le témoin d'un discret rapprochement du régisseur et de la gouvernante. Seul à connaître les balbutiements de cette nouvelle idylle, John en était l'observateur amusé. Craignant cependant de s'immiscer au-delà de limites raisonnables dans la vie privée des jeunes gens, il se contenta de relever dans son journal leurs ébats amoureux comme il l'aurait fait d'une manœuvre navale!

18 Novembre 1775

*Ce matin avant le lever du jour j'ai trouvé le vaisseau de ligne **Anthony** et la frégate **Lucy** du port de Belvidera amarrés l'un à l'autre, mouillant dans la Baie Couverture sous le Cap de l'Ecole, ceci étant la seconde fois qu'ils mouillent dans le même port. Le 11 Novembre étant la première fois (9).*

C'est au début du mois de décembre que la jolie gouvernante décida d'ouvrir son cœur au précepteur. Un soir de janvier, il la vit arriver de loin sur l'allée qui conduisait de la Grande Maison à l'Ecole.

148

Quelques flaques remplissaient les creux du chemin et, par endroits, une fine pellicule de glace restait accrochée au bord des trous. On n'avait pas vu le soleil de la journée ; il faisait froid et John venait de libérer ses élèves transis. Lucy paraissait minuscule sur le chemin ; elle avait même l'air frêle et emprunté des petites filles qui craignent les remontrances de leurs parents, alors que d'ordinaire sa gaîté et sa détermination tranchaient sur la monotonie hivernale.

Ses grands yeux verts comme les tilleuls de l'Albermale restaient baissés. Elle ne dit rien mais sortit de sa poche un bout de papier froissé. Elle avait dû le déplier et le replier maintes fois, si bien qu'aux coins et sur les lignes de pliures il commençait à pelucher et même à se déchirer.

—Faites voir, Lucy, fit John en tendant la main. Je serais prêt à parier que c'est une lettre de Mr Frazer !

Elle fit non de la tête. Ses joues s'empourprèrent.

—Vous savez, Lucy, on m'a souvent fait écrire des lettres d'amour à Fredericksburg mais c'est bien la première fois qu'on me demande d'en lire une... Ce sont des secrets que les jeunes filles gardent pour elles-mêmes, même si elles ne comprennent pas toujours tout ce qui est écrit... Leur imagination est assez grande pour compenser !

—S'il vous plaît, Monsieur John, ne vous moquez pas de moi. Ne me faites pas attendre inutilement. Lisez-moi cette lettre. Elle m'a été apportée, de la part d'un ami d'enfance du comté de King George, qui se retrouve aujourd'hui, à la mort de son père, à la tête d'une plantation de quatre cents livres.

John se mit donc à lire.

"Mon Cher Amour, Plaisir de Ma Vie,
"Souvenez-vous du grand bonheur que nous avons jadis connu l'un et l'autre. Aujourd'hui, nous sommes des étrangers l'un pour l'autre. Vous êtes sans doute fiancée et si vous allez vous marier, je vous souhaite de tout mon cœur un bon mari. Si ce n'est le cas, je serais très heureux de pouvoir faire de vous la maîtresse de mon cœur et de tout ce que je possède. Si vous pouviez être aussi bien disposée envers moi que je le suis envers vous, nous pourrions vivre très heureux. Si vous pensez être prête à accepter mon offre, je ferais de vous ma femme dès que possible... Sinon j'espère ne pas trop souffrir bien que je ne puisse jamais oublier les lèvres délicieuses que j'ai si souvent embrassées. J'ai très envie de les faire miennes, mon gentil amour, ma douce colombe."

"Votre Fidèle Amant jusqu'à la mort".(10)

Le maître d'école dévisagea la gouvernante. Elle avait écouté, un sourire tranquille aux lèvres.

—J'étais loin de soupçonner cela, Lucy. Mais, dites-moi, vous ne l'aimez pas, n'est-ce pas ?

—C'est pourtant vrai que ses baisers étaient bons. Il y a déjà trois ans de cela. J'avais oublié... Non, vous avez raison, Monsieur John, je ne l'aime pas.

—Qu'il vous demande en mariage ne peut cependant que vous flatter. C'est un homme de bien et sa proposition vous honore. Je ne connais pas de jeune femme qui n'y soit insensible. Mais Anthony ?

—Il me plaît bien...

—Je m'en suis aperçu, rendez-vous compte... Et j'ajouterai que je vous trouve bien empressée... Cela comporte certains risques pour la vertu d'une jeune fille.

—Vous devez mal me juger, John ?

—Je dis seulement qu'une jeune fille doit préserver son honneur si elle veut trouver un mari honnête. Je sais bien que la tentation est grande et que les émois amoureux sont de votre âge.

—Je vous en supplie, John, ne dites pas cela. Ne me donnez pas de leçon. Vous apprenez bien à lire et à écrire aux enfants mais vous n'êtes pas le précepteur de mon cœur. Et quand vous parlez d'émois qui sont bien de mon âge, oubliez-vous que Mrs Sarah brûle d'amour pour vous et que vous feignez de ne pas vous en apercevoir ? Pourtant, je vois bien que cela ne vous laisse pas de marbre. Vos yeux deviennent transparents comme l'eau de la rivière quand elle s'approche de vous...

Lucy avait parlé d'une seule traite. Elle s'était enflammée et John n'avait pas trouvé la brèche qui pût l'arrêter.

—... Et ce que je vous dis-là, n'est rien d'autre que ce que tout le monde peut constater sur la plantation.

—Allons, allons, Lucy, taisez-vous !

—Pour Mrs Sarah, le colonel n'est pas un homme suffisamment fort.

—Il a parfois quelques troubles, c'est vrai !...

Lucy se mit à glousser.

—... Qu'est ce qui vous arrive ?

—Savez-vous, John, que l'autre jour, on l'a retrouvé nu comme un ver...

—Le colonel ?

—Oui, dans la nuit, au beau milieu du hall. Et quand il a repris ses esprits, il se croyait dans le Rappahannock !

—Et Mrs Sarah, vous dites?...

—Elle dit qu'elle n'a jamais vu un aussi bon serviteur que vous? L'école, c'est vous, les récoltes, c'est vous...

—Elle dit tout cela?

—Bien sûr, et vous êtes le seul à ne pas le savoir?

—Mais elle dit aussi que ma méthode d'éducation n'est pas celle qu'elle souhaiterait pour ses enfants, que mon accent écossais est affreux... Et elle m'appelle le "Vieux Harrower"!

Un peu plus loin, l'eau du fleuve clapotait le long des rives. Le maître d'école se retourna. Son regard balaya le potager qu'il avait créé au pied de son école. L'hiver l'avait forcé au repos et l'on avait quelque peine à imaginer que cette terre fauve de Belvidera ait pu porter six mois de l'année de magnifiques pastèques rebondies, des fraises rouges et sucrées ou d'énormes pois vert tendre. La terre grasse attendait en mottes friables le renouveau du printemps.

John scruta au loin, par-delà le Rappahannock, à travers des écharpes de brume accrochées aux arbres morts, la maison du capitaine Strother à qui il vendait du tabac à priser. Elle lui paraissait presque aussi loin que sa maison de Lerwick vue de l'autre côté de la passe de Bressay un jour d'hiver. Lucy était toujours à ses côtés. Il la regarda.

—Vous savez, Lucy, fit John d'un rire nerveux déclenché par le froid, pensez davantage à votre Anthony. Vous êtes jolie fille et je conçois que ce capitaine au long cours vous attire le soir sous le Cap de l'Ecole.

—Sous le Cap de l'Ecole?

John rit de plus belle. Un rire forcé qui le faisait tressaillir et rendait sa voix chevrotante.

—C'est mon secret! Il faut bien que j'en aie un, moi aussi! Allons, rentrons, il fait froid! Le "Vieux Harrower" voudrait quand même vous mettre en garde, jeune bergère du Piedmont!

—Vous vous moquez encore, John.

—Mais non, je ne me moque pas, je m'amuse. Je suis un homme de la mer. Je m'y connais en marins. N'oubliez pas que je suis né dans un port. Un capitaine jeune et vigoureux comme Frazer jette l'ancre où bon lui semble. Quand la tempête est trop forte en lui, quand son cœur fait vibrer sa carcasse et quand les flots de la vie se fracassent contre sa coque, il n'a qu'une hâte : trouver refuge. Aujourd'hui, Belvidera est un port accueillant mais...

—Mais quoi, John? Ne dites pas cela de Tony. Il m'aime!

—Je ne dis rien de blessant, ma chère Lucy. C'est un marin, Frazer, un marin des terres, si vous voulez, qui court de plantation en plantation comme d'autres vont de port en port. Il est libre d'aller au gré du vent et des saisons. Il est libre comme je l'ai été avant d'épouser ma chère Ann.

Lucy était inquiète. Elle tremblait de froid mais aussi de peur, la peur que quelque part John ne lui dise ce qu'elle n'osait comprendre depuis des mois.

—Il vous a fait ses confidences, n'est-ce pas ?

—Pas le moins du monde. Mais écoutez-moi bien...

Il s'était mis à l'abri sous le porche, sans oser entrer dans la Grande Maison, craignant de devoir interrompre leur conversation. John avait posé une main. Bras tendu sur le pilier du porche alors que Lucy s'était assise sur une marche, contre le muret, à l'abri de la bise hivernale.

—... Lucy, écoutez-moi. Il ne m'a fait aucune confidence car il est des confidences qui n'ont pas besoin d'être dites si l'on observe un peu la nature des hommes. Avant d'arriver à Belvidera, je n'avais eu pour seule lecture que la Bible et, d'une certaine manière, cela m'avait suffi. Et je dirai que c'est une chance immense que d'avoir commencé par elle, ajouta-t-il en remontant le col de sa veste et regardant la lune passer à travers les branches mortes du marronnier. Mais il y a aussi tous les autres livres écrits en anglais que le colonel me prête. Je pourrais vous raconter comment Pamela a sauvé sa vertu. Je pourrais vous dire les mésaventures de Moll Flanders ou celles de Clarissa. Pourquoi ne pas prendre modèle sur Sophia qui s'enfuit avec Tom Jones ? Pourquoi ne pas lire les lettres de Shamela ?

—Tous ces noms me sont inconnus, John ! Pourriez-vous me parler de personnes que je connaisse ? Que je pourrais trouver dans la **Virginia Gazette** ou dans votre fameux **New England Primer** dont vous abreuvez les enfants et, ce qui est pire, tous nos Nègres, à l'insu de Mrs Sarah ?

John croisa les bras pour se réchauffer. Au pied du jardin et de l'allée plantée, le ciel blanc de l'hiver colorait le fleuve engourdi d'une patine nacrée. Dans le vent qui soufflait en rafales derrière la maison, les branches mortes des chênes s'entrechoquaient comme les aiguilles du tricot.

—Vous avez raison, Lucy, je pourrais vous dire le précepte fort juste que contient le **New England Primer** : "Sur le vilain, Dieu fera pleuvoir une horrible tempête". Nous allons rentrer, il fait froid, mais avant, laissez-moi vous dire que ce n'est pas dans les livres que vous trouverez votre chemin. C'est en vous! Vous valez autant qu'une Sophia ou une Pamela. Ecoutez votre cœur, Lucy. Ecoutez votre cœur mais, par-dessus tout, n'oubliez pas la raison. La raison qui tempère les élans du cœur et permet de discerner les contours du chemin à travers les brumes de l'amour. Vous aimez Anthony et c'est vrai qu'il est fort galant. Anthony aime sa liberté au moins autant qu'il vous aime.

—Eh bien! vous en avez fait des progrès, John! Vous parlez bien maintenant! Comme un livre! Mais c'est trop compliqué, ce que vous me dites-là!

—Ne vous moquez pas. Maintenant, c'est vous qui vous moquez!

TROISIEME PARTIE

L'INDÉPENDANCE

* DECEMBRE 1775 – JUILLET 1776 *

« J'observe cette civilisation en marche qui s'avance depuis la côte atlantique et passe au-dessus de nos têtes comme un nuage de lumière... »

Thomas JEFFERSON

18

Pendant l'hiver 1775-1776, la guerre contre les troupes britanniques du roi George III mobilisa toutes les énergies. Heureusement, les treize colonies s'étaient dotées d'un véritable chef en la personne du général George Washington qui avait rejoint le Massachusetts où les hostilités s'étaient déclarées et où, depuis des mois, le conflit touchait au paroxysme. Par sa fougue et sa vaillance, il réussit à rassembler et galvaniser la milice, tous ces caractères étrangement variés, d'origine slave, germanique ou anglo-saxonne, voire française ou italienne, pétris de qualités rurales et d'un profond sens de l'effort, mais totalement dépourvus d'organisation, de discipline et de sentiment patriotique. Certes, ils voulaient tous vivre heureux sur ces terres qu'ils défrichaient à la sueur de leur front. Bien sûr, ils se feraient tuer pour défendre leur lopin de terre. Mais jusqu'alors, l'ennemi était le voisin qui voulait prendre à la dérobée quelques acres de votre sol ou, dans le pire des cas, les tribus indiennes qui se battaient pour s'accrocher à leur territoire. Jamais, on n'aurait pu imaginer qu'il fallût un jour croiser le fer avec des parents ou des amis venus de cette lointaine Angleterre pour faire plier des colonies déjà prospères.

Pris entre un patriotisme naissant qui peu à peu cimentait les colonies en une puissance majeure et les indispensables corvées qui les attendaient à la maison, les vingt-trois mille hommes que parvint à lever George Washington hésitèrent longtemps. Renoncer à la chasse, au jeu, à la boisson, cela pouvait s'envisager. Mais comment abandonner les plantations au moment des semailles et des moissons ? Qui pourvoirait alors aux besoins des familles et des esclaves ? Qui aurait la capacité de prendre en mains ces exploitations fragiles et mal rôdées ?

Lorsque le colonel Daingerfield se rendait à Williamsburg, il se sentait au cœur des combats, à la pointe de la pensée de son temps. Comment ne pas être ému par les envolées talentueuses de Patrick Henry ? Chacun à Belvidera se souvenait du retour à la Grande Maison du maître des lieux qui avait tenu à réunir sur le perron, par un froid intense de janvier, tous les hommes de la plantation, de ses fils aux esclaves en passant par Anthony Frazer et John. A la manière d'un tribun, se tenant sur la plus haute marche, il avait lu avec élégance et conviction le meilleur d'un discours de Patrick Henry, recopié sur le coin d'un journal.

Et l'on avait entendu, loin dans le soir, vibrer les accents de l'espoir : "Nous devons nous battre, mes chers compatriotes. Trois millions d'hommes armés pour la sainte cause de la liberté, dans un pays comme celui que nous possédons, ne peuvent être vaincus par aucune force ennemie. La guerre frappe partout. Laissez-la venir jusque chez nous en Virginie. Oui, je vous le répète : laissez-la venir ! Chaque nouvelle brise du nord apporte à nos oreilles le fracas des armes. Nos frères sont déjà sur les champs de bataille. Le meilleur d'entre nous, le général en chef George Washington, est déjà à leurs côtés. Pourquoi resterions-nous ici à ne rien faire ? En ce qui me concerne, Seigneur, ce sera la liberté ou la mort !" Quant à moi, William Daingerfield, colonel de la milice, à la suite de notre grand Patrick Henry, je fais miens ces propos et vous demande d'adopter ici à Belvidera cette position : la liberté ou la mort. C'est en d'autres termes ce que mon cousin George Washington a frappé en lettres d'or sur sa bannière. Nous aussi, levons-nous pour "Conquérir ou Mourir" !

Cette évocation guerrière n'avait été qu'un feu de paille parce qu'à Belvidera, comme sur toutes les autres plantations, l'ordinaire du quotidien reprenait le dessus. Avait-on terminé les clôtures ? Avait-on pansé les bêtes ? Les terres seraient-elles préparées à temps ? Mrs Sarah s'était imaginée l'épouse d'un grand patriote le temps d'une représentation théâtrale ; elle se réveillait le matin l'épouse d'un modeste planteur aux prises avec les aléas saisonniers et l'ingrate conduite des hommes. William Daingerfield s'affirmait par le verbe comme un patriote convaincu mais, englué dans son irrésolution et ses états d'âme, il endossait très mal la tunique du conquérant.

Même si la situation de Belvidera se comparait à celle de dizaines d'autres plantations à travers la Virginie et, bien qu'on eût quelque scrupule à parler d'une véritable armée virginienne, on sentait frémir, du Piedmont au Tidewater, un idéal de Liberté et d'Indépendance quand, dans le même temps, on se faisait tout doucement à l'idée de la guerre. Il était temps! Les esprits de Virginie comptaient parmi les plus brillants de leur époque. Les Patrick Henry, George Washington, Thomas Jefferson ou Richard Henry Lee, n'avaient rien à envier aux Benjamin Franklin de Philadelphie ou John Adams de Boston! Non, ce qui manquait à la Virginie, c'était un bras armé. Le jour où les idées les plus lumineuses de leur temps seraient servies par de véritables soldats, les tuniques rouges de Sa Majesté pourraient s'attendre au pire. Et ce jour n'était plus très loin.

Pour l'heure, le roi accentuait sa pression sur les colonies. Puisque les colons ne comprenaient pas assez vite qu'il fallait se ranger sous les couleurs du Royaume, il était décidé à en finir au plus vite avec ces échauffourées conduites par des révolutionnaires scélérats dont on pouvait craindre le pire! La guerre de sept ans à peine terminée, ne risquait-on pas de revoir pointer le nez de la France aux côtés des insurgés américains, le royaume de Louis XVI trouvant là une occasion inespérée de prendre sa revanche? Les idées nouvelles qui avaient germé sur le Vieux Continent dans la tête des Montesquieu, Locke, Hume, Rousseau ou Voltaire et dont les fruits commençaient à mûrir outre-Atlantique, ne risquaient-elles pas d'altérer la cuirasse du Royaume? Non, il ne fallait pas tergiverser et mieux valait précipiter le mouvement. La négociation n'avançait pas; seule une explication armée viendrait à bout de la crise.

A Williamsburg même, le gouverneur général, représentant du roi dans les Colonies, Lord Dunmore, venait d'offrir la liberté aux esclaves qui rallieraient les troupes britanniques et des sergents recruteurs écrémaient le "wilderness" pour enrôler les Indiens. La nouvelle fit frémir les planteurs. Qu'adviendrait-il de la Virginie si ses quatre cent mille esclaves se rangeaient aux côtés des tuniques rouges? La toute naissante milice virginienne n'aurait plus aucune chance et dans quelques mois les terres ne seraient plus que friches.

La crainte des planteurs passa aussi vite que l'orage... Ils persuadèrent leurs esclaves de rester avec eux et les désertions furent peu nombreuses. A Belvidera, on n'en compta aucune et c'est à peine si le sujet fut évoqué.

John en profita cependant pour mettre en valeur son travail sur la plantation. Depuis trop longtemps il avait attendu ce moment! Mrs Sarah, aussi bien que le colonel, eurent droit à des remarques anodines sur la nécessité d'éduquer les Nègres. Son message tenait en un constat bien simple : la lecture des Saintes Ecritures et la promesse d'une vie meilleure, que ce soit ici-bas sur une terre de Liberté ou dans l'au-delà, compensait largement les appels démagogiques et illusoires d'un gouvernement aux abois. Comme c'est souvent le cas lorsque le serviteur se permet de donner une leçon à son maître et que ce dernier se trouve à court d'arguments, il reste coi. Mais ce mutisme ne vaut-il acquiescement ? C'est en tout cas l'interprétation que John en fit. Il faut avouer qu'elle lui fut douce.

Par la suite, bien qu'il ne fît jamais allusion à cette possibilité offerte par le gouverneur aux esclaves et aux contre-feux efficaces mis en place par son précepteur, le colonel saisit toutes les occasions de chanter ses louanges. Cela ne fut pas du goût de tout le monde puisqu'à partir de cette époque, comme John allait le vérifier à ses dépens, Anthony Frazer conçut une jalousie viscérale à l'égard de son compagnon !

L'horreur de la guerre toucha à son comble lorsque, dans la même période, on apprit les exactions de Lord Dunmore dans les villes de Hampton et Norfolk. On n'avait pas encore imaginé que les Tuniques Rouges pussent inspirer un tel sentiment de dégoût. Ces villes de Virginie situées aux avant-postes, près de l'ouverture de l'immense Baie de Chesapeake sur l'Océan, cités fort prospères qui abritaient bon nombre de riches planteurs, s'étaient vues dévastées par la barbarie anglaise. Les Virginiens se racontaient avec effroi, sur les plantations et dans les tavernes, des exemples de tueries. Femmes et enfants massacrés. Maisons et commerces pillés. C'en était trop. La Virginie devait à son tour se réveiller. Les attaques sauvages de Hampton et Norfolk avaient sonné le tocsin.

De son lointain comté d'Albermale, au pied des Blue Ridge mountains, Thomas Jefferson, qui, quelques semaines plus tard, allait porter l'Indépendance sur les fonds baptismaux, s'était décidé à faire adopter par l'Assemblée de Virginie, le 15 mai 1776, une résolution, au terme de laquelle, les treize colonies se déclareraient libres et indépendantes. Le vénéré Dr Mercer, par qui les nouvelles transitaient et qui avait transformé la "Rising Sun Tavern" en prétoire, ne s'y trompait pas. Il savait que la colonie du sud, alanguie sous l'étouffante chaleur de ses étés et engourdie par la léthargie de ses hivers, se dresserait enfin, majestueuse, volontaire et inflexible. En quelques mois, les patriotes avaient évolué de manière irréversible d'une défense des droits des colonies britanniques à une farouche volonté d'Indépendance.

Pour toutes aventures, Sarah devait quant à elle se contenter de promenades dominicales dans les environs. La brise de l'histoire lui paraissait bien tiède. Avec son époux de colonel, elle rendait visite à des amis. Parmi eux, le riche marchand Robert Johnson de Port Royal ne dissimulait pas ses sentiments pro-royalistes ; il faut dire que le commerce illicite qu'il entretenait avec la mère patrie lui rapportait de substanciels bénéfices ! Les Spotswood, bien installés dans leur charmante demeure de style géorgien, les accueillirent à Nottingham. C'est à cette époque qu'ils connurent également l'hospitalité du colonel Landon Carter dans sa villa romaine de Sabine Hall ou celle de William Byrd à Westover.

De ses courts séjours, elle ramenait des visions d'architecture antique et de grandiose prospérité sans pour autant que ses désirs de grandeur et de batailles fussent satisfaits.

19

Combien de fois la maîtresse de Belvidera, adossée au grand marronnier dont les frondaisons venaient au printemps caresser les fenêtres du premier étage, se prit-elle à rêver à une Amérique aussi douce que le moutonnement lilas des aurores estivales ?

Le souffle de la guerre arriva enfin à Belvidera. Par une journée de décembre, au début du mois, alors que l'hiver hésitait à s'installer, le conflit fit irruption.

Sarah Daingerfield était fébrile depuis le matin, une de ces fébrilités quasi animales qui agitent les êtres, comme la menace de l'orage inquiète le troupeau. Elle allait et venait sur la plantation sans que l'on sût vraiment qui elle cherchait ou ce qui la poussait dans telle ou telle direction. Elle donnait des ordres cinglants à Lucy, Sucky et Ganzara, rabrouait Bathurst et Edwin. Chacun savait sur la plantation que lorsque Sarah se trouvait dans un tel état d'excitation, c'est qu'elle était fort préoccupée. Il faut avouer qu'en ces occasions, personne ne se mettait en travers de sa route !

On doit bien admettre qu'elle avait en effet quelques raisons de se montrer inquiète. Son mari était à Williamsburg depuis cinq jours. Il aurait dû rentrer la veille car Martha Washington allait leur rendre visite et personne ne savait ce que William était devenu. On avait interrogé tous les voyageurs qui passaient par Belvidera et à qui l'on offrait, en signe d'hospitalité, un verre d'eau ou une galette de maïs, mais il ne se trouvait âme qui vive, de Fredericksburg à Williamsburg, en passant par les comtés de Caroline, King William ou New Kent, qui pût apporter la moindre information sur le colonel.

En d'autres circonstances, Sarah se serait peut-être montrée moins préoccupée, car il n'était pas rare que l'on prît du retard sur les routes peu carrossables de Virginie. Un orage violent, la nuit, une personne à secourir, une erreur sur votre trajet, pouvaient vous retarder de plusieurs heures et changer le cours de votre voyage. Ce qui la tourmentait, c'est que, comme convenu, ses hôtes prestigieux étaient arrivés de Mount Vernon dans la matinée.

Chaque année à la même époque, la tradition, désormais bien établie, voulait que Martha, cousine par alliance du colonel, rendît visite aux Daingerfield. Belvidera accueillait cette année la générale et non plus seulement l'épouse d'un riche planteur virginien des rives du Potomac, aussi illustre fût-il. Depuis le mois de juin 1775, toute la colonie s'enorgueillait d'avoir offert l'un de ses fils à la nation en devenir, le Congrès de Philadelphie lui ayant confié la tâche suprême de conduire à la victoire les armées coloniales.

Aussi, sur les quelque sept miles qui séparent Fredericksburg de Belvidera, l'équipage de Martha Washington et de la suite ne passa-t-il pas inaperçu ! Deux douzaines de chevaux, trois voitures, une vingtaine de Nègres et de serviteurs avaient depuis la matinée pris possession de la plantation.

Les enfants des esclaves et ceux de l'école s'étaient précipités pour découvrir ce spectacle étonnant d'un cortège célèbre, mais leur joie fut de courte durée car Sarah avait recommandé à John et Lucy de les garder à distance afin de ne pas donner l'impression d'un trop grand désordre. Quant à Frazer, il avait reçu mission de faire travailler les Nègres. "Il faut que Belvidera soit une ruche", avait-elle exigé. "En plein hiver, madame ?" avait rétorqué le régisseur. "Faites des barrières, celles que vous m'avez promises depuis des mois..." avait-elle sèchement conclu.

Tout se passa comme il avait été dit jusque vers les onze heures quand Sarah déboula à l'école dans sa majestueuse robe cerise dont elle faisait virevolter les plis avec éclat, ses longs cheveux noirs tombant en cascades sur ses épaules, selon le même mouvement.

—L'école est terminée pour aujourd'hui. Les enfants, rejoignez Anthony Frazer. Il vous occupera aux champs. Quant à vous, John, j'ai à vous parler...

Tous les garçons se levèrent précipitamment. John replia la **Virginia Gazette** de la semaine sur laquelle lisaient Edwin et le fils Edge, il rangea **The New England Primer** et les papiers qui servaient de pages d'écriture. En un éclair, l'école fut vide. Chacun avait compris que Mrs Daingerfield ne souffrirait pas d'attendre. John se piqua à quelques pas d'elle comme un officier au garde-à-vous.

—Mon mari n'est pas rentré, John, et vous savez la qualité de la compagnie qui nous honore de sa visite. Je vous demande de venir participer au repas, dit-elle d'un souffle.

—Mais...

—C'est un ordre, Harrower. Je n'attends qu'une chose de vous : soignez votre accent, ne roulez pas vos "R" comme vous en avez l'habitude. En un mot : dites-en le moins possible! Votre présence suffira. Je veux un homme à table.

John comprit que c'était sans appel. Bien qu'il fût une nouvelle fois blessé dans sa fierté de Shetlandais et qu'il eût très envie de réagir, il se tut. En fin de compte, participer à ce repas était une chance, quand bien même dût-il rester muet!

La table avait été dressée dans la salle à manger au rez-de-chaussée. Martha Washington avait été présentée au personnel de la plantation avec qui elle avait échangé un mot courtois.

Un verre de sherry à la main, elle se tourna vers Sarah et déclara à la cantonade :

—Sur le million de Virginiens qui peuplent la terre de notre belle colonie — la plus belle des treize, n'est-ce pas, Sarah? — j'ai toujours beaucoup de plaisir à découvrir de nouveaux visages. Savez-vous qu'en sept années, jusqu'en juin dernier lorsque mon soldat de mari accepta le commandement en chef de l'Armée, nous avons reçu plus de deux mille visiteurs à Mount Vernon.

—Deux mille?

—Nous avons fait beaucoup de travaux d'agrandissement. Il faut maintenant remplir cette grande maison! Mais revenons à notre colonie. Vous savez combien mon mari aime sa Virginie. Eh bien! il m'a chargé de vous dire combien il a besoin de vous tous. Il faut vous tenir prêts.

—Comment pouvons-nous faire? demanda Sarah.

—Préparez-vous à vous battre pour notre Liberté. L'Armée des Patriotes doit grossir. Le général compte sur la Virginie.

—Nous serons à ses côtés, Martha. Dites-le lui, s'il vous plaît.

—Allons, portons un toast à notre belle Virginie, à notre Armée patriote. Remercions le Seigneur Tout Puissant de nous donner foi en notre Amérique. Chère Sarah, votre hospitalité vous honore et je vous sais beaucoup de gratitude de nous accueillir de si belle façon. Que le Seigneur bénisse Belvidera, votre élégante demeure, vos champs et vous tous mes amis! Et que Dieu nous rende au plus vite ce cher William!

Bien que prononcés d'une voix fluette, ses propos furent accueillis avec enthousiasme et des hourras emplirent la pièce trop petite où s'étaient entassés, en plus des invités, les serviteurs les plus proches des Daingerfield.

Martha Washington était une petite femme d'une cinquantaine d'années, légèrement potelée, qui avait su garder des mains fines et soignées. Ses grands yeux balayés de longs cils vous regardaient presque avec tristesse alors qu'il ne fallait y lire que l'expression d'une grande bonté soulignée par la délicatesse de son sourire. Elle avait conservé des manières simples qui la mettaient à l'aise où qu'elle fût, avec la société virginienne aussi bien qu'en présence de modestes planteurs, sans même parler des esclaves, avec qui les Washington entretenaient des relations familiales. Pour la définir, son général de mari ne parlait-il pas d'une "âme tranquille"?

Avant de se marier à George Washington en 1758, Martha avait été l'épouse du très riche Daniel Parke Custis qui lui avait fait quatre enfants, dont seulement deux survécurent : John Parke, dit Jackie, et Martha Parke, surnommée Patsy. Les Daingerfield les avaient vus grandir et les avaient souvent rencontrés, soit à Fredericksburg, lorsque la famille Washington rendait visite à la mère du général, soit à Mount Vernon, où les Daingerfield étaient parfois invités.

Jackie, âgé maintenant d'une vingtaine d'années, marchait sur les traces de son beau-père, partait à la chasse au renard, veillait avec soin aux travaux de la plantation et s'était bien entendu engagé dans la milice. "Un véritable monstre", disait communément de lui sa mère que ses foucades et revirements inattendus inquiétaient. "...Heureusement que George veille au grain!..." ajoutait-elle. De fait, il avait fallu, à de nombreuses reprises, la main ferme de George pour lui éviter de sortir du droit chemin!

Quant à la pauvre petite Patsy, elle était morte depuis deux ans. Emportée par une crise d'épilepsie dans sa quinzième année sous les yeux de son beau-père, elle avait laissé un vide d'autant plus grand qu'elle était la seule fille du couple et que l'union de George et de Martha était restée stérile. De ce fait, l'affection du général s'était naturellement reportée sur ses nièces. Anne Dandridge comptait parmi celles-ci et elle ne manqua pas d'ailleurs d'en faire étalage au cours du repas. Elle se mit à raconter combien elle appréciait les lettres de son oncle et combien étaient sages les conseils qu'il lui prodiguait.

—Est-ce bien nécessaire? s'impatienta Martha.

—Je vous en prie, Tante. Ecoutez ce que m'écrit mon oncle.

Ecoutez comme c'est vrai et comme c'est beau !

—S'il vous plaît, Anne. Cela n'intéresse personne.

—Au contraire, Tante Martha, je crois que chacun devrait s'imprégner des sages pensées de mon oncle.

Elle avait entre-temps sorti de son corsage une lettre et se mit à lire.

—"... L'amour est un sentiment très noble mais comme toutes les belles choses, le temps les affadit ; et lorsque les premiers transports de la passion commencent à s'émousser — ce qui ne manque jamais d'arriver — ils produisent des effets plus sobres. Il est évident que l'amour est une nourriture trop délicate pour être la seule subsistance de l'être..."

—Je vous en prie, Anne, coupa sévèrement Martha. Je vous en prie, je crois que cela suffit. Votre oncle serait fâché d'apprendre que vous lisez publiquement ses lettres.

La jeune Miss Dandridge se ravisa enfin et tripota le papier écorné de ses doigts agités avant de le faire disparaître. Elle comprit qu'il ne fallait pas insister.

Comme Sarah se remémora l'anecdote selon laquelle George Washington aurait été dans sa jeunesse éperdument amoureux de l'épouse de son voisin, une certaine Sally Fairfax, elle savoura avec volupté ces quelques phrases du général ! Cette histoire, on la racontait volontiers dans la famille Dandridge en l'absence de Martha, et combien de fois Sarah avait-elle imaginé le jeune George, grand gaillard emprunté de seize ans, faisant une cour assidue à une belle jeune femme de deux ans son aînée ! Elle ne put s'empêcher de sourire et pensa que le commandant en chef avait sans doute puisé dans cette aventure personnelle la leçon qu'il distillait avec autant d'assurance et de détachement à sa nièce.

Le repas se déroula sous les meilleurs auspices. On dîna copieusement de faisan, accompagné de galettes de maïs, de porc et de brochet pêché dans les étangs par Frazer lui-même et, lorsqu'on en arriva au dessert, un énorme gâteau aux prunes et à la crème fraîche, John se fit apostropher par Martha Washington. Elle n'avait pas semblé le remarquer jusqu'alors et pourtant elle lui parla en femme simple, avec cordialité.

—Sarah et William m'ont expliqué que vous étiez arrivé d'Ecosse, Mr Harrower, et que votre école avait acquis une renommée certaine dans le comté. Je tiens à vous en féliciter car si les précepteurs écossais sont nombreux en Virginie, ils ne sont pas toujours de votre qualité.

Beaucoup ne sont en fait que de vulgaires canailles cherchant à fuir leur pays et la justice. Il faut entendre les commentaires des Carter de "Nomini Hall"! Il leur fallut des années avant de découvrir une perle de précepteur du nom de Philip Fithian. Un jeune homme né en Amérique qui nous arrive du collège de Princeton dans le New Jersey et que nous avons eu le plaisir de rencontrer lorsque les Carter nous ont rendu visite l'hiver dernier. Soyez assurée, Sarah, que je me réjouis de ne plus avoir de jeunes enfants à confier à un précepteur!... Cela m'évite bien des ennuis...

John se contenta d'un hochement de tête poli et d'un coup d'œil en coin à Sarah.

—... Mon mari dit souvent que l'Armée est une belle école, et que les Virginiens devraient tous être engagés si l'on veut faire d'eux des hommes, mais il faut bien reconnaître que notre milice est bien loin de nos ambitions. Alors, c'est vrai, il faut des écoles et, un jour peut-être, nous aurons dans chaque comté une école digne de ce nom. Qu'en pensez-vous, Mr Harrower?

John baissa les yeux en faisant "oui" de la tête.

—... Il ne faut plus en effet que notre jeunesse fuie en Angleterre pour apprendre. Elle vit là-bas dans une société tellement différente de la nôtre. Vous savez, le général n'est jamais parti en Angleterre étudier. Ce qu'il sait, il l'a appris sur les terres de Virginie ou sur les champs de bataille. Notre nation a besoin de véritables écoles, ici, en Amérique. Nous avons bien en Virginie "William & Mary"! Alors pourquoi pas des écoles dans chaque comté et dans chaque village?

Martha finit par apercevoir les mimiques de Sarah. Elle levait les yeux au ciel, tapotait de ses doigts le bord de la table et donnait des coups de menton pour inciter John à dire quelque chose.

-... Mr Harrower n'est pas bavard... finit par noter Martha en se retournant vers Sarah. C'est rare pour un maître d'école!

L'embarras de Sarah se lisait sur son visage.

—C'est que... bredouilla-t-elle...

—C'est que j'ai un affreux accent écossais, articula John péniblement, détachant chaque syllabe, la voix plus haut perchée que d'habitude, prenant ostensiblement un air très britannique. Et mon accent, mon affreux accent écossais, n'est pas du goût de Mrs Daingerfield!

Martha ne put retenir un éclat de rire. Sarah, soudain plus détendue, finit-elle aussi par rire à gorge déployée et John se leva pour resservir du madère, un large sourire aux lèvres, visiblement heureux de son bon coup!

— Quoi qu'il en soit, dit-il, je suis très flatté des propos que vous avez tenus, Madame, et je dois reconnaître que j'ai en William et Sarah Daingerfield de très bons maîtres. Ce qui me permet de mener mon école et mes élèves au succès.

Des rafales de vent bousculaient les fenêtres. Les cheminées ronflaient et quelques brusques courants d'air froid faisaient vaciller la flamme des bougies.

On parla beaucoup des récoltes. John Custis se lamenta de la pauvreté des sols de Mount Vernon. Année après année, la culture du tabac avait eu raison de la bonne terre et les pluies torrentielles de ces derniers mois avaient encore aggravé la situation. La terre glissait dans le Potomac, laissant derrière elle une couche d'argile détrempée. George Washington avait bien eu l'idée de ramener des boues plus fertiles du fleuve, une œuvre de titans qui prendrait de nombreuses années... à condition que les pluies n'anéantissent ce travail de Sisyphe.

Sucky dont on commençait à apercevoir le ventre rond — sans que l'on sût avec précision qui l'avait arrondi! — et Ganzara avaient amené des jeux de jacquet tandis que Lucy Gaines s'occupait des enfants à l'étage.

—Vous savez, Martha, que mon frère Philip est dans l'Armée des Patriotes et que je suis très inquiète de ne pas avoir de nouvelles depuis plusieurs mois!

—George a rejoint les troupes à Boston peu après son investiture le 15 juin et depuis, j'ai moi aussi bien peu de nouvelles... Quand je pense que l'Amérique tout entière était informée de sa nouvelle charge et qu'il attendit trois jours pour m'en avertir!

—Mais pourquoi a-t-il tant attendu?

—Je crois qu'il sentait que je ne serais pas très contente. Il s'est laissé convaincre par John Adams, Patrick Henry, Thomas Jefferson...

—Le Jefferson de Monticello?

—Oui. Un ami de George, un jeune homme fin et cultivé en qui il a confiance. Il dit de lui qu'il a beaucoup d'avenir. Vous savez, George est un homme, et comme tous les hommes il a cédé à la tentation de la grandeur et de la gloire. Je sais qu'au fond de lui-même il préférerait sûrement se retrouver avec moi à Mount Vernon. Il me l'a écrit... Mais il n'allait pas tourner le dos au destin et abandonner sa Virginie. Peu d'hommes sont capables de faire injure à leur destin. Serait-ce d'ailleurs souhaitable? D'autant plus que dans son cas, il n'y a rien au monde qu'il ne déteste davantage que le roi George et ses

"Redcoats" et assurément rien qu'il ne chérisse davantage que nos colonies.

— C'est vrai ce que vous dites-là, Martha. Pourtant on a dit qu'il avait pris son temps avant d'accepter cette fonction... Plus que pour vous enlever ?

— Sarah ! Ne me faites pas rougir ! Rendez-vous compte que je n'étais veuve que depuis sept mois. Il s'est arrêté pour une nuit dans notre maison aux six cheminées...

— A Williamsburg ?

— ... Oui. Il est revenu une semaine après et m'a demandée en mariage...

— Voilà, un homme d'action résolu !

— Dès le premier jour, j'ai été touchée de voir qu'il éprouvait de la tendresse pour Jackie et Patsy qui n'avaient alors que quatre ans et deux ans. Et deux jeunes enfants ont besoin d'un père... Je dois aussi à la vérité de dire, ajouta-t-elle malicieusement après une pause, qu'il était bien bâti avec des épaules larges ! Bien qu'il fût beaucoup moins enveloppé qu'aujourd'hui... Je lui fais d'ailleurs le reproche de trop faire souffrir son cheval ! Quant à moi, ma chère Sarah, j'étais déjà petite et... plutôt large !

Sarah appela John pour lui demander de faire lire Edwin et Bathurst. Elle ne voulait pas que l'on parlât trop du retard coupable du colonel. Il fallait occuper ses invités. On ouvrit donc la Bible et, à la lumière d'une bougie, l'un après l'autre, ils entreprirent la lecture de l'Evangile selon St-Jean.

On lisait encore dans la grande salle et l'après-midi touchait à son terme lorsqu'enfin on annonça le retour du colonel. C'est Abram qui, haletant et suant, entra en trombe à la Grande Maison, trébuchant même sur la dernière marche du perron, pour annoncer la bonne nouvelle.

— M'dame, cria-t-il à Sarah, l' colonel, i' l'est à Snow Creek. Son cheval, i' l'est mort d' fatigue et not' maît' m' fait peu à voir !

— Que veux-tu dire ?

— J' ne sais pas, M'dame. Il a les yeux qui n' regardent nulle part. On dirait qu'i' n' connaît ren.

— Il a bu ? demanda Martha Washington.

— Oh qu' non, M'dame ! C' n'est pas d' boisson qu'i' souffre no' maît', M'dame, répondit Abram. Ça, j'en suis sû'. Non, i' l'est comm' habité par l'esprit. I' faudra faire veni' Onc' Caïn, le Nèg' à deux têtes. Lui, c'est sû' M'dame, i' va l' guéri'.

Abram, Martha, Sarah et John sortirent sur le seuil et l'on vit au loin le colonel titubant à côté du cheval que Jacob conduisait par la bride. Sarah se précipita, jetant machinalement un châle sur les épaules car la bise du nord se faisait mordante. John l'accompagna. Ils prirent William Daingerfield par un bras tandis que Jacob se dirigeait vers les écuries.

—Que vous est-il arrivé, mon pauvre William? s'inquiéta Martha.

Hagard, le colonel faisait effort pour se concentrer sur le visage de cette femme à la tendresse maternelle. De ses lèvres s'échappèrent quelques grognements incompréhensibles comme si sa parole était prise par les glaces et ne parvenait à se dégager. On le fit asseoir à côté de la cheminée pour le réchauffer et on lui servit du rhum chaud. Il reprit peu à peu ses esprits mais était au bord de l'épuisement et, à en juger par l'état de son cheval, semblait avoir erré sur tous les chemins de Virginie.

—Dis-moi, William! Que t'est-il arrivé? ne cessait de demander Sarah.

Il secouait la tête en tous sens. Ne pouvant rien articuler d'intelligible, il dévisagea tour à tour Sarah, John, Martha, Mrs Campbell, John Custis et Mrs Sporswood qui s'étaient rapprochés.

—Il se sera perdu dans les marécages, avança Custis, et l'on dit que les effluves des marais engourdissent l'esprit...

—Pourtant son cheval n'est pas crotté! rétorqua John.

Le colonel voyait tous ces visages perplexes autour de lui et, d'un geste de la main, il leur faisait comprendre qu'il allait mieux.

Il avait encore du mal à s'exprimer mais on le sentait en meilleure condition. Ganzara lui fit avaler quelques gorgées de rhum chaud et Sucky grignoter la galette de maïs qu'elle avait fait réchauffer.

—Perdu... Perdu... laissa-t-il échapper de ses lèvres violacées.

—Le pauvre homme! Le pauvre homme! se lamenta Martha en caressant son front de la main. Il a dû tourner toute la nuit.

"Non" fit-il de la tête. Et il prononça le nom de "Mattaponi".

A force de questions, et au fur et à mesure qu'il reprenait ses esprits, on finit par comprendre que sur le chemin de Williamsburg, il s'était égaré au crépuscule, dans le comté de King William et avait remonté sur plusieurs miles le cours du Mattaponi, croyant remonter le Rappahannock. Le fils de Martha, John Custis, fit bien remarquer qu'il n'y avait rien de comparable entre les deux cours d'eau mais l'on ne sut jamais ce qui se passa réellement. Cette mésaventure fut portée sur le compte de l'obscurité et de l'épuisement, ce qui n'empêcha nullement Sarah de se montrer inquiète et de vouloir en faire part à John.

20

C'est dans la perspective d'une visite à Chickahominy qu'un soir, à la suite des douloureux événements qui avaient terni la visite de Martha Washington et des Custis, Sarah demanda à parler à son serviteur. John revenait de Fredericksburg où il était allé acheter les journaux de la semaine. Il avait plu dans l'après-midi et la terre ocre de Belvidera collait aux souliers. Sur le chemin, à l'endroit où, sur la crête tranquille, le chemin fait un coude avant de plonger sur Belvidera, alors qu'à travers les branchages nus apparaît la Grande Maison, accueillante et familière, l'attendait Ganzara. Elle tapait des pieds sur l'herbe mouillée et, enveloppée dans la pelisse que lui avait prêtée son père Jacob, elle tempêta contre le retard du précepteur. Elle courut à ses côtés pour lui expliquer qu'il fallait s'appeler Ganzara et être son amie pour l'avoir attendu aussi longtemps. Comme John la pressait de donner les raisons de son attente, elle finit par dire que Mrs Sarah s'impatientait depuis le début de l'après-midi.

Le Shetlandais tenait à la main une gibecière dans laquelle il avait fourré les journaux ainsi que la bouilloire à thé en fer d'une pinte et la timbale en grès d'une demi-pinte qu'il avait achetées chez Mrs Porter. Pressé par la jeune Négresse, il ne pouvait plus penser à son ami Foster, second du schooner **Betsy**, qui s'apprêtait à appareiller pour les Antilles. John aimait le **Betsy**, beau navire à deux mâts refait à neuf après avoir passé trois mois en carène. Il avait dîné à bord et avait retrouvé à cette occasion le goût de l'aventure, l'odeur de saumure et des cordages, les voiles claquant au vent ainsi que les grelots des gréements, qui lui avaient rappelé le **Planter**.

Sarah était seule dans le salon du rez-de-chaussée. Un rayon de soleil dans lequel dansait la poussière se joua des imperfections de la vitre pour venir s'écraser sur un coin de la cheminée où se consumaient lentement les dernières braises. John jeta un coup d'œil circulaire.

—Le colonel ?

—Il doit être au quartier des esclaves. On dit qu'il a mis Sucky enceinte. Il nie mais nous verrons bien si l'enfant qu'elle porte est blanc ou noir... Je suis une Taliaferro, John, et je ne supporte pas d'être la risée des autres planteurs. Imaginez ce qu'on dira ! Je ne veux pas me trouver dans la situation de cette Mrs Lloyd dont tout le monde se moque. Son mari a été obligé de se séparer d'un de ses esclaves du nom de William Wilks. Un grand gaillard de seize ans qui lui ressemble à s'y méprendre !

Sarah s'était beaucoup agitée. John n'eut pas le temps d'esquisser le moindre commentaire. D'ailleurs qu'aurait-il pu dire ? Il était tellement suffoqué d'une telle franchise. De plus, il s'était donné pour règle de ne pas intervenir dans les affaires privées de ses maîtres. Un sage conseil prodigué par le bon capitaine Bowers...

—... Mais, poursuivit-elle sans se soucier de la réaction de son serviteur, ce n'est pas de cela que je veux vous entretenir.

—Je vous écoute...

—Bah ! Vous savez, il n'est pas le seul à prendre du plaisir avec une jeune esclave ! Ne paraissez pas surpris, John. Vous êtes un homme, non ?

—C'est votre détachement apparent qui me surprend...

—Non, John, il y a plus grave ! Il perd la tête. C'est dangereux pour Belvidera !

—Cela nous inquiète tous.

—Qui "tous" ?

—Eh bien !... euh !... disons, tous ceux qui vous aiment bien !...

Volubile, Sarah arpentait le salon, passant et repassant devant un John médusé. Jamais sa maîtresse ne lui avait parlé aussi librement. Il ne savait pas s'il fallait s'en trouver flatté ou gêné.

—J'ai beaucoup hésité à vous dire tout cela, confia-t-elle. Mais à qui puis-je m'ouvrir de ce terrible problème ? Mon père et ma mère ne sont plus de ce monde et il ne me suffit plus de prier le Seigneur. Mon frère Philip ne rêve que d'exploits sur les champs de batailles et d'en découdre avec les tuniques rouges. Lucy est bien jeune et son cœur fort occupé. Je ne vois donc que mon "Vieil Harrower".

—Je suis très honoré que vous me fassiez vos confidences, Madame, même si le "Vieil Harrower" n'apprécie guère qu'on lui rappelle qu'il approche des quarante ans...

— Allez, John, pas de coquetterie. Ce n'est qu'une boutade.

Sarah sourit et invita John à s'asseoir à la table en acajou. Dans le ciel, de gros nuages pourpres et cotonneux étaient poussés par le vent. Lorsque le soleil se cachait, la maison devenait sombre et l'on ne distinguait plus que des ombres.

Le visage ambré de Sarah prenait des allures de madone, sa voix se faisait confession.

— Je dois vous avouer, John, que le grand-père de mon mari était un citoyen fort estimable. Vous avez peut-être entendu dire qu'il était juge de paix et lieutenant de la milice. Au soir de sa vie, il représentait à Williamsburg le comté d'Essex. Quant à mon beau-père, il s'installa à la mort de son père dans le comté de New Kent, épousa la fille du colonel William Bassett d'Eltham et servit comme sacristain et marguillier de la paroisse de Blisland avant de devenir capitaine puis commandant de la milice du comté.

— Mon père était aussi un vaillant soldat !

— Ecoutez-moi, John. Sur la plantation, tout n'est pas toujours bon à dire. Et il n'y en a qu'un qui a tout compris et qui me fait confiance : c'est mon fidèle Dadda Gumby.

— Heureusement que les "vieux" vous écoutent, Madame...

— Soyez sérieux, John, je vous en supplie.

— Mais Dadda Gumby vous a bien été donné par votre père ? Ce n'est pas un esclave Daingerfield ?

— Les Nègres savent des choses que nous ne savons pas. D'une plantation à l'autre, il se transmettent des secrets que les planteurs se cachent par jalousie ou vanité. Dadda Gumby a tellement vécu, il a tellement d'intuition, qu'il a tout compris. Il passe ses journées à observer et à se souvenir. Quand je lui demande à quoi il pense, il me dit "j' n' peux plus t'availler d'mes mains. Mrs Sarah, alo' j' b'icole dedans ma tête". C'est comme cela qu'il m'a fait comprendre que mon beau-père se perdait lui aussi sur la fin de sa vie et qu'il fallait l'accompagner quand il sortait. Et quand j'ai demandé à Dadda Gumby quand cela s'est terminé, il m'a répondu le plus simplement du monde : "quand i' l'est mort, Mrs Sarah !" et quand j'ai demandé "comment est-il mort ?", il a levé les yeux au ciel en se signant et il m'a répondu : "c' n'est pas l'Seigneur Tout Puissant qui l'a rapp'lé à lui !"

— Ô, mon Dieu, pardonnez-lui, fit John en esquissant un signe de croix.

Le Shetlandais ne sut plus vraiment ce qui se passa ensuite. Sans doute Sarah fit-elle aussi son signe de croix. Mais pourquoi son visage était-il aussi fermé ? Pourquoi serrait-elle si fort les dents ? Craignait-elle tellement de fondre en larmes devant son serviteur ? Elle demanda à John de veiller sur son mari mais en fait, c'est sur elle-même qu'elle appelait sa protection, son affection, sa compréhension. Bien sûr, il accompagnerait le colonel à Chickahominy dans le comté de New Kent et il aurait l'intelligence de ne pas lui dire que son épouse l'avait voulu ainsi. Mais ce bon William Daingerfield ne se rendait-il pas compte lui-même de ses limites et de ses faiblesses ? C'est bien lui en effet qui avait pris la précaution de demander à John de l'accompagner parce que la route était longue et que l'on n'en reviendrait pas avec de bonnes nouvelles. Le régisseur, Miller, s'était mis à boire et ne dirigeait plus les travaux des champs. Les esclaves n'obéissaient plus à personne et avaient eux aussi goûté au gin et au rhum. William Daingerfield avait conscience qu'il aurait du mal à garder Chickahominy.

Dans la grande pièce réchauffée par les bûches de hêtre que le maître d'école venait de mettre, les deux silhouettes se parlaient à voix basse comme si, dans cet océan de difficultés, elles se sentaient poussées l'une vers l'autre, dans l'espoir de rester en vie et d'échapper au naufrage. Ou bien, au contraire, parce que c'est parfois le cas lorsqu'on n'a plus la force de chercher au plus profond de soi l'énergie du sursaut, se laissaient-ils dériver ensemble vers un abîme rédempteur.

Sous le prétexte de les réchauffer, John serra les mains de Sarah dans les siennes. Puis ce fut Sarah qui, à son tour, emprisonna autant qu'elle le put dans ses mains frêles et glacées celles, lourdes et engourdies, du maître d'école. Elle se mit à sangloter doucement ; elle pouvait dans la pénombre libérer sa peine. Elle essuya les larmes qui coulaient le long de ses joues et leva ses grands yeux tristes vers John.

Il la regarda intensément, comme jamais il n'avait osé le faire auparavant. Il se souvint du frôlement de sa robe de soie quand il avait dansé avec elle et il ressentit le même désir de la prendre dans ses bras.

L'a-t-il entendue murmurer "je n'en peux plus" ou a-t-il seulement deviné qu'elle le pensait ? La gorge nouée, il dit :

—Je vous aiderai, Sarah, je vous aiderai...

Elle ne répondit rien.

— ... Un jour, tout ira mieux... peut-être.

Rêva-t-il qu'elle posait sa tête sur son épaule et qu'il sentait son cœur battre contre le sien ?

Les flammes et les derniers rayons du soleil s'éteignirent avant même qu'on eût le temps d'allumer les bougies. C'est à peine si l'on distingua, dans le grand ovale du miroir, espiègle et trapue, l'ombre enfantine de Trollamog.

—Vous ne voyez donc pas que votre mère a du chagrin, petite peste de Trollamog? s'entendit-il hurler.

Mais le plus jeune des Daingerfield n'avait pas attendu que le précepteur se mît en chasse pour détaler.

Quelques jours avant Noël, ce devait être vers le vingt décembre, le colonel Daingerfield et son serviteur revinrent donc ensemble du comté de New Kent, de la plantation de Chickahominy, par des chemins bourbeux, humides et froids. Ils avaient passé plusieurs jours à cheval alors qu'une seule demi-journée leur avait suffi à mesurer l'ampleur du désastre sur les terres de Chickahominy que le colonel avait héritées de ses ancêtres. Cette plantation de mille six cent cinquante acres située à l'extrémité occidentale du New Kent, à l'endroit où la York River borde le comté, lui causait d'immenses soucis et le produit de la récolte de l'année 1775 serait une nouvelle fois insuffisant pour payer les charges de Chickahominy. Il faudrait encore puiser dans les ressources de Belvidera pour honorer les dettes. On était bien loin de dégager les bénéfices attendus!

—Tu as vu mon régisseur? fit le colonel. Je crois que ce John Miller est un brave homme mais l'éloignement de Belvidera m'empêche de lui prodiguer le moindre conseil. Il ne conduit sans doute pas les Nègres avec suffisamment de fermeté et il n'a pas eu beaucoup de discernement dans le choix des cultures.

—Vous avez raison. Ne croyez-vous pas qu'il faudrait aussi défricher des terres nouvelles?

—Comme les Randolph, les Carter ou les Byrd?

—C'est vrai que les plantations les plus prospères sont celles qui prennent des terres incultes et les mettent en valeur.

—C'est la loi de la Virginie, John : "Conquérir ou mourir".

— Depuis combien de temps Chickahominy n'a pas connu de changement?

—Ce que mon père cultivait, je le cultive encore.

—Et le lin et le coton ont usé la terre...

—Si tu voyais la plantation au printemps. Les cyprès, les hêtres, les chênes, les gommiers... L'eau transparente de la York River, les poissons... Les joncs, les canards que l'on tire au petit matin...

—Pourtant, ce paradis vous coûte trop cher.

—Eh oui! Si j'étais raisonnable, il faudrait que je m'en sépare.

Mais ça me rend triste, tu sais. Mon régisseur et mes esclaves ne me sont plus d'aucune aide.

—Il faut vendre, colonel !

—Vendre ! Vendre une plantation que mon père m'a léguée. Il ne me pardonnera pas, là-haut. C'est lui, tu vois, qui m'a appris la vie en Virginie. Ne me conseille pas un acte aussi cruel.

—Je ne voulais pas... bredouilla John.

Les mots prononcés par le colonel, sourds et profonds, tombèrent sans écho sur la campagne décharnée. Ils tranchèrent l'atmosphère de cristal de leur brutale et inhabituelle sécheresse.

Qu'il était fier, le petit Johnnie d'accompagner son père sur les chemins à la Saint-Martin ! Un père tout auréolé des combats dont il était revenu vivant. Du bout de la terre, de cette haute falaise grignotée sur les vagues, ils ramenaient tantôt des briques de tourbe, tantôt du poisson qu'on pendait aux solives noires pour le faire sécher.

Il est de ces souvenirs qui n'ont pas la violence des douleurs lancinantes, des plaies mal cicatrisées, parce qu'ils sont d'un temps d'avant les souffrances, d'une texture encore étrangère aux sentiments nuancés. Père ! figure tracée d'un doigt sur le sable de son enfance, toujours changeante, évocation ondoyante sur les rives de la vie, mélodie jamais en accord avec soi-même, trop lointaine quand on la voudrait plus proche, trop proche quand on la souhaiterait plus éloignée.

John sourit à la campagne en fleurs, éperonna sa monture, se remit en selle et revint au petit trot sur le colonel.

Comment William Daingerfield aurait-il pu comprendre l'émotion que lui rappelait le chemin du cercle des trolls, au-dessus de Trollaskerry ? Ils allaient, le père devant et lui derrière, mettant ses pas dans les empreintes profondes de ses grosses galoches, dans la direction du soleil blanc qui roule sur l'océan. Ils passaient devant les chaumières aux longs poils ocres et le père montrait au loin de son doigt pointé comme une flèche dans le ciel comme de grands papillons marins qui jouent avec le vent dans les rochers. Il n'était pas tout à fait sûr d'entendre le cri sourd des fulmans mais ce qui comptait, c'était la magie de l'instant.

Le Shetlandais sourit à nouveau.

Il revit son père traçant un cercle sur la terre de Trollaskerry. Il entendit prononcer les paroles rituelles : "Gjud be about me, gjud be about me", et cela suffisait à les protéger contre les trolls pour longtemps...

John caressa la crinière de son cheval. Il s'obligea à repousser ces images anciennes et se mit à la hauteur du colonel.

Ce dernier tourna la tête. On entendit, comme des galets roulant sur la grève, le pas des chevaux et la voix redevenue calme et sereine de William Daingerfield.

—Je suis injuste avec toi, John.

—Injuste ?

—Oui, il faut que je vende Chickahominy. Je ne dois pas mettre Belvidera en péril pour le seul bonheur de garder Chickahominy.

—Mais...

—Non, ne dis rien ! Nous rédigerons ensemble une annonce pour la **Virginia Gazette** dès notre passage à Fredericksburg.

—Bien sûr, ce serait la sagesse...

—C'est la sagesse.

—Sauf que c'est peut-être vous qui avez raison en fin de compte.

—Tu ne sais pas ce que tu dis.

—Colonel, le souvenir d'un père est un bien trop précieux pour qu'on le dilapide.

—Que me chantes-tu là, John ? Ne m'as-tu pas demandé il y a un instant de me séparer de Chickahominy ?

Face à tant d'irrésolution, on décida de ne rien faire. Les fêtes de Noël approchaient et il y avait mieux à s'occuper.

La plantation bruissait de mille préparatifs : les uns veillaient à ce que l'on ne manquât pas de rhum ou de whisky, d'autres vérifiaient que la viande séchée fût d'excellente qualité pendant que les palefreniers soignaient les chevaux qui emporteraient les maîtres passer Noël à Fredericksburg.

21

Le vingt-cinq décembre, entre l'école et la Grande Maison, la plantation était déserte. Le froid vif et le vent du nord tenaient les gouvernantes et les serviteurs à l'intérieur tandis que les Daingerfield rendaient visite à leur famille à Fredericksburg. Plus loin, du côté du quartier des Nègres, c'était Noël et l'on entendait la mélodie plaintive des esclaves.

Le matin, entre les murs sombres de son école — des murs humides qui fleuraient bon le bois mouillé — John entreprit de mettre à jour son journal. Il tenait à ne laisser aucune journée de côté, dût-il se contenter d'écrire quelques lignes ou même griffonner un seul mot.

Plume à la main, son regard s'échappait par la minuscule ouverture qu'il s'était ménagée dans le mur. En contrebas, la brume enveloppait le fleuve. Il savait pourtant qu'il allait vers les beaux jours. Et lorsque viendrait le jour où, délié de sa servitude, il descendrait le Rappahannock jusqu'à la Baie de Chesapeake pour accueillir Ann et Bettie, George et Jack, sur leur beau navire, un majestueux trois-mâts baptisé **Reunion** pour la circonstance, il serait enfin, peut-être même pour la première fois de son existence, un homme heureux. A cette pensée, il sentait les muscles de son visage se crisper et un sanglot l'étrangler. Pourquoi retenir des larmes qui avaient la douceur de l'espoir ?

La Virginie était un paradis et c'est sur cette terre généreuse et féconde qu'il voulait tout recommencer. Devant la table de bois qui lui servait d'écritoire, soutenant de son genou le plateau pour qu'il ne branlât pas, il se répétait : il revoyait les maigres landes des Shetland et son regard s'illuminait à la pensée des légumes et des fruits qui pousseraient à quelques pas de son école, aux premiers jours du printemps. Et plus loin, sur les collines, la terre ocre s'inonderait de lin, de maïs et de coton, tandis que, sur les sentiers, les fleurs et les plantes aux senteurs capiteuses feraient oublier pour un temps le rhum des Antilles ou le vin de Madère. La brise fraîche pousserait loin le chant des grives à couronne dorée ou le cri des fauvettes azurées. L'air printanier résonnerait du martèlement sourd des pics.

Malgré tout, l'étau de l'angoisse parfois l'étreignait, fissurant tant de rêves édifiés pour se protéger de l'incertitude et de la mort. Il doutait. A quoi cela servait-il d'être devenu en moins de deux ans le précepteur écouté et apprécié des enfants Daingerfield, de tous les enfants du comté et même, au risque de déplaire à ses maîtres, l'ami des esclaves à qui il apprenait à lire la Bible ? Que lui rapporterait tout ce travail ? Quelques livres Sterling qu'il avait de la peine à collecter auprès des planteurs... Et cette guerre immonde qui opposait les colonies d'Amérique à l'Angleterre et qui l'empêchait d'envoyer le plus modeste écot à sa famille...

C'est ainsi que Ganzara le trouva. Elle venait le chercher. Il n'était pas loin de midi. La fillette avait revêtu ses plus beaux habits : une robe de dentelle blanche serrée à la taille par un large ruban rouge noué dans le dos.

Chaque année à Noël, les esclaves des plantations voisines s'invitaient à tour de rôle. Cette année, c'était au tour de ceux de la plantation Daingerfield. Depuis la veille, des mulets poussifs et des charrettes brinquebalantes amenaient ceux qui habitaient le plus loin, du côté de Fredericksburg, ou même du comté de King George, sur l'autre rive du fleuve. Une bonne cinquantaine de Noirs endimanchés s'entassaient dans les cases. Ce matin-même, d'autres les avaient rejoints et l'on se demandait comment les murs exigus des cases pouvaient les contenir.

— John ? John ? fit Ganzara, ma mère et mon père, i' t' d'mandent dans not' case.

— Jacob et Patty ?

— Ben oui, John ! j' t' dis qu' c'est ma mère et mon père qui veulent qu' tu fêtes Noël ave' nous. M' connais-tu don' d'aut' parents qu' Jacob et Patty ?

— Que tu es élégante, Ganzara ! une vraie jeune fille !

— N' t' moque pas d'moi, John. C'est la rob' qu' portaient déjà ma mère, puis ma sœu' Caroline et même Tant' Séphora, enco' ben avant...

179

Le Shetlandais allait peu souvent dans les cases des esclaves car c'était mal vu des Blancs. Pas plus qu'il allait jouer dans le pré des Ferguson qui, lorsqu'il était enfant, lui était interdit. "Là-bas, tu ne seras pas protégé, lui disait sa mère. De l'autre côté du ruisseau, il y a les trolls!" Et cela suffisait à l'éloigner!

Ganzara l'avait attrapé et tiré par la main. Elle l'obligea ainsi à courir jusqu'à la case de Patty et Jacob.

Les visages graves de tous les Noirs reflétaient la flamme de la bougie, vacillante et fumante. Ils étaient assis à même le sol et chantaient :

"Souffle Gabriel! Trompette, souffle plus fort, plus fort,

"Et j'espère être porté par le souffle de cette trompette

"Jusque chez moi dans une Nouvelle Jérusalem!"

Leurs yeux se fermaient et leurs fronts se plissaient. Leurs lèvres épaisses s'entrouvraient pour laisser passer un souffle, comme s'ils embouchaient un instrument. Les vestes de coton avaient été lavées et l'on imaginait au brillant du cuir que la chandelle avait été appliquée sur tous les souliers. Les vieux chapeaux du colonel, que l'on croyait au rebut, coiffaient les têtes de Jacob, de Dadda Gumby et d'Abram. Quant au bonnet rouge de Mrs Sarah dont elle s'était défait un an auparavant, il ornait la coiffure de Caroline. Sucky avait mis une robe écarlate et un bonnet de dentelle retenait ses cheveux. Elle était assise à même le sol de terre, près de l'âtre. Elle caressait ostensiblement son ventre arrondi comme si elle avait voulu parler au bébé qu'elle portait en elle. John eut l'impression d'être entré dans une chapelle. Recueilli, il resta debout et attendit la fin du cantique. Il pria lui aussi et murmura le refrain que Jacob entonna de sa voix grave. Plus il s'habituait à l'obscurité, plus il distinguait les visages. A côté de ceux qu'il connaissait, Caroline, Abram, Tender Black, Patty, Dadda Gumby, il compta une bonne douzaine de femmes et d'hommes venus d'autres plantations. Il avait dû les apercevoir chez les Anderson ou chez les Bataille lors d'une de ses tournées pour faire rentrer l'argent qu'on lui devait, mais il ne s'était jamais attardé sur ces visages qui regardaient toujours la terre. Il ne voyait dans les champs que les esclaves courbés sur le coton, le lin ou le maïs et, lorsque les corps se redressaient et que les visages pouvaient enfin regarder droit devant eux, à hauteur d'homme, c'est qu'il faisait déjà nuit.

Une fois les chants terminés, Jacob posa son violon et attrapa John par le bras.

—Vens manger, Onc' John.

—Je ne suis pas Oncle John! répondit-il étonné.

180

—Comment? Tu n'veux pas êt' des nôt', l' jou' d' Noël? se lamenta l'homme noir.

—Mais si, bien sûr. Allez, va pour Oncle John.

—Vens Onc' John. J' vais t' montrer c' qu' Patty a cuisiné. Tu t' rappelles la farine qu' l' colonel nous a permis d' prend' dans sa réserve? Eh ben, Patty, elle en a fait plus d' dix fois une douzaine d' biscuits. Et Caroline ell' l'a aidée.

—Des brünies?

—Pardon, Onc' John? interrogea-t-il, le sourcil froncé, marquant une seconde d'incompréhension. Oui, j' crois ben qu' c'est ça. Tu as raison. Des brünies, comme dans ton lointain pays. La même r'cette qu' t'as enseignée à l'école du soir! Et c' n'est pas tout... Dans l' grand fossé près du bosquet, su' les braises tout' rouges, un bœuf rôtit. Un bœuf qu' Abram i' nous a ram'né ave' Onc' Aaron d'Orange County. Et tu sais c' qu' ta peerie Ganzara elle a fait, Onc' John?

—Non, n' dis pas! C'est moi qui vais l' montrer à Onc' John! hurla Ganzara.

Ganzara lui prit la main et le guida près de l'âtre où se consumaient les braises. La suie avait noirci les murs et un léger filet gris montait en volutes jusqu'au toit où il s'accrochait.

—Regard', Onc' John.

Un panneau de bois rectangulaire de deux pieds de long était suspendu par un ruban rouge vif à un des piliers qui soutenaient le toit. John approcha. Il déchiffra quelques mots tracés à la craie : "Joyeux Noël, Onc' John". Ganzara riait de toutes ses dents et, la tête levée, scrutait sa réaction. John la regarda, la saisit par la taille pour la soulever et la serrer contre lui.

—Merci, fit-il, la gorge serrée. Merci, Ganzara.

La petite fille aux yeux rieurs l'entraîna ensuite dans la case où les invités avaient pris place. C'est là qu'au son du banjo et du violon se tenait le bal. Le travail aux champs, la peine, le fouet et les humiliations, la peur, étaient enfin oubliés et le jeune esclave qui avait pendant des mois contemplé de loin une belle jeune fille pouvait enfin s'en approcher pour l'inviter à danser. Caroline, qui venait d'avoir quinze ans, sauta et dansa avec un grand jeune homme sec aux bras tellement longs qu'ils semblaient toucher le sol.

—C'est Adam, annonça Ganzara. I' l'est très gentil et i' l'aime ben ma grand'sœu'. J' crois ben qu'il veut la marier.

Assis en cercle autour des danseurs, vingt ou trente esclaves battaient des mains et tapaient des pieds en cadence.

—V'là Mr Harrower, l' précepteur d' Belvidera?

Un rien ironique, un Noir trapu aux cheveux de neige et aux épais sourcils broussailleux, venait d'apostropher John.

—En effet, je suis bien le maître d'école de Belvidera, reprit John avec assurance.

Puis on lui apprit que ce Noir venait du New Kent où il se trouvait depuis trois semaines à peine. Auparavant, il avait servi les Lloyd sur le Rappahannock, puis avait été vendu. C'était un solide gaillard mais on lui reprochait souvent ses commérages dévastateurs. "Une langue fourchue comme un vilain serpent", glissa Ganzara à l'oreille de John.

Une fois qu'ils eurent dégusté la viande rôtie et les galettes, les Noirs vinrent nombreux se rassembler autour de Dadda Gumby. Le patriarche s'était installé au centre de la pièce.

Comme de coutume, il racontait les aventures de Frère Lapin qui déclenchaient les éclats de rire de l'assemblée. On riait en effet de bon cœur aux dépens de Renard Blanc que chacun imaginait sous les traits de son maître. Puis il passa en revue ses souvenirs, au premier rang desquels les meilleurs moments des festins de plaquemines.

Il parla aussi avec nostalgie de l'époque où la petite Sarah sautait sur ses genoux et où son père, homme digne et respectable, se confiait à son serviteur préféré...

Pour le Nègre vénérable, comme pour son public attentif, le temps s'était figé. Le Rappahannock ne coulait plus. Les feuilles des arbres prenaient une couleur irréelle et les champs se couvraient à profusion de récoltes miraculeuses. En cascades débridées, Dadda Gumby déversait des dizaines d'histoires délicieuses.

La magie de son verbe opérait, son regard tenait sous le charme tous les Nègres qu'il avait vus naître, grandir et vieillir. Dadda Gumby, c'était l'éternité.

—Tu sais, Onc' John, Sucky, elle est grosse et mon père, i' l'est sûr qu' c'est l'œuvre du colonel... Même qu'i' l'a dit à Sucky qu' c'était pas ben d' s' faire engrosser par son maît'... Que ça peut faire des enfants malheureux... Qu'on les montr' du doigt tout' leur vie... L'aut' jour, quand l' colonel i' l'est rev'nu avec toi d'Chickahominy, mon père i' l'a attrapé gentiment à l'écurie où i' soignait les chevaux. J'étais cachée et j'ai entendu.

—Ça ce n'est pas bien Ganzara! Il faudra demander pardon à notre Seigneur.

—Ecoute-moi, Onc' John, j't'en supplie. L' colonel, i' l'a dit à mon père qu' c'était vrai qu'i' l'aime ben Sucky et qu'i' n' fallait pas voir là-dedans aucun mal, qu' si l' Seigneur i' l'a fait des maît' virils et d' jolies Négresses, c'est ben pour qu'i'-z-aillent ensemble ! Mais i' l'a juré qu' c'est pas lui qu'i' l'a engrossé Sucky parce qu'i' s' r'tire toujours à temps. Mon père, i' l'était rassuré.

Elle marqua une courte pause, releva les yeux en direction de John et, d'une moue lutine, ajouta :

—... Et toi aussi, Onc' John, tu t' r'rires toujours à temps, hein ?

L'aplomb de la fillette le cloua.

—... J' veux di'... peut-êt'... Onc' John...

Il hésita entre la colère et le rire.

—Ganzara, ce que tu as dit là n'est pas bien du tout. Dans le caté-chisme du **New England Primer**, rappelle-toi : quel est le septième commandement ?

Et la petite fille aux grands yeux de jais posa un doigt sur ses lèvres en signe de confusion et bafouilla.

—Euh... l'septième command'ment ? C'est euh... "Tu n' commet-tras pas l'adultère".

—Et qu'est-ce qu'exige le septième commandement ?

—L'septième command'ment, i' l'exige qu' l'on préserve not' chast'té et celle de not' voisin, dans not' cœur, par nos paroles et par no' conduite...

—Et qu'est-ce qu'interdit le septième commandement ?

—L' septième command'ment, l' l'interdit tout' pensée, parole ou acte impurs.

—Je ne t'en dirai pas plus, Ganzara. Ce septième commandement est suffisamment clair. Souviens-t-en. C'est un commandement de Dieu qui doit guider ta vie, comme celle de tout homme et de toute femme.

—Mais ?

—Restons-en là, Ganzara ! Je me demande bien pourquoi j'ai accepté de t'apprendre à lire et à écrire. Tu ne le mérites pas.

La fillette retint du mieux qu'elle put la vexation que lui infligeait son maître d'école. Des larmes mouillèrent néanmoins ses grands yeux de biche traquée. Elle baissa la tête et alors John l'entendit sangloter. Il posa sa large main sur les cheveux durs et noirs de la fillette. Elle appuya doucement sa tête contre lui et laissa ses lourdes larmes couler en flot continu. "Pa'don, maît'... Oh ! pa'don, maît'" réussit-elle à arti-culer, après avoir passé ses mains sur son visage.

John ne voulait surtout pas que son élève préférée, celle pour qui, depuis le début, il avait bravé les interdits de Sarah, pût passer Noël dans un tel état de tristesse. Il fit de son mieux pour la faire sourire. La prenant fermement par les bras, il s'accroupit pour être à sa hauteur et la regarda dans les yeux. Ganzara fut surprise, encore sous l'effet de la peine qui lui avait soulevé le cœur.

—Tu sais ce qu'il faut faire pour que je te pardonne, Ganzara ?

Lèvres serrées, elle fit non de la tête, les yeux baissés.

—Regarde-moi. Regarde-moi, je te dis...

Elle leva les paupières. Son regard était encore troublé, dans l'attente d'une délivrance.

—Eh bien ! Ganzara, je refuse que tu m'appelles maître. Tu dois m'appeler Onc' John ! OK ?

— Et après, maît' ?

—Onc' John.

—Et après, Onc' John ?

—Onc' John, c'est tout.

—C'est tout ?

—C'est tout. J'ai déjà tout oublié.

22

—Qui va là ? demanda Lucy.

Un homme à cheval se dirigeait vers la Grande Maison. Il faisait nuit.

—Ne craignez rien.

—Qui va là ? vous dis-je. Jacob ! Madame ! De l'aide.

—Je suis l'envoyé de George Washington.

—Qui donc ?

—L'envoyé du général-en-chef de l'Armée des Patriotes, Mrs Daingerfield.

—Je ne suis pas Mrs Daingerfield.

—Me voilà ! fit Sarah essoufflée. Que se passe-t-il ?

—Mes hommages, madame. Je parcours le pays depuis trois bonnes semaines et vous êtes la dernière personne à qui j'ai mission de remettre un message en main propre.

—De la part du général-en-chef de notre Armée, vous dîtes ? Il est donc arrivé un malheur...

—Non, madame, je vous rassure. Voici une lettre du capitaine Taliaferro. Je reviens à cette heure de Monticello où j'ai remis un pli à Mr Thomas Jefferson. J'ai eu du mal à vous trouver avec tout ce brouillard au-dessus du fleuve.

—Donnez-moi la lettre, je vous prie.

Emmitouflée dans une vareuse de laine trop ample, un grand bonnet rabattu sur les oreilles, l'estafette épuisée descendit de son cheval massif et haletant. Il sortit le courrier et le tendit.

Sarah ne prit pas beaucoup de temps pour s'occuper de notre homme. Elle le confia à Tender Black Barnaby qui reçut mission de lui apporter à boire et à manger.

Craignant le pire : la maladie ou une méchante blessure, la maîtresse de Belvidera déchiqueta plus qu'elle ne l'ouvrit le courrier et parcourut avidement les lignes serrées que son frère lui écrivait. Même si la courtoisie avait obligé Philip à s'adresser pour la forme à son beau-frère et à sa sœur, c'est en réalité vers sa sœur exclusivement qu'étaient dirigées toutes ses pensées. Qui mieux que Sarah pouvait comprendre son action, adhérer à son rêve d'une Amérique libre et belle et le suivre partout où les combats le conduisaient ? N'ayant pas de terre à cultiver, pas de plantation à faire prospérer, pas d'esclaves à gouverner, pas d'épouse à choyer, Philip s'était trouvé un territoire à la mesure de ses ambitions, un territoire qui s'étendait le long des côtes atlantiques sur des centaines de miles : l'Amérique !

Bien sûr, sa longue lettre parlait du conflit qui opposait les Anglais et les patriotes. Mais tout cela, Sarah l'avait appris par bribes, soit que son mari s'en fît l'écho, soit que leurs amis s'en fussent enorgueillis de quelque nouvelle, soit enfin que la **Virginia Gazette** en retranscrivît l'essentiel. Le ton, plus que le contenu, l'intéressait : une volonté farouche qui sous-tendait chaque acte héroïque décrit avec précision, une fougue juvénile capable d'enthousiasmer les plus indécis. Philip parlait aussi de lui-même. Peu. Seulement pour expliquer qu'il endurait, stoïque, comme tous ses compagnons d'armes, les rigueurs de l'hiver avec son cortège de gerçures, de toux et de fièvres aussi bien que la dureté des affrontements, avec leur litanie d'hommes morts au combat, l'horreur du sang, et la peur que l'on voit dans les yeux de l'ennemi comme dans un miroir lorsqu'il monte à l'assaut, sabre au clair, à quelques pas de vous.

A force de lire et de relire ces trois menus feuillets froissés et humides, Sarah n'y tint plus. Il lui fallait partager son bonheur !

En l'absence du colonel, retenu à l'Assemblée du comté, elle demanda à Jacob d'aller chercher John...

— Mrs Sarah vous d'mande, Mr John. Mrs Sarah ell' l'est bizarre !

Ne pressant nullement le pas, John arriva à la Grande Maison pour se féliciter tout d'abord de l'aimable chaleur qui régnait au salon.

— Lisez cette lettre, John, fit-elle, rayonnante de bonheur. Mon frère Philip nous a écrit.

Le Shetlandais porta la lettre à une distance raisonnable de ses yeux pour ajuster le texte à sa vue.

— Cette lettre ne m'est pas adressée, Mrs Sarah.

— Lisez, John, je vous dis.

Le Shetlandais s'exécuta. D'abord, par politesse, pour faire plaisir à sa maîtresse. Puis, au fil des mots, avec davantage d'intérêt. Il se surprit même à relire les passages les plus vivants. Il se délecta dans le paragraphe que Philip consacrait à l'intelligence de son héros, George Washington. John, qui avait eu l'honneur de s'adresser à son épouse, se sentait fier de savoir que ce grand homme fût tant vénéré. D'un mot, il commentait le texte sans lever les yeux. Des "ça alors!", "mon Dieu!", "Dieu soit loué!" rythmaient sa lecture. Lorsqu'il eut fini, il se tourna vers Mrs Sarah et, d'un air complice, lança :

— Vous voyez, Mrs Sarah, que Belvidera n'a pas à rougir de sa lutte dans le conflit! Nous sommes bien représentés! Par la branche Taliaferro, bien entendu, mais quand même, ce n'est pas mal...

— Ne vous moquez pas, John! fit-elle d'une moue chagrine. Ne vous moquez pas. Relisez-moi le passage sur ce nouveau livre qui met le feu aux colonies. J'ai déjà oublié le nom de son auteur.

On aurait dit deux enfants jouant aux devinettes. Leurs yeux se plissaient, leurs lèvres souriaient, leurs voix chantaient.

John obéit avec bonhomie, se penchant à nouveau sur la bougie pour déchiffrer le texte. Aux traits réguliers de l'écriture, on devinait qu'une main sûre avait vaincu les tremblements infligés par le froid. Seules, de-ci, de-là, quelques auréoles autour de caractères délavés attestaient que les flocons de neige — à moins que ce ne fussent des larmes inavouées — avaient ponctué l'écriture de Philip.

— "... Permettez-moi de vous faire part d'une merveilleuse découverte au milieu de cet enfer de feu et de sang. Un livre! Un livre? me direz-vous. Oui, un livre que l'on s'arrache dans tout Boston au prix de deux shillings. Un pamphlet que nous lisons à voix haute au campement. Un texte splendide qui exorcise nos peurs et galvanise notre ardeur... qui nous fait chaud au cœur, autant qu'il nous remue les tripes. Autant dire que ce volume est poursuivi des foudres britanniques et qu'il faut à tout prix le sauver des doigts crochus de l'ennemi. Mais, me direz-vous, quel est ce livre? Je vous ai suffisamment fait languir... ce livre alors? **Common Sense**, écrit par le très patriote Thomas Paine dont tout le monde ignorait jusqu'au nom il n'y a pas si longtemps! Ah! ma chère et tendre Sarah, mon cher beau-frère, que n'ai-je la possibilité de le reproduire ici, in extenso, tant la pensée de cet homme est claire, tant il rend limpide la cause que nous défendons! Bien sûr, il se passera plusieurs mois avant que votre comté ne puisse mettre la main sur pareil ouvrage. Ecoutez plutôt. Je recopie ici pour vous quelques-unes de ses plus belles phrases.

Et si je prends cette liberté sans risquer de mettre vos vies en péril, c'est que l'estafette personnelle de notre général-en-chef a accepté de vous porter ce courrier. Faites connaître autour de vous ces pensées qui éclairent le chemin devant nous. Je voudrais tant que la Virginie, la terre de nos pères, soit le fer de lance de notre révolution patriotique...

S'ensuivait une dizaine de phrases que Philip avait copiées avec application, en lettres capitales. John les lut d'une voix aussi forte que s'il avait dû couvrir le vacarme assourdissant des armes. Il martelait chaque syllabe comme devait le faire le capitaine Taliaferro face à ses troupes. Les vitres de Belvidera tremblaient et la Grande Maison résonnait des accents de la passion.

—C'est merveilleux, John ! C'est merveilleux ! Vous avez lu ces phrases avec tellement de fougue dans le regard et dans la voix ! J'en ai oublié votre accent...

—C'est vrai ?

—Que j'aimerais être aux côtés de mon frère, John ! Jamais je ne pourrai assez le remercier de ce qu'il fait pour nous.

—J'ai une idée, Mrs Sarah.

—Laquelle, John ? Laquelle ? Dites vite ! S'il vous plaît, John, ne me faites pas languir.

Elle trépignait avec l'impatience d'une petite fille à qui l'on va confier un secret.

Elle recula.

—Alors, John, cette idée ?

Il baissait les yeux.

—C'est une idée d'enfant.

—Allez-y. Dites...

—Ces phrases recopiées par votre frère ?

—Oui...

—Et si j'en écrivais quelques-unes sur des planchettes de bois ? Après, je les clouerais aux murs de l'école. Tous les élèves de Belvidera les connaîtraient. Et à travers eux, bientôt tout le comté.

—C'est une excellente idée, John. Allons-y !

—Savez-vous que, l'autre jour, j'ai vu le Dr Mercer dans sa boutique de Caroline Street. Il était occupé à amputer ce pauvre Strother. Celui qui est tombé de son grenier à grains, vous savez ? Eh bien ! le Dr Mercer a justement parlé de ce livre de Monsieur Paine. Il a dit qu'il aimerait bien y mettre la main dessus. Alors quand il saura qu'on en a des extraits...

Ce soir-là, on vit longtemps une bougie éclairer l'atelier de la plantation. Quelque voyageur attardé ou quelque Nègre rendant visite à sa belle amie a pu se demander qui, à une heure pareille, pouvait bien hanter ces lieux. Il aurait été surpris d'y découvrir un précepteur calligraphiant soigneusement un texte que lui dictait la maîtresse de Belvidera.

Personne n'eut cependant la hardiesse de les déranger et, sous le regard d'une Sarah qui luttait contre le sommeil, John recopia de son écriture régulière :

"L'AMERIQUE SOUFFRE PARCE QUE L'ANGLETERRE EST UNE MONARCHIE."

"LA CAUSE DES AMERICAINS EST LA CAUSE DE TOUTE L'HUMANITE."

"GEORGE EST UN PERE QUI DEVORE TOUS SES ENFANTS."

Sarah s'était endormie. Frêle silhouette repliée sur elle-même dans un coin de l'école, elle disparaissait entièrement sous son abondante chevelure soyeuse.

—Mrs Sarah, fit-il doucement, j'ai fini. Ah! je n'aurais jamais dû vous attirer dans cette aventure ! Vous êtes trop fatiguée, je vous demande pardon.

Il s'approcha et lui prit la main.

—Mrs Sarah, j'ai terminé...

—Ah?

Il l'aida à se lever et posa délicatement sa longue veste de laine sur ses épaules. Elle grelotta.

—Vous avez froid. Et vous tombez de sommeil. Pardonnez-moi, Mrs Sarah. Je vous raccompagne.

Elle fit non de la tête et écarta le précepteur de son chemin.

—Ça va, John ! ça va.

— Je m'inquiète de vous voir si fatiguée.

Elle sourit et lui serra très fort les mains.

—Brr ! c'est vous qui avez froid, John !

—Laissez-moi vous raccompagner quand même.

—Non, John, pas ce soir. Pas ce soir, John.

Il la vit s'éloigner à petits pas, la tête tournée vers lui pour lui dire au-revoir. Puis, d'un coup, elle se mit à courir à toute allure ; en un instant, elle fut à la Grande Maison d'où elle lui fit un grand signe de la main avant de disparaître sous le porche noir.

23

Personne ne s'arrêta vraiment sur ces trois pannonceaux de bois que John cloua, l'un au-dessus de la porte, l'autre au-dessus de la fenêtre et le dernier à mi-hauteur, à l'endroit où il s'asseyait pour lire, de façon à ce que les élèves le voient en face d'eux pendant la leçon.

Curieusement, seul Samuel Edge, l'adolescent sourd et muet qui venait à l'école par périodes de deux à trois semaines, avant de disparaître pour toute une saison, émit un grognement de surprise en désignant du doigt la phrase "George est un Père qui Dévore Tous ses Enfants". Samuel observait tout de son regard sans cesse en éveil. Ses yeux noirs, mobiles et comme exorbités, n'ignoraient rien de leur environnement, compensant par un phénomène naturel bien connu, son handicap de naissance. Comme John était occupé à ce moment-là à aider Trollamog à assimiler une leçon de catéchisme, il ne prêta pas attention à son étonnement.

Ce n'est qu'au bout de quelques jours qu'il comprit, quand il vit débouler à l'école Samuel, accompagné d'un gaillard hirsute aux lèvres épaisses qui découvraient une bouche complètement édentée. Il s'agissait d'une de ces brutes que l'on rencontrait dans les foires. Autant dire que le Shetlandais aurait préféré qu'il vînt à sa rencontre avec des sentiments moins belliqueux ! Sans aucune présentation, d'un coup de poing, il poussa la porte qui alla se fracasser contre le mur dans un déchiquètement de bois et de fer que même les tempêtes n'infligent pas aux navires et alla se planter devant cette fameuse phrase que Samuel avait remarquée. Les jambes écartées, une main en visière au-dessus de sourcils épais qui ne formaient qu'une seule barre, un doigt sur les lettres qu'il s'efforçait de déchiffrer, il resta ainsi campé plusieurs minutes. Il passa beaucoup de temps à aller et venir sur les

190

mots, tout en grommelant. John commençait à être inquiet. Par la porte béante, il jetait des coups d'œil à Samuel qui avait pris la sage précaution de rester dehors et dont l'expression du visage ne trahissait aucun sentiment.

Soudain, le gaillard finit par se retourner. John se félicita que le Seigneur l'eût privé de toutes ses dents car il se retrouva soulevé du sol face à une gueule qui hurlait :

— Espèce de homard qui pue, tu vas me le payer !

— Mais quoi ? fit John d'une voix apaisante.

— Espèce de charogne écossaise.

Il esquiva quelques manchettes. Rouge, suant, la brute consentit enfin à poser le précepteur sur le sol... Non sans l'avoir fait tournoyer au préalable comme un moulin à vent !

Tout s'expliqua enfin quand le grand gaillard s'écroula sur le sol, en larmes, en hoquetant des paroles qui médusèrent le maître d'école :

— Je sais bien que je ne suis pas un très bon père. Je le sais bien. Mais, Seigneur, jamais je ne mangerai mon Billie et ma Suzie... Oh non ! je ne suis pas un bon père mais jamais je ne ferai une chose pareille !

John eut comme un déclic.

— Mais quel est ton nom ?

— Comment ? Comment je m'appelle ? Mais je m'appelle George Wallace, tu le sais bien. Ne m'offense pas davantage.

— Je comprends... Rassure-toi, brave bougre : ce n'est pas de toi dont je parle... Le George dont il est question ici, c'est l'abominable roi d'Angleterre George III. Ce n'est pas toi !

Et il fallut à John un trésor de patience pour le convaincre de ses intentions pacifiques à son égard et lui expliquer, non sans mal, qui étaient ces "enfants" que le roi "dévorait". Quand le gaillard finit par comprendre qu'il faisait lui aussi partie de ces "enfants" dévorés par le roi, il réagit à nouveau, indiquant qu'il n'avait nulle intention de se laisser manger par ce cannibale. Si on lui indiquait où se trouvait cet individu, il se proposait de le tuer sur le champ !

Méfiante et ombrageuse, la grande carcasse de Wallace n'accepta cependant de quitter la plantation qu'à condition que le pannonceau fût démonté... Pour qu'aucune ambiguïté ne subsistât !

John s'exécuta d'autant plus volontiers que Frazer avait déjà fait part de son mécontentement à la lecture de ces sentences révolutionnaires.

Le régisseur avait en effet expliqué qu'il n'avait aucune intention de se pencher sur la pensée patriotique de Thomas Paine et qu'il

n'acceptait pas d'être pris à parti dans les tavernes où certains criti-
quaient ouvertement cette école de Belvidera qui diffusait une propa-
gande contre le royaume d'Angleterre.

—Harrower, je te préviens, avait-il menacé fermement, que les
parents de tes élèves n'apprécient pas ce que tu placardes sur les murs.
Ils se demandent de quel droit tu leur imposes tes idées alors qu'ils ne
te paient que pour leur apprendre à lire et à écrire. Et moi, je ne veux
pas être mis dans le coup.

—Ils ne doivent pas être bien nombreux à se plaindre puisque la
plupart sont de fervents patriotes ?

—Détrompe-toi. Lorsqu'un seul s'est exclamé en buvant de la
bière que ce que tu faisais n'était pas légal, tous les autres ont
applaudi.

—Tous les autres ?

—Oui, tous les autres.

—Alors, je suis déçu, Frazer. Déçu.

—Tu es bien naïf, mon pauvre Harrower !

La déception de John s'accompagna d'autres leçons qu'il se promit
de retenir. D'abord, l'altercation féroce avec ce dénommé Wallace le
mit définitivement en garde contre la puissance des mots. Il se rangea
ensuite à l'idée que la pédagogie était un art bien ingrat ; ses initiatives
n'étaient pas payées de retour — y compris en monnaie sonnante et
trébuchante ! — puisqu'il avait de plus en plus de mal à faire rentrer
l'argent de ses créanciers ! Enfin, l'attitude des Virginiens. S'ils restaient aussi tièdes dans leur lutte contre la couronne, l'Indépendance
n'était pas pour bientôt !

A la suite de ces événements qui seraient restés bien anodins s'ils
n'avaient mis en relief le travail qui restait à accomplir pour éduquer la
Virginie, la plantation se transforma en un théâtre de vastes opérations.
Sur la proposition des Daingerfield, les manœuvres de la milice se
déployaient à Belvidera. Au moins une fois l'an, la milice se réunissait
sur le terre-plein qui surplombe le fleuve à proximité de l'école, seul
emplacement disponible entre la Grande Maison et les champs cultivés.
Il s'agissait d'un bataillon de cinq cents hommes qui s'installait là pour
une durée de vingt-deux jours. Au moment où John eut son explication
avec le régisseur, seules cinq compagnies avaient pris place, soit la moitié des effectifs annoncés. Les autres compagnies étaient attendues une
semaine plus tard. Comme chaque année à pareille époque, on se
demandait où elles pourraient camper. Déjà, la présence de cinquante

tentes pour les soldats, auxquelles s'ajoutaient six tentes pour les officiers et trois pour l'Intendant Général, créaient un véritable chambardement. Le rythme lent de la plantation s'en trouvait bouleversé. Deux cent cinquante hommes en armes encadrés par leurs officiers au célèbre tricorne ! Ils labourent le sol de leur pas militaire. Ils enfument l'air de la poudre de leurs mousquets. Les détonations effraient cochons, moutons et chevaux. Les soirs de beuverie inquiètent tous les jupons vertueux du comté ! A cet impressionnant tableau, il faut ajouter les curieux qui arrivent à toute heure du jour et de la nuit. Les uns viennent à pied ou à cheval des villes et des campagnes, d'autres traversent le fleuve en barque, alors que les plus fortunés prennent un bateau qui les conduit au mouillage à Snow Creek. Ils se pressent en groupes frustres et badauds pour admirer leurs hommes. Les femmes cherchent à reconnaître leur mari, les plus jeunes viennent dans l'espoir d'en trouver un à leur convenance, un homme à l'allure altière rehaussée par le prestigieux uniforme. Des quatre comtés qui composent cette milice de Spotsylvanie, de Caroline, de Stafford et de King George, la foule prodigue maints encouragements et recommandations.

La terre collait aux souliers. Il avait tellement plu depuis des jours et des jours que le sol n'avait plus la capacité de tout absorber. Le sable blond des allées avait épaissi et les flaques glauques se profilaient comme autant de miroirs tristes. Les feuilles de tilleul qui avaient résisté aux plus grands froids avaient succombé au vent. Elles mouraient sans bruit sur les eaux calmes, s'abandonnant à la férocité des sabots et des bottines qui les piétinaient. Le précepteur avait dû renvoyer ses élèves pour laisser tout le terrain libre à la milice. Dans la suite grise de ces journées d'hiver, il tuait le temps.

A la fin d'une de ces matinées, du perron de la Grande Maison où il avait pris place pour occuper Edwin et Bathurst, les poussant à faire une·page d'écriture, il entendit hurler Mrs Daingerfield. Ce n'était pas la première fois que Sarah se servait de la présence de nombreuses personnes étrangères à la plantation pour se plaindre d'un manquement à la discipline de ses serviteurs, de la bêtise de l'un de ses Nègres ou de l'incurie du colonel. Tout le monde craignait ces moments douloureux. C'est en faisant le dos rond et en attendant que l'orage passe que l'on s'en tirait en général le mieux !

Des vociférations indistinctes, des bougonnements à l'emporte-pièce n'avaient pas permis au précepteur de savoir qui Sarah jetait ce matin en pâture aux soldats et aux visiteurs. L'indifférence ou la surprise de ceux qu'elle prenait à témoin auraient fait sourire, si l'on n'avait compris qu'elle était réellement courroucée.

Lorsqu'elle se trouva à une dizaine de pas de John, elle lui fit face et c'est là qu'il comprit que Lucy faisait aujourd'hui figure de victime expiatoire.

— Depuis que cette jeune ingénue ne pense plus qu'à lutiner avec ce coureur de Frazer, hurlait-elle d'une voix haletante, eh bien ! c'est moi qui dois dormir dans la nursery... Il faut que cela cesse !

Et elle tourna les talons, demandant aux garçons de la suivre pour passer à table.

Poussé par son désir d'aider la gouvernante, le Shetlandais commit l'imprudence de prendre l'initiative.

Il héla Frazer qui revenait à grandes enjambées.

Dans sa précipitation, John ne prit garde que le régisseur promenait derrière lui une odeur âcre de brûlé et que son visage était aussi noir que celui d'un charbonnier.

— Que me veux-tu ? fit Anthony sans essayer de dissimuler son agacement.

— Te parler de Lucy.

— Ce n'est pas le moment...

— Si, justement.

Ça chauffe à la Grande Maison, mais ici, au camp, ça brûle. Alors, il y a des urgences ! Tu n'as pas vu, idiot, que la tente d'un officier vient de flamber ? Et que c'est moi qui fais tout le travail... Pendant que Mr Harrower fait la lecture !

— Je t'en prie.

John dut s'excuser de n'avoir pas entendu les cris et les appels au secours des soldats. Le vacarme qui régnait aux abords de la Grande Maison les avaient couverts. Quant à la fumée, poussée par le vent d'ouest, elle se perdait dans la brume. Pour se faire pardonner, il offrit au régisseur de lui donner le temps de se débarbouiller et de préparer en l'attendant un de ces grogs qui lui plaisaient tant. John consentit à ce nouveau sacrifice sans trop y penser mais lorsqu'il se rendit compte que la milice lui coûtait fort cher en rhum et en gin — plus de cinq livres jusqu'à ce jour — un frisson d'effroi lui parcourut l'échine. Ne devenait-il pas trop prodigue de ses modestes deniers ?

Le moment des explications arriva. Face à Frazer, il commença par expliquer combien la jeune Lucy, fille honnête et vertueuse, âpre au gain, ne rechignant pas devant le travail, représentait à coup sûr un excellent parti.

Anthony, qui n'avait pas desserré les lèvres, lâcha sèchement :

— C'est elle qui t'a demandé ce numéro ?

— Tu la connais donc bien mal ! Elle aurait plutôt tendance à se demander ce qu'elle a fait pour que tu t'éloignes chaque jour un peu plus... Non, Frazer, tu vois, j'ai une quinzaine d'années de plus que toi. Mon expérience des hommes — et dans une moindre mesure des femmes, je l'avoue — me dit qu'elle tient beaucoup à toi et qu'elle t'est fidèle. Ne joue pas avec ses sentiments.

Puis, mission délicate, il entreprit de lui démontrer que leurs escapades nocturnes les mettaient en difficulté l'un comme l'autre.

— Comprends bien que moi, ça m'amuse, d'observer votre manège. Mais ce n'est pas du goût de tout le monde !

— Ah bon !

Frazer n'avait pas envie de plaisanter.

— Tout le monde en est à parier sur la date du mariage. Mais je peux te dire en effet qu'il y en a deux surtout que tout cela n'amuse pas du tout.

— Je vois...

— Je ne suis pas sûr que tu voies, justement. Notre maîtresse doit remplacer Lucy chaque fois qu'elle n'est pas à la nursery. Et le colonel se plaint que sa plantation va à vau-l'eau.

— A vau-l'eau ? Ben ça alors.

— Il te reproche d'avoir laissé germer à la grange soixante-cinq boisseaux de blé. Ils sont maintenant perdus.

— Attends une seconde, reprit Frazer, que ces accusations avaient atteint au vif... Qui parle d'une plantation qui va à la dérive ? Le colonel ? Il ne faudrait pas qu'il oublie que c'est moi qui ai monté notre production à mille deux cents boisseaux l'an. Rappelle-toi qu'avant, avec ce "tueur de Nègres" de Memphis...

— ... Lewis...

— Oui, avec ce "tueur de Nègres" de Lewis, vous en étiez loin. Quant à Mrs Daingerfield, je crois que c'est surtout la jalousie qui la fait parler. Si, au lieu d'entraîner Lucy loin de la Grande Maison, c'est elle que j'appelais, elle ne dirait rien !

John refréna une réplique cinglante. Anthony ne sembla pas s'en apercevoir. Il poursuivit :

— ... D'ailleurs, tu sais toi-même que ce brave Daingerfield dit une chose le soir et une autre le matin. Imagine que s'il devait te payer, il t'aurait peut-être déjà renvoyé. Ne te fais aucun souci pour moi. Belvidera n'est qu'une courte étape dans ma vie. Ma mère m'a fait savoir hier soir que mon pauvre frère vient d'être victime d'un accident. Un arbre lui est tombé dessus, et il est entre la vie et la mort. Je remonte donc dans le Piedmont ce soir et ne sais même pas si je reviendrai.

— Mais il y a Lucy ! Qu'en fais-tu de Lucy ?

Frazer se montra cassant. Son esprit torturé n'acceptait pas qu'on se mêlât de ses affaires et qu'on l'obligeât, en mettant le doigt sur ce point de friction qui le rongeait, à dénouer une affaire qu'il laissait se déliter. Il rapprocha de John le tabouret sur lequel il était assis. Les deux hommes n'étaient qu'à quelques pouces l'un de l'autre. Le régisseur fixa John de très longues secondes sans ciller. Son doux regard lavande se figea. Une lueur glaciale s'y installa. Enfin, il desserra ses lèvres minces et violacées par la tension qu'il leur avait imposée. Il parla d'un trait.

— Je n'ai que faire de tes avis. Je te dis simplement, à titre d'information, puisque tu fourres ton nez partout, que je me marierai où je voudrai, quand je voudrai et avec qui je voudrai. Cela te convient ? Et je peux même ajouter que ce pourrait être aussi avec cette greluchonne de Lucy ! Et que si je me marie avec elle, c'est qu'elle a une petite paire de fesses à faire bander un Ecossais ! Cela te convient toujours ? Et je vais encore ajouter que nous nous marierons peut-être à l'automne. Après avoir tiré tout l'argent que je pourrai de cette foutue plantation qui part en pleine déconfiture ! Cela te convient aussi ?

— Ça suffit, Frazer. Tu me fais vomir.

24

Il arrivait que John commît des erreurs.

Et il considéra que son explication avec Frazer en était une. La malice du régisseur devait d'ailleurs l'en convaincre définitivement le soir-même, lorsqu'il rentra d'une longue promenade solitaire sur les rives du Rappahannock.

Il faisait nuit car on en était encore à cette époque où le jour finit vite et qu'il arrive que l'on se fasse prendre sur les chemins. Il tira prestement la couverture qui recouvrait son lit et s'allongea, quand son pied glissa sur un objet flasque et gluant : c'était un serpent ! Il ne mit pas plus de temps à reconnaître l'animal qu'il n'en mit à déguerpir... Il hurla son horreur mais la plantation était profondément endormie. Les soldats avaient regagné leurs tentes et s'il s'était aventuré dans leur direction, on l'eût pris pour un chapardeur ou un déserteur. Seuls les tilleuls de la Grande Maison lui offraient un abri précaire pour la nuit. On verrait bien ensuite !

Le lendemain, à l'aube, sur la butte lointaine qui surplombait légèrement Belvidera, John aperçut une silhouette majestueuse qui se découpait sur un ciel printanier.

C'était comme si la ligne d'horizon avait pris feu. Et c'est ce feu qui, dans le dernier sommeil qui précède le matin, avait alerté ses sens et l'avait réveillé. Des flammèches orangées embrasaient la prairie et mordaient l'azur à pleines dents. La rosée avait abandonné ses fraîches gouttelettes sur l'herbe grasse. A l'abri des tendres frondaisons des tilleuls, il n'avait rien senti, mais à quelques dizaines de yards au-dehors, ses pieds plongeaient dans une surprenante humidité. Il fixa la colline. C'était un cerf qui, de son allure altière, contemplait la plantation. Depuis combien de temps avait-il pris position sur la butte ?

Avait-il attendu que le précepteur transi se réveillât ? Qui souhaitait-il rencontrer au juste ? C'était une bête magnifique. Sans doute un cerf brun de la région.

Ce qui étonna cependant John, c'était sa présence aussi près des habitations. On avait bien signalé quelques hardes alentour mais John n'en avait jamais vues à Belvidera. Jamais, de la bouche de tous les gens de la plantation, il n'avait entendu dire qu'un cerf se fût aventuré sur des terres aussi basses.

Il se rappela aussitôt les quatre bisons morts qui, quelques jours avant que ne s'installe la milice, avaient descendu à la surprise générale le Rappahannock au fil de l'eau. "C'était plus fréquent dans ma jeunesse, s'était souvenu Dadda Gumby, mais depuis qu' Mrs Sarah ell' a épousé l' colonel, c'est pour sû' la première fois... Avant, c'était enco' l'Wilderness par ici". Et tout le monde s'était précipité des quatre coins de la plantation pour contempler ce triste spectacle d'animaux gonflés par les eaux, des lambeaux de peau arrachés à la chair et qui s'étalaient à la surface des flots. Une chair déjà en putréfaction. "Je sais que les Indiens en mangent, même dans cet état" fit remarquer un Edwin jubilant, certain de son effet sur les fillettes qui poussèrent des hurlements de dégoût. Et Trollamog de manifester son écœurement en crachant à terre, ce qui lui valut une gifle de son père ! Tout le monde sur la plantation y allait de son hypothèse. D'où pouvaient bien venir ces quatre bêtes abandonnées à leur triste sort ? Celle que l'on retint avait été avancée par le colonel. Elle faisait allusion aux crues qui avaient sévi pendant plusieurs jours à la suite de fortes pluies et qui avaient inondé toutes les terres en amont. "Le bison aime traverser les rivières à la nage, avait déclaré le colonel, à condition qu'il sache où trouver un appui sur la rive opposée. Les eaux trop hautes ont dû les priver de leur accès connu au rivage et, ne trouvant que des pentes inaccessibles, ils ont dû mourir noyés." "D'épuisement", avait rajouté Sarah en expliquant que son grand-père avait vu des troupeaux entiers de mille à deux mille têtes se laisser emporter par les crues. Sur les grands fleuves de la Frontière : l'Ohio ou le Missouri.

Le cerf devait être lui aussi à la dérive. Dérangé par les eaux, séparé des siens, il allait le long du fleuve à la recherche d'un franchissement plus aisé du fleuve. Ce serait difficile tant les eaux du Rappahannock avaient grossi en quelques jours.

Soudain la bête se redressa. Peut-être avait-elle vu John la regarder car, d'un bond, prenant appui sur ses pattes arrières, tête haute, tel un hussard sonnant la charge, elle fit volte-face et disparut derrière la butte herbue avant de s'enfoncer dans les bois.

Et le serpent ? La montée des eaux l'avait-il poussé à trouver refuge à l'école ? Cette pensée traversa l'esprit du maître d'école mais le satisfit peu. A la réflexion, n'aurait-il pas fallu en effet que le reptile fût assez rusé pour écarter les planches des murs de l'école, ou qu'il parvînt à ouvrir la porte ? John se souvenait fort bien l'avoir fermée avant de partir en promenade. Quant à Frazer, il était reparti dans sa famille comme il l'avait annoncé. Si la présence du serpent ne pouvait s'expliquer par des raisons somme toute naturelles, c'est à une main criminelle, sinon pour le moins farceuse, qu'il fallait penser.

John fut édifié quand il trouva, éclairé par un rai de soleil naissant, un message poignardé sur le montant d'une fenêtre que l'obscurité de la veille ne lui avait pas permis de découvrir :

"J'ai trouvé qui pourrait mieux que quiconque cracher le venin que j'ai en moi. Rassure-toi : je ne veux pas ta mort !"

Signé : A.F.

Ce qui surprit le plus John, ce n'était pas de découvrir en Frazer un esprit malin qu'il n'aurait pas soupçonné, ce n'était pas davantage de ne nourrir aucun ressentiment envers lui. Non, ce n'était rien de tout cela. Ce qui le surprit le plus, c'est que le serpent ne fût plus dans le lit et qu'il n'en trouvât aucune trace dans la salle de classe. Par où avait-il bien pu s'en aller ? Heureusement, le message était là pour lui confirmer qu'il ne s'était pas agi d'un mauvais songe. Sinon, il se serait mis à douter de ses propres facultés mentales !

25

Chaque fois que William Daingerfield n'était pas retenu à l'extérieur de la plantation pour ses affaires, on savait qu'il se retirait dans sa
chambre, au rez-de-chaussée de la Grande Maison. Peu après avoir
pris son repas dans la salle à manger, il aimait fumer une pipe.

Cet après-midi-là, la chaleur l'avait incité à garder sa fenêtre
ouverte. Sa silhouette brune et immobile occupait le coin inférieur de
la fenêtre.

Dès que John fut à une vingtaine de pas du porche d'entrée, il
l'aperçut.

— Dis-moi, John ! Ce n'est pas un serpent qui te fait fuir cette
fois ?

Les bras du maître d'école se balançaient le long de son corps au
même rythme que son pas rapide, comme une horloge qui se serait
emballée.

Au rez-de-chaussée de la Grande Maison, la chambre des maîtres
avait longtemps préservé jalousement les secrets d'un couple heureux.
On se rappelait même que l'on avait pu surprendre autrefois l'écho
feutré de soupirs et de rires passionnés. C'était l'époque où chaque
nouveau serviteur se voyait recommander de toujours refermer soigneusement la porte et de n'entrer qu'après s'être annoncé. Mais les
temps avaient changé...

Sarah en était arrivée à détester cette vaste pièce carrée dont la
porte restait désormais ouverte puisque le colonel l'occupait seul et
qu'aucune obligation de discrétion ne s'imposait plus.

Sarah ne voulait retenir de cette chambre tendue de papier tilleul
que les douleurs longtemps étouffées. Le grand lit en bois massif hérité
de ses beaux-parents ne lui rappelait que la souffrance des enfante-

ments alors que longtemps elle l'avait associé à l'image joyeuse de ses maternités. A la vue des gros oreillers de plumes, elle ne ressentait plus que la froide humidité de ses pleurs solitaires dans l'attente du retour de William. Pourquoi cet homme jeune n'avait-il pensé qu'à la chasse au renard, aux prises d'Arme de la milice et aux assemblées du comté ? Les murs résonnaient encore des cris aigus des jeunes enfants qu'elle avait dû consoler et soigner. Et elle revivait, le cœur serré et amer, le gris défilé de ces nuits d'inquiétude.

Aussi, quand elle finit par élire domicile à l'étage, au prétexte de suppléer aux défaillances de Lucy, tout le monde comprit. Aucune discussion n'avait paru précéder sa décision et l'on prit l'habitude de voir le grand lit de Mrs Daingerfield à côté de celui, tout petit, d'Hannah Bassett.

En apparence, le colonel n'en avait aucunement tenu rigueur à son épouse, et il apparut même qu'il en profita pour élargir son territoire... Puisque le lit conjugal avait été déserté, il trouverait bien à l'occuper à sa guise ! On se rendit vite compte que, sans grand souci de discrétion, l'effrontée Sucky en était devenue l'hôte principale.

Le colonel avait même complété l'équipement de son domaine en vue d'exposer la totalité de ses livres : c'est ainsi qu'il avait commandé au menuisier deux bibliothèques qui se faisaient face de part et d'autre de la fenêtre. Tous les ouvrages qu'il avait rapportés de ses années d'études en Angleterre avaient donc pris place sur les étagères.

Cela représentait environ deux cents volumes et il racontait volontiers que depuis son retour il n'en avait plus acquis un seul. Non qu'il pensât avoir tout lu mais parce que sa nouvelle philosophie mille fois répétée tenait en une seule phrase : "A quoi bon chercher dans les livres ce que la vie vous apprend tous les jours ?" Ceux qui le connaissaient le mieux et l'avaient rencontré dans les jours qui avaient suivi son retour de la vieille Europe tenaient une explication plus terre à terre. Sur le bateau qui le ramena en Virginie, le mal de mer et la fièvre avaient eu raison de cette frénésie de lecture que des professeurs érudits et patients étaient parvenus à lui inculquer. Les mieux informés pouvaient même vous assurer qu'il abandonna Joseph Andrews à son triste sort, à la fin du Livre Premier, aux prises avec les brigands qui le dépouillent de tout, y compris de ses vêtements et le laissent pour mort, nu dans le ruisseau ; ils l'entendirent jurer de ne plus jamais s'intéresser qu'à sa propre existence ! Il est vrai que depuis lors il s'en tenait à cette décision. Le seul livre qu'il consentît néanmoins à survoler d'un œil distrait était le livre des comptes des plantations. Et encore n'acceptait-il d'y porter quelque intérêt que lorsque ses régisseurs noircissaient le tableau à l'outrance et parlaient de "résultats apocalyptiques" ou de "course à l'abîme".

Mais il est un autre meuble qui avait suscité des commentaires : le bureau de Lawrence Taliaferro, resté dans la chambre du colonel. En bois d'acajou, acheté d'un capitaine anglais coutumier des voyages aux Indes, ce meuble vénérable fleurait bon les destinées lointaines, les secrets scellés dans ses minuscules tiroirs ou les billets doux griffonnés sur son cuir damasquiné. Il est vrai que Lawrence Taliaferro s'en était peu servi, lui préférant un bureau de bois grossier pour ses écritures quotidiennes.

— Mrs Sarah, ell' aurait dû l' monter avec ell' dans la Nurs'ry... s'était permis Dadda Gumby.

Rêveuse, Sarah avait dirigé son regard vers le ciel. Les mains fripées et osseuses du patriarche avaient tremblé sur sa canne.

— Les meubles, vois-tu, mon bon Dadda Gumby, meurent avec les hommes qu'ils servent. Sauf qu'une fois leur maître mort, reste une lueur qui met du temps à décliner et s'éteindre.

— Mrs Sarah, ell' sait ben qu'i n'y a pas qu' les meubles qui meurent comm' ça... J' connais des bons Nègres...

— Penserais-tu à toi, bon Dadda Gumby ?

C'est sur ce bureau que John posa immédiatement les yeux lorsqu'il franchit le seuil de la chambre.

— Entre, John. Entre !

Le colonel n'avait pas tourné la tête et continuait à tirer sur sa pipe. La lumière contrastée accentuait les traits de cet homme abattu sur son fauteuil. Il semblait avoir vieilli de dix ans. Sa barbe poivre et sel mal taillée n'avait plus le dru soyeux de la jeunesse. Sous ses paupières somnolentes on devinait un regard las. Il se leva nonchalamment et piqua le feu dont les braises crépitèrent avant de rougir à nouveau.

John s'imposa un ton enjoué.

— Puis-je vous faire un grief, colonel, pour commencer ? ... Avant d'en venir à l'éducation de vos fils.

— Un grief ? Tiens donc !

— Vous avez envoyé trois ouvriers ce matin derrière l'école ?

— Oui ?

— Ils m'ont dit que vous leur aviez demandé de construire une écurie à moins de cinq ou six yards de l'école ?

— Et alors, ne suis-je pas propriétaire des lieux ?

— C'est donc bien cela. C'est bien ce que je craignais... Je vais vous dire ce que j'en pense : d'abord, j'aurais préféré être informé, ensuite, le voisinage d'une écurie et d'une école ne me paraît pas être une excellente idée !

Le maître d'école parlait avec conviction maniant l'ironie et la colère contenue. Le colonel se retourna pour lui faire face. Son visage s'était éclairé et paraissait plus joyeux.

— Rassure-toi, John. Il ne s'agit pas d'une écurie banale. C'est une écurie pour l'étalon que j'ai acheté. Et pas n'importe quel étalon ! Ariel ! Un magnifique étalon noir de cinq ans. Une bête que je paie cent livres à Robert Slaughter. Tu sais ? Le Slaughter du comté de Culpeper. Pour sa dernière course en octobre dernier à Fredericksburg, il a battu le célèbre Auburn dans les deux manches.

John restait de marbre. Que penser de ce planteur qui construisait une écurie pour un cheval payé un tel prix alors que Belvidera connaissait ses moments les plus noirs ? Voyant que son maître d'école semblait troublé, William Dangerfield reprit d'un haussement d'épaules.

— ... Enfin John ! Ne me juge pas avec autant de sévérité. Reconnais quand même que lorsque tu as hébergé à l'école un animal peu familier sans m'en prévenir, je ne t'ai fait aucune remarque désobligeante !

— Vous pensez à ... ?

— ... Tu sais bien à quoi je pense ! Ce reptile qui t'a mis en fuite l'autre jour ! Et si je compare mon étalon à ton serpent, admets que, grâce aux saillies, le premier sera d'un bien meilleur rapport que le second ! Qu'attendre d'un serpent, sinon du venin ?

— ... Et de plus grandes malédictions encore, si je me rappelle bien les enseignements de notre Sainte Bible, renchérit un John détendu.

Les deux hommes éclatèrent de rire. Le colonel connaissait de ces périodes où alternaient chez lui colère et douceur, humour et cynisme, joie et peine. John en eut d'ailleurs une illustration immédiate quand son maître entonna un de ses refrains favoris : le travail de Frazer.

— C'est un solide gaillard, fit-il.

— Il est solide mais difficile à cerner...

— Tu as contre lui quelques préventions.

— Je reconnais cependant bien volontiers qu'il est beaucoup plus humain que Lewis. Avec lui, les esclaves travaillent. Ils sont plus heureux.

— D'autant plus que je me suis laissé dire qu'ils apprécient tes leçons du soir... Mais toutes nos difficultés !

— C'est vrai, toutes nos difficultés... soupira John.

William Daingerfield évoqua en vrac les champs que l'on aurait dû planter en maïs et non en blé ou vice-versa, les récoltes que l'on aurait pu vendre plus cher en patientant un peu ou cette fameuse machine à battre le blé pour laquelle il s'était tant endetté.

Comme affaiblie par la litanie de ses malheurs la voix du colonel venait mourir sur ses lèvres minces. Puis soudain, l'éclat de son regard se fit plus vif. Sa pensée affleurait à nouveau après avoir touché d'insondables profondeurs. Une ardeur remontée du fond de son être ralluma des braises agonisantes. La vie tressaillit en lui.

— Parle-moi de mes fils, John.

— C'est pour cela que je venais vous voir. Vous avez raison de me ramener à ce que je souhaitais vous dire. Cela fait des semaines que je veux vous en entretenir. Laissez-moi d'abord vous dire que votre idée de créer une école à Belvidera a été, j'en suis maintenant convaincu, la meilleure des choses pour l'éducation de vos fils.

— Merci, John. Tu as combien d'élèves maintenant ? Une douzaine ?

— Un peu plus. Autour de quinze.

— Et ils progressent ?

— Comme les jeunes pousses. Il faut de la patience. Arroser, tailler... Attendre... Et je sais de quoi je parle, moi qui viens d'une terre où la nature est si hostile ! Quant à Edwin et Bathurst...

— Attends, laisse-moi te parler de l'école.

— C'est une tellement bonne idée.

Le colonel attrapa John par le bras et l'invita à s'asseoir, à ses côtés, face à la fenêtre. Haute et étroite, elle laissait voir le tronc robuste d'un marronnier. Au sol, une fine poussière ocre se soulevait au moindre souffle.

— Il y a de cela sept ou huit ans, nous étions jeunes mariés et Alexander Spotswood nous avait invités sur sa délicieuse plantation de New Post. Il venait d'y construire une Grande Maison à colonnades dans le pur esprit antique. Tu connais cet Alexander Spotswood. C'est celui qui nous a rendu visite il y a une quizaine de jours. Il est officier de l'Armée de Norfolk et son épouse n'est autre qu'une demi-nièce de George Washington. Ce qui fait que nous sommes également apparentés aux Spotswood par ma mère...

— ... Je vous avoue que j'ai du mal à suivre !

— Bref, à ce dîner, Sportswood avait également invité Thomas Jefferson du comté d'Albermale. Il était arrivé à New Post complètement abattu par le désastre qu'il venait de connaître : la maison de Shadwell qui appartenait à sa mère avait brûlé et il avait perdu dans l'incendie tous ses livres de Droit. Il en pleurait encore ! A l'époque — attends, je dois être de cinq ou six ans son aîné — oh oui, il avait vingt-six ou vingt-sept ans... Je me souviens qu'au cours de la soirée, il s'était jeté dans un lumineux plaidoyer en faveur d'une éducation élémentaire qui accueillerait indifféremment les enfants riches et les enfants pauvres. Des collèges seraient ouverts à tous ceux qui en auraient les capacités. Enfin, stade ultime, leurs études seraient couronnées par un enseignement supérieur qui dispenserait les sciences, le Droit et les langues anciennes. Pour lui, la solution passait par un fin maillage de toute la Virginie. Chaque comté devrait abriter plusieurs écoles...

—Comme celle de Belvidera !

—C'est en effet ce que je me suis promis de réaliser ce jour-là. Il me fallait attendre que mes enfants fussent en âge d'apprendre. Je devais patienter jusqu'à ce que la plantation me permette de nourrir un précepteur.

—Comme moi !

—Oui, c'est cela, John ! Mais sais-tu que ce soir-là je fus sans doute le plus prompt à adhérer à cette idée d'écoles dans les comtés de Virginie ? Tous les autres ne parlaient que chasses, prix du coton, vente d'esclaves ou terres à acheter dans le "Wilderness" !

—Et ce Thomas Jefferson, sait-il ce que vous faites ici ?

—Je lui en ai parlé mais il a tant à faire. Et son idée généreuse demandera tant d'années avant de se concrétiser. Les esprits ne sont pas mûrs. La Virginie est encore une terre de pionniers : tu sais aussi bien que moi qu'elle n'a pas l'allure policée de l'Angleterre. Mais je sais, vois-tu, que ce Thomas Jefferson ira jusqu'au bout de son idée... Tôt ou tard, il sera de ceux qui feront l'Amérique.

William Daingerfield voyait juste. L'homme de Monticello s'avançait à grands pas sur la route de l'Histoire. Il n'était pas surprenant que dès 1770 il ait impressionné le jeune juge de paix de Belvidera. La Virginie lui devrait bientôt, dès ce printemps 1776, sa propre Déclaration d'Indépendance, comme une lueur crépusculaire qui annonçait déjà les Etats-Unis d'Amérique.

John reprit :

—Cela me fait penser qu'un jour, sur un chemin d'Ecosse, un vénérable Lord écossais m'a parlé des hommes qui construisent le monde pendant que les autres se contentent de l'habiter...

Le colonel s'était levé. Ecoutait-il son serviteur? Il s'agenouilla devant la cheminée et y remit une grosse bûche. Il approcha sa fiasque de rhum pour remplir deux verres de cristal. Ne s'était-il jamais autant dévoilé? Plus courbé qu'à l'accoutumée, les traits terreux de son visage s'étaient creusés. Il apparaissait sans fard, simple planteur triste, et à repenser à cette définition de Lord Panmuir, John se dit que le monde était peut-être plus complexe que le colonel des Scotch Grays ne l'avait affirmé. Il y a aussi des hommes qui bâtissent un jour et se laissent aller le lendemain. Le colonel était à l'évidence de ceux-là.

—Je vais te faire un aveu, John. Tu me juges, n'est-ce pas? Et je lis un peu d'effroi au fond de toi. Eh bien, de toutes mes entreprises, c'est de l'école de Belvidera dont je suis le plus fier. Si je passe en revue tout le reste : la plantation, Chickahominy, la milice, Sarah, les enfants, je m'aperçois que tout cela compte mais que loin devant, seule l'école survivra.

—Vraiment?

Le colonel relâcha les traits de son visage et sourit.

—Cela ne tient qu'à toi. Puisque tu écris ton journal, je suppose que c'est pour qu'il soit lu... Et si Sarah ne te prend pas toutes les pages pour recouvrir des pots de confiture, on entendra bien parler de l'école de Belvidera un jour non?

—Peut-être... Dites-moi, colonel, reprit John pourquoi ne lisez-vous pas? Quand je vois tous vos livres, je m'étonne que vous n'en touchiez plus aucun.

—Indiscret, John, tu es indiscret.

—Pardonnez-moi, colonel.

—Cela ne fait rien. Je ne me pose plus la question mais lorsque j'ai voulu savoir pourquoi il y a quelques années, je me suis dit que c'est qu'après avoir tout lu, j'ai choisi la résignation. La résignation. John. C'est-à-dire ce qui conduit le plus sûrement l'homme à sa perte. Cela te convient, John?

—Je crois avoir fait une découverte inverse. Les livres — vos livres — et mon journal me rendent chaque jour plus optimiste.

—Tant mieux, John. Tant mieux.

La grande horloge de la salle à manger sonnait cinq coups et les deux hommes n'avaient pas encore abordé l'éducation des garçons. Debout devant la bibliothèque, John prenait beaucoup de plaisir à caresser le dos des livres. Il en tirait un de l'étagère, se déplaçait sur le côté d'un pas, revenait en arrière, se décidait enfin à s'en saisir. Il l'ouvrait voluptueusement, humait son parfum d'encre et de papier séchés, murmurait quelques mots de sa voix chaude encore teintée de son accent écossais, laissait filer quelques pages sous ses doigts puis le refermait. Il reconnaissait quelques livres pour les avoir lus ou, plus souvent, pour en avoir entendu prononcer le titre. Derrière lui se tenait le colonel, attentif à ses gestes comme une mère qui suit les premiers pas de son enfant. C'est dire si l'univers des livres le surprenait. C'est à peine s'il cachait une crainte instinctive devant tant de mondes et de vies enchevêtrés. Le colonel l'arrêta dans sa course.

—Edwin vient d'avoir dix ans, entreprit-il. Son intelligence est vive, n'est-ce pas? Mais il ne donne pas toute sa mesure. Son tempérament instable, je sais bien... C'est un Daingerfield, John. Je le regarde faire : à peine a-t-il commencé une chose que, hop! il s'attelle à une autre...

—Il promet aussi d'être un joyeux gentilhomme.

—Ah bon!

—On le voit lutiner les petites Négresses...

—Tant mieux.

—Mais quel livre peut-on lui confier? Je pensais à **Tom Jones**?

—**Tom Jones**? Voilà de quoi satisfaire sa soif d'aventures... Allons-y pour **Tom Jones**. Notre Edwin s'amourachera de la belle Sophia, il l'aidera à s'enfuir et nos petites Négresses seront tranquilles un instant! Cette lecture, tu la compléteras, John, par un livre qui fera suite au **New England Primer**. Ce garçon a besoin d'une colonne vertébrale. **Le Voyage du Pèlerin** conviendra parfaitement, en espérant qu'il se résoudra tôt ou tard à prendre le bon chemin. Entre la Cité de la Destruction et la Cité Céleste, il faut lui indiquer dans quelle direction aller. S'il n'est déjà trop tard...

Le vieux pasteur Sands avait évoqué ce **Voyage du Pèlerin** dans la petite église de Lerwick près de laquelle venaient, le soir, les brebis bleues. Ah! ce vieux pasteur, il était sec comme un hareng mais agile comme les anguilles de la légende qui s'échappent du sac du géant. Sa voix, lorsqu'il prêchait, ressemblait à celle des trolls, légère comme le vent, caverneuse comme l'océan.

—Dites, colonel, savez-vous que tout cela me rappelle un drôle de pasteur que j'ai connu dans les Shetland. Il parlait souvent du **Voyage du Pèlerin**. Que j'ai pu rire, quand j'étais tout petit, lorsqu'on le voyait revenir de l'Ile de Burra où il enterrait les morts. Sa barque s'enlisait toujours dans la vase et je le revois relever sa soutane jusqu'au ventre, lever ses grandes pattes grêles comme une araignée...

—John, si nous revenions à mes fils. Bathurst ?

—Que penser de Bathurst ?

—Que penser de Bathurst ? Il aime tellement que je lui raconte les légendes des Shetland. Il me demande si souvent que je lui dise mon voyage. Je l'aime bien votre Bathurst, colonel. Il sait tout des plantes et des fleurs. Pas un seul oiseau qui lui soit inconnu. Pas un seul poisson dont le miroitement dans l'eau le mette en difficulté. Oui, je l'aime bien votre Bathurst. Il a terminé la lecture de l'Ancien et du Nouveau testament et il commence à écrire. Toujours, il regarde le fleuve et me demande : "quand pourrai-je partir loin d'ici, comme toi, sur un beau navire, John ?" Il rentrera dans la marine, colonel, soyez-en convaincu.

D'un geste d'agacement, William Daingerfield coupa court à cette digression.

—Je sais qu'il est dur avec lui-même et qu'il ne supporte pas de ne pas savoir... Il n'empêche qu'il n'a pas l'autorité d'Edwin. C'est sur Edwin que reposera Belvidera.

C'était aussi l'avis de Sarah qui voyait en Edwin un peu de son frère Philip. Comment leur ouvrir les yeux et leur dire qu'ils se trompaient ? Edwin ne pourrait qu'accompagner la lente agonie de Belvidera alors que Bathurst démontrerait de réelles capacités de commandement. Il comprenait si bien le monde autour de lui. Son handicap majeur ne tenait qu'au fait d'être le cadet d'Edwin. On ne lui avait pas appris à tuer le cochon ! il se contenterait donc de **Robinson Crusoé**, comme si on le vouait déjà aux voyages !

Quand arriva enfin le tour de Billie qui venait d'avoir sept ans, les deux hommes rirent de bon cœur de ses facéties. Le colonel apprit comment ce petit homme haut comme trois pommes avalait goulûment les saints évangiles dans le seul but d'en retenir une anecdote qu'il mimerait à la classe.

—Je ne sais ce qu'il a retenu de la Bible, reconnut humblement John. Sans offenser notre Seigneur, je dirais que "Dieu seul le sait" et qu'il s'agit d'une affaire entre eux.

—Ne nous en mêlons pas, John. Donnez-lui quelques autres aventures extravagantes. Celles du père Adams et de Joseph Andrews. Cela vous donnera l'occasion de beaux fous rires quand il mimera Lady Booby...

26

Le soir-même, Jacob fit irruption à l'école, le souffle court.

—Onc' John, Onc' John, i' faut qu' j' vous dise...

—Reprends ton souffle, mon bon Jacob.

—Tout à l'heur', j' passais d'vant la Grand' Maison pou' donner à manger aux ch'vaux. J' vous jure, Onc' John, qu' j' voulais pas z-écouter.

—Je connais ta discrétion, Jacob.

—J' vous ju', Onc' John, mais les bruits i'z-étaient si forts qu' j' n'ai pas pu m'empêcher... Not' maîtresse, ell' l'était très excitée... Ell' parlait sans s'arrêter... D'un vilain Bob Johnson, qu'ell' parlait, Onc' John.

—Ce n'est pas le Johnson qui fait du marché noir et fait rentrer des marchandises en fraude en Virginie ?

—L'Johnson qu'i' l'est un trait' à l'Amérique, qu'ell' disait Mrs Sarah. Et qu'ell' n' veut pas l' voir à Belvidera.

—Elle a bien raison, Jacob.

—Oui, mais ell' s' disputait avec not' maît'. Et qu'ell' arrêtait pas d' dire qu'i' l'était un couard.

—Un couard ?

—Oui, mêm' qu' j' n' sais pas c' qu' ça veut dire !

—Je t'expliquerai.

—Et not' maît', lui, i' n'a plus ren dit.

—Bah, c'est une simple dispute conjugale. Comme tu en as tant avec Patty. Allez, ne te fais pas de soucis, Jacob.

—Non, non, Onc' John. Attends ! Après c'la, la port' ell' a claqué et j' m' suis mis prest'ment de côté près des massifs d' buis.

—Tu espionnes ? coupa John.

—Non, non, Onc' John. Ecoutez-moi. L' colonel, i' l'est passé d'vant moi! I' pleurait l' pauv' colonel... Comm' un bébé... Mêm' qu' mon cœur i' l'était gros d' l' voir pleurer...

—Et qu'a-t-il fait?

—I' l'a pris l' chemin d' Snow Creek. Et j' l'ai suivi... Et là, Seigneur, j'ai eu une vision d'horreur! L' colonel i' l'est entré dans l' Rappahannock, tout droit. I' s' cachait l' visage d' ses mains. J' n' sais pas s'i' pleurait ou s'i' l'avait froid. J'avais très peu'. Quand j'ai vu qu' son corps i' commençait à êtr' emporté et qu' j' voyais à pein' dans la lumière d' lune son front et sa bouche qui l'était grand' ouvert', l' Seigneur i' m'a dit "Cours Jacob, allez cours!" Et j'ai couru. J'avais très peu'. J'ai crié très fort "colonel! non. colonel, r'venez!" J' lui ai tendu la ram' d' la barque, j' crois ben... J' sais plus très ben c' qui s'est passé... J' l'ai ram'né au bord. I' respirait à peine. J' lui parlais douc'ment en mêm' temps qu' j' priais l' Seigneur d' l' ram'ner à la vie. J'avais très peu', tu sais, Onc' John! I' l'a ouvert un œil et i' m'a fait jurer d' ren di' à personn'... Mais à toi, j' peux, hein? Onc' John?

John lui passa une main dans le dos en signe de confiance.

—C'est vrai ce que tu me dis là, Jacob?

—J' t' l' jure, Onc'John.

—Tu as agi en bon Chrétien, Jacob.

—En bon Chrétien, Onc' John?

John dut donc admettre que Jacob, cet homme grand et mince, légèrement voûté, avançant toujours ses mains dans une attitude de retenue respectueuse, avait sauvé la vie du colonel. Suivant en cela sa nature, il n'en avait retiré aucune vaine fierté et n'en avait même pas profité pour braquer sur lui le regard des autres.

En fait, seuls John, Anthony Frazer et quelques esclaves furent mis dans la confidence. Très vite, Belvidera comprit que le colonel préférait ne pas ébruiter une de ses nouvelles faiblesses. Les rumeurs rapportaient bien qu'un esclave avait sorti du fleuve un maître désespéré mais les circonstances du drame, floues et contradictoires, obscurcissaient la réalité. Bien peu osèrent parler de tentative de suicide et l'on préféra s'en tenir à quelque faux-pas malencontreux qui aurait fait glisser William Daingerfield sur les berges boueuses. Quant à son épouse, nul ne sut véritablement ce qu'elle apprit de l'accident. En eut-elle vent? Fut-elle tenue dans l'ignorance? Ou bien se réfugia-t-elle dans une discrétion de circonstance?

C'est cette dernière hypothèse que retint le maître d'école lorsque, peu après l'accident, elle le fit chercher. A aucun moment de la conversation, elle ne mentionna en effet la tentative de noyade de son mari.

Elle était assise sur le bord de son lit, se peignant négligemment. Son pied balançait le lit de bois à bascule d'Hannah Bassett qui dormait. Debout, tenant à la main son chapeau de feutre gris dont il tapotait le large bord de ses doigts nerveux, le maître d'école demanda.

—C'est bien de votre fils Edwin que vous voulez me parler?

—On m'a dit en effet que vous avez à vous plaindre de sa conduite. Cela m'a un peu surpris. Ce sont d'ordinaire les pasteurs qui parlent de morale, pas les précepteurs.

—J'ai en effet recueilli des confidences inquiétantes...

—Qui vous a informé?

John fit semblant de ne pas avoir entendu.

—... Edwin, reprit-il sans sourciller, profite de son titre de fils aîné pour terroriser de jeunes esclaves. Entre autres, Ruth, la fille d'Abram et Bethseda, la fille de Noé.

—Il a bon goût : Ruth et Bethseda promettent déjà d'être de jolies filles.

—Il les menace de tortures et de représailles si elles ne se prêtent pas à ses jeux et caprices. A la nuit tombée, dans la nouvelle écurie qu'a construite votre mari pour Ariel, Edwin fait son apprentissage...

—... Son apprentissage d'étalon, en quelque sorte, vous voulez dire? fit-elle moqueuse.

—Il exige d'elles qu'elles se présentent à lui en tenue d'Eve. Ensuite...

John avait baissé la tête.

—Continuez, John, ça m'amuse, pas vous?

—Non, Mrs Sarah, ça m'inquiète!

—Votre pruderie, toujours votre pruderie, John! Alors? qu'est-ce qu'il leur fait à ces deux jolis morceaux de quarteronnes?

—Il se comporte avec elles comme un maquignon de Fredericksburg. Il examine, il jauge...

—Ha, Ha! vous me faites rire, John.

—... Et il leur promet de les prendre pour maîtresses et leur rendre la vie belle le jour où il succédera à son père à la tête de la plantation.

Sarah avait écouté cette histoire comme elle l'aurait fait s'il s'était agi d'un fait divers de la **Virginia Gazette**, distraite et amusée.

—Rien de plus? Bah! vous faites pas de souci, John. Je ne vois là que jeux d'enfants et jalousie d'une personne qui aimerait être de la fête et n'y a pas été invitée... Non, ce n'est pas de vous que je veux parler, bien entendu... Je veux dire cette jeune esclave qui, je le devine, vous a tout raconté ! La petite Ganzara, peut-être ?

—Je pense quant à moi que c'est plus grave que vous ne le supposez, Mrs Sarah. Pour Edwin et pour Belvidera.

—Tant de choses pourraient m'inquiéter quant au devenir de la plantation, John. Le jour où vous ne serez plus là, par exemple...

Sarah s'était approchée de la porte. Sa voix grave tranchait avec la joyeuse légèreté de ce qui avait précédé. John la regarda dans les yeux. Elle lui parut triste, d'une tristesse sincère que sa fierté ne cherchait même pas à déguiser.

—Pour en revenir à Edwin, reprit-elle, si vous ne voulez pas qu'il soit distrait par les jeux de l'amour, préparez-le à ceux de la guerre.

John soupira.

—Je m'y emploie, madame. Je m'y emploie. Savez-vous que l'autre jour, j'ai emmené vos trois garçons à Fredericksburg. Nous avons passé une excellente journée patriotique. Un magnifique défilé de la milice ! C'était beau, vous savez, Mrs Sarah. Les officiers portaient un bicorne et leur nouvel uniforme. Ils relevaient le menton comme s'ils montaient à l'assaut, face à un ennemi invisible. Leurs regards scrutaient l'horizon, au sommet de la colline, en direction de Brompton. Dans le contre-jour du soleil couchant, cette splendide demeure apparaissait noble et mystérieuse. Vous savez, avec son porche à colonnade surmonté d'un fronton dont on devinait le triangle dans le ciel orangé. Le sol vibrait sous le pas régulier des soldats et la poussière volait à leurs pieds. Tout à coup, Bathrust se faufila à travers la foule compacte et cria "père ! père ! bravo !"...

—C'est vrai que mon mari y était, acquiesça Sarah.

—... Il nous a vus et je peux vous dire que vos fils étaient fiers. Mais les soldats eurent vite fait de l'entraîner vers le haut de la rue. Ils portaient leur veste de trappeur en peau et leur cartouchière au côté. Ils ressemblaient davantage à des chasseurs de renard qu'à une armée... Les officiers, eux, avaient une longue veste bleue doublée de soie rouge, des bottes de cavalier et des éperons d'argent. Oui, ils avaient fière allure. Le défilé dura plusieurs heures. Le rassemblement des bataillons s'opéra au carrefour de William Street et de Caroline Street. Les uns passaient le Rappahannock sur le bac, se formaient sur les quais et montaient à leur tour se rassembler dans les champs transformés en camps, à l'ouest de la ville. Les autres débouchaient, soit de l'est par Caroline Street, soit du sud par Sophia

Street. Au milieu de ses troupes, montant un magnifique cheval à la robe de jais, on reconnaissait le Dr Mercer, grave, dans son impeccable tenue de général de la milice. Sa présence en disait long sur l'imminence des rudes combats en Virginie. Combien de fois nous avons ensemble échangé des souvenirs ! L'Ecosse ! Les vents et les bruyères, les vagues, les nuages déchirés... Quand il m'a vu, il m'a salué, Mrs Sarah. Les troupes de l'Ohio furent également très applaudies. Un homme différent des autres attirait parmi elles l'attention des curieux. Juché sur mes épaules, Trollamog hurla : "un Indien, un Indien". C'était bien un Indien en effet qui marchait, visage court et large nez aplati, teint jaune, au premier rang des troupes patriotiques. Et la foule reprit en chœur "bravo l'Indien, bravo !" On a été soulagés de voir que même les Indiens rejoignaient l'Armée de Washington. "C'est un Sioux", rajouta votre fils. Je me demande bien où il est allé chercher ce nom-là.

—Ah, vous racontez cela merveilleusement, John. Vous êtes plus Virginien que nous tous, maintenant.

Sarah baissa la tête. Elle posa délicatement sa main sur la sienne. Et soupira très fort, les lèvres serrées. Ses doigts se firent plus durs, s'enfonçant dans la large main de John.

Depuis peu, la pluie printanière s'écrasait contre les petits carreaux de la fenêtre à guillotine. Chaque goutte dégoulinante dessinait un chemin tortueux avant de se fondre à d'autres en un rideau trouble et ruisselant qui eut tôt fait d'obscurcir la vue. John se rendait compte, le cœur gros, qu'ils renonçaient l'un et l'autre. Pour Sarah, l'honneur Taliaferro et l'amour de Belvidera la dissuadaient de compromettre sa réussite ; le renoncement de John trahissait quant à lui une indécision inhabituelle.

—Il faut vous en aller, John.

La main du Shetlandais se dégagea doucement pour se déposer délicatement sur l'épaule de la jeune femme. Il serra cette épaule délicate qui lui échappait sous l'étoffe soyeuse de sa robe.

—Il faut vous en aller, John, répéta-t-elle de la même voix étouffée.

Dehors, de violentes rafales abattaient des fouettements de pluie sur les vitres et sur le toit. La Grande Maison résonnait du martellement sourd et du crépitement métallique des coups qui lui étaient portés.

Il descendit l'escalier lentement. Chacun de ses pas lourds et sonores le secouaient jusqu'à semer la confusion dans ses pensées.

Il s'efforça très fort de retrouver les traits fins et réguliers d'Ann. Et plus il sondait sa mémoire, plus s'imposait à lui le visage de Sarah.

Il avait descendu quelques marches et s'était arrêté. Il se retourna.

Sarah était en haut de l'escalier, cinq marches au-dessus de lui. La tristesse avait fui son visage. Son regard noir avait repris des accents de conquête, il luisait d'un immense bonheur. Ses lèvres articulèrent les paroles que John voulait entendre.

—Ce soir, John. Ce soir.

Il lui tendit les mains et elle l'aida à remonter jusqu'à elle. Lorsque leurs visages illuminés de bonheur furent au même niveau, elle jeta sa tête sur son épaule et, frissonnant d'audace, il la serra dans ses bras. Sa taille fine, les battements rapides de son cœur sous sa poitrine chaude, lui firent tout oublier jusqu'au petit matin.

Une douche fraîche l'accueillit alors sur le perron. Il s'étira, vit Ganzara qui remontait le talus à quatre pattes, se cacha derrière le gros marronnier, attendit qu'elle prît le chemin de Snow Creek et s'élança, tel un automate n'ayant plus la maîtrise de ses mouvements, prêt à trébucher et basculer en avant à chaque pas.

27

C'était samedi soir. John donnait ses leçons aux filles Battle. La voix flûtée de Miss Sally — à moins que ce ne fussent les trilles veloutés d'un moqueur — ramena le précepteur au coquet salon de Mrs Battle tendu de tapisseries safran.

— Qu'est-ce qu'il veut dire ce mot, Monsieur Harrower?

— Quel mot?

— Celui-ci, vous dis-je!

— Ah oui! "témoin" : un témoin est une personne qui voit quelque chose et qui raconte ce qu'elle a vu. Le "témoignage", c'est ce que dit le témoin. Je vous relis donc ce verset et vous le reprenez après moi : "Il vint pour servir de témoin, pour rendre témoignage à la Lumière, afin que tous crussent par lui".

L'une après l'autre, les deux jeunes filles, Miss Sally et Miss Betty, lurent le septième verset, extrait du Livre Premier de l'Evangile selon St-Jean.

John complétait l'enseignement qu'il donnait dans son école de Belvidera par des leçons à domicile. Pour la somme de quatre livres, le samedi, il apprenait à lire et à écrire aux deux jeunes filles. Il aimait cette maison carrée de Prospect Hill dans le comté de Caroline, son porche allongé soutenu par deux colonnes doriques; il appréciait la conversation de cette jeune veuve. Son esprit éclairé et son visage doux le comblaient de joie. Elle riait en permanence. "Ah! Mrs Battle, avait-il coutume de lui dire, si la terre ne portait que des visages aussi souriants que le vôtre, la vie en société serait plus douce!" Et sa réponse — toujours la même — simple et sincère, tombait avec le même aplomb : "Le Seigneur ne comprendrait pas que l'on tourmente nos semblables pour le peu de temps qu'il nous prête la vie".

Récoltant ainsi les fruits de deux années d'un travail acharné et d'une réputation solidement fondée, John signa à cette époque d'autres contrats, avec les White ou avec les Mc Calley de St-George's Parish et leurs six enfants. Malgré tout, c'est à Prospect Hill qu'il préférait venir. C'est d'une maison comme celle-ci qu'il rêvait pour lui-même et sa famille dans l'avenir.

En ce jour de juillet 1776, retenu chez Mrs Battle par une pluie diluvienne, il accepta l'hospitalité de la jeune veuve. Il ne prit donc congé de la jeune femme et des deux filles que le dimanche en fin de matinée.

Le ciel blanc était chargé d'une épaisse brume tiède qui balayait la campagne. John transpirait abondamment. A la fièvre qui le tenait depuis deux jours s'ajoutait la moiteur du climat.

—Le soleil revient. Il fera vite trop chaud pour aller sur les chemins, dit-il en prenant congé.

—N'oubliez pas de transmettre mes amitiés aux Daingerfield, lui recommanda Mrs Battle. Que Sarah ne se fatigue pas... puisqu'elle vous prépare un nouvel élève, d'après ce que l'on m'a dit chez les Strother.

—Un nouvel élève?

—Eh bien oui, un enfant, quoi! Ne me dites pas que vous ne savez rien, Mr Harrower? Ou alors, je ne vous ai rien dit...

Il fit effort pour dissimuler le trouble qui l'avait atteint. Un enfant? étourdi, comme grisé par des vapeurs d'alcool, il dut paraître bien étrange. Son visage s'empourpra et des gouttes de sueur ruisselèrent sur son front. Une barre lui serra la poitrine : son cœur s'emballait et tambourinait jusqu'à ses tempes. Un nouvel enfant pour Sarah? Il ne douta pas que ce fût le sien...

Je vous vois bizarre, reprit Mrs Battle, inquiète. Vous n'êtes pas malade?

—Si, si, justement, une mauvaise fièvre. Il faut vite que j'y aille. Un courrier des Shetland m'attend chez Glassel. Un bateau est arrivé de Liverpool dans la nuit de vendredi.

—Je comprends. Je vous laisse aller. Partez vite!

En chemin, tout lui parut idyllique. Il ne se rappelait pas avoir vu de son existence une terre aussi féconde et une végétation aussi luxuriante. Des fraises rouges, énormes, au goût délicat, prenaient d'assaut le pied des taillis, leurs tiges cherchant toujours quelque nouvelle terre à coloniser, lançant d'audacieuses passerelles par-dessus les cailloux. A hauteur d'homme, chaque bosquet, chaque verger sauvage, offrait des fruits à profusion. La menthe rivalisait de senteur avec le chèvrefeuille. Les cerisiers se paraient de mille rubis mais l'on piétinait déjà les fruits trop mûrs, éclatés avant même d'être mangés ; à voir ces grosses cerises gonflées au soleil de l'été, on goûtait leur pulpe chaude et juteuse qui éclabousse le palais.

La nature était en fête et les fleurs lui offrirent l'apothéose de son voyage. C'est elles qui, par leur triomphale beauté, l'escortèrent jusqu'aux portes de la ville. Posées sur leurs rameaux noirs, les fleurs blanches des dogwoods illuminaient la route comme les flammes des virginales vestales. La nature semblait les offrir au voyageur qui n'avait qu'à tendre la main pour les cueillir. Les grappes mauves des wisteria retombaient en cascades au-dessus des haies et des murs. Les rosiers ? Ils n'avaient rien de commun avec les buissons pâles et rabougris des Shetland ! John s'en voulait de médire sur cette nature vaillante qui extorquait, dans un mouvement séculaire d'une rare opiniâtreté, quelques fleurs à l'aridité du sol... Mais quand même ! Ici, sur les chemins de Virginie, il y en avait de plusieurs teintes, du pourpre le plus profond au saumon le plus tendre... Leurs fragrances étourdissantes, leur taille inégalée, l'enivraient. Elles applaudissaient à son bonheur.

Pourquoi ne savait-il pas donner un nom à toutes ces fleurs et à tous ces arbres ? Quelle sottise de ne pas demander à tout instant aux Virginiens de lui présenter tous leurs trésors ! Le rose soutenu des arbres de Judée, le bois rouge du caroubier et ses fleurs aux senteurs d'orange, le magnolia et le rhododendron, autant d'espèces qui n'avaient à ce jour reçu de nom... Qu'étaient ces trompettes mauves fièrement tournées vers le ciel ? Et ce petit fruit noir de jais serti dans une coque de corail ? L'écho lointain des mille questions qui lui poseraient Jack, George et Bettie le rendit furieux contre lui-même. Que leur répondrait-il quand ils seraient à ses côtés ?

Le trot régulier de son cheval semblait régler le ballet incessant des papillons. La nature se donnait à lui. Et le chant des oiseaux lui rappela que c'est cette petite musique-là qui l'appelait depuis toujours. Dès qu'il eut franchi la passe de Bressay et que la dernière lumière de Lerwick se fut éteinte dans la brume du matin, le chant de la Virginie le ravissait déjà. Cette petite musique était présente, tout autour de lui, tellement envahissante, aussi puissante que les charmes dont Shakespeare avait doté Ariel et Prospero dans la **Tempête**.

Dans la ville, s'alignaient le long de Sophia Street des fûts fraîchement débarqués des Antilles et des balles de coton que l'on chargeait à bord d'un trois-mâts. Face à la Colonial Tobacco Warehouse quelques hommes, parmi lesquels on reconnaisssait les riches marchands George Weedon et Charles Yates, discutaient âprement du prix du tabac. Sous bonne garde, des caisses d'armes frappées du sceau de la Manufacture de Fredericksburg attendaient d'être montées à bord du **State of Emergency**, brick réquisitionné par la milice et rebaptisé pour l'occasion, avant de mettre le cap sur le New Jersey.

Un homme de chez Glassel lui remit la lettre d'Ann. Ecornée, salie, froissée, elle n'en était pas moins un présent du ciel.

Il trouva un mât allongé sur le quai, à l'écart de l'agitation, où il s'assit pour lire.

"Mon Cher John,

J'ai eu en mains ta dernière lettre datée du 2 Février 1775 en janvier 1776 et ai lu avec beaucoup de bonheur que ta vie sur la plantation de Belvidera se poursuivait sous les meilleurs auspices. Je remercie le Seigneur de t'avoir placé dans une famille aussi hospitalière. Nous aurons tellement de plaisir à rencontrer ces gens de bien quand il plaira au ciel de nous réunir. Mon frère James Craigie est d'accord pour nous aider à financer notre traversée, dès que les événements qui opposent les colonies d'Amérique et la couronne d'Angleterre toucheront à leur terme. Peut-être au début de l'année prochaine, si Dieu Tout Puissant le veut. Tu seras heureux de voir nos enfants grands et forts. Jack te remplace de plus en plus et est pour moi d'un secours inestimable. Il lit beaucoup avec notre pasteur qui lui demande même de lire à l'église. George a fort heureusement pris Jack en exemple et suit ses pas avec bonheur. Notre petite Bettie se fait jolie et dévouée aux tâches ménagères. Elle me parle souvent de la joie qu'elle aura à retrouver son père... Je t'enverrai une autre lettre te disant la même chose dans un mois au cas où celle-ci ne te parviendrait pas.

Ta tendre et chère Ann, que tu appelles, pour son bonheur, ta "précieuse".

Lerwick, le 4 Avril 1776

Ann Harrower".

Ce n'étaient pas les églises qui, en ce dimanche matin, attiraient la foule. John fut en effet surpris de découvrir un attroupement impressionnant agglutiné au pied de la galerie de la "Rising Sun Tavern".

"On dit que le Général Washington est ici", fit un planteur. "Non, c'est Patrick Henry", dit un autre.

Le Shetlandais eut quelque mal à se frayer un passage et à s'approcher de la porte lorsque, sur le seuil, il aperçut John Edge, son élève sourd et muet. De joie, ce dernier attrapa son maître par les épaules et l'attira énergiquement à lui, ce qui lui permit de gagner quelques pas.

—Je suis heureux de te voir, John. Alors, c'est Patrick Henry ou George Washington que l'on accueille ici ?

De la tête, le jeune homme fit des signes de dénégation désespérés. Levant sa main au-dessus des têtes, il écrivit dans le ciel les lettres J.E.F.

—Compris. Jefferson ?

Le large sourire de John Edge indiquait que son maître avait deviné. Il lui prit la main, la serra fermement et lui montra qu'il devait s'approcher de la taverne.

—Mon Dieu ! Quelle force mon brave John ! Tu es devenu un sacré gaillard en quelques mois !

John s'essuya du revers de la manche. Il ruisselait. Dans la foule bruyante on lui indiqua que l'homme respecté de Monticello, venu de sa résidence du comté d'Albermale, s'était retiré à l'étage dans une pièce mansardée. Comme il manifestait quelque étonnement, Bettie Bridgewater le rassura.

—Mais non, le Shetlandais, il n'est pas occupé à ce que tu penses ! Mr Jefferson travaille. Crois bien cependant qu'il est bel homme et que je ne me ferais pas prier pour lui faire les yeux doux ! D'autant plus qu'il est riche...

En son for intérieur, John se dit que la petite Londonienne de peu de vertu ne serait sûrement pas mal reçue à l'étage ! Lui revint en effet en mémoire une histoire gaillarde racontée par le colonel Daingerfield à propos de Thomas Jefferson.

Sur ces entrefaites, il aperçut Kennedy. Il s'en approcha et se saisit d'un tabouret pour s'asseoir à côté de lui. Ce dernier jouait aux dés sur une pierre plate avec un serviteur du comté de Culpeper.

—Tu sais, Alexander ? Bettie n'a pas encore bien jaugé ce Thomas Jefferson...

—Laisse-nous jouer, fit Kennedy, en écrasant le gobelet sur la table d'un coup de poing.

Les dés roulèrent et le Shetlandais attendit qu'ils s'immobilisent avant de reprendre :

—Je commande trois flips, mais à condition que vous écoutiez mon histoire.

—Oh! la, la! Quand je pense qu'au début, sur le **Planter**, tu n'ouvrais pas le bec! J'ai l'impression que depuis que tu fréquentes les Daingerfield et que tu portes des boutons de manchettes en argent gravées à tes initiales, tu sors du rang! Et tu causes!

—Ne te moque pas de moi, cervelle percée!

D'un coup au creux de l'estomac, John fit taire son ami.

—Savez-vous que ce Monsieur Jefferson débordait d'affection pour une certaine Mrs Walker... Ben, ça arrive non? Pourquoi pas lui? Notre général en chef George Washington a bien aimé une Sally Fairfax, à ce que l'on raconte du côté de Mount Vernon. On a bien des faiblesses, nous! Alors, nos grands hommes, ce sont avant tout des hommes, non?

—Pourquoi? Tu as des faiblesses, toi? Alors? s'impatienta l'homme du Culpeper, qu'est-ce qu'il lui fait à cette Mrs Walker?

—Qu'est-ce qu'il aurait bien voulu lui faire, tu veux dire? Un jour que Thomas Jefferson et les époux Walker ont passé une nuit chez un colonel de la Milice — non! non! cela ne s'est pas passé à Belvidera, je vous le jure! — Thomas attendit que les dames se retirent dans leurs chambres. Il prétexta un terrible mal de tête, comme celui que je tiens depuis deux jours, et abandonna les hommes autour des tables de jeux. Il se rendit dans la chambre où se trouvait Mrs Walker... Imaginez qu'elle était en train de se déshabiller quand, soudain, elle aperçut Jefferson. Elle hurla, si bien qu'il n'eut rien le temps de dire et qu'il déguerpit...

—La salope! fit le joueur de dés.

—Oui, heureusement que toutes les femmes ne sont pas comme cette Mrs Walker, renchérit Kennedy. Ce serait bien trop triste! Hein, Bettie que les hommes, ça ne te fait pas peur?

—Pour sûr que non! C'est encore la seule marchandise qui vous rapporte du profit dans ces foutues colonies!

—Le voilà!

John attrapa ses amis par la manche et désigna la taverne. Accompagné de deux autres hommes, le Virginien s'appuya à la barrière de la galerie. Il paraissait immense. Dans la pénombre, ses cheveux roux coiffés avec distinction prenaient une teinte cuivrée. Accueilli par des hourras, des sifflets d'admiration et des battements de timbales, il remercia d'un sourire gêné et demanda le silence. Son menton carré et sa mâchoire forte lui conféraient une dignité d'homme d'Etat tandis que ses yeux gris-bleus souriants teintaient son visage de douceur.

Sur un ton modéré mais ferme, il prenait soin de détacher chaque mot important et de le répéter à l'envi afin de connaître, en orateur averti, les réactions de son auditoire. Il commença par s'excuser de devoir parler des affaires des colonies alors qu'en une aussi agréable demeure, il aurait préféré contempler les jolies filles de Fredericksburg, raconter l'**Opéra des Gueux** qu'il avait vu jouer à Williamsburg par la Virginia Company of Comedians, ou dire son émotion lorsqu'il entendit à Philadelphie un quatuor sublime, composé par un jeune prodige autrichien du nom de Mozart. Même s'il reconnut que la musique et les livres habitaient ses rêves, en la circonstance, la cause patriotique l'obligeait à d'autres propos.

Il rappela le pas décisif franchi le 15 Mai 1776 par la Convention de Virginie qui vota l'Indépendance et désigna un comité auquel il appartenait pour préparer une déclaration des Droits et élaborer un plan de gouvernement. Dans un silence tendu, il expliqua comment le 7 juin les délégués de Virginie avaient une nouvelle fois poussé les Colonies à s'unir pour l'Indépendance, pour très vite renoncer à toute allégeance à la couronne britannique.

—... Toutes nos colonies, regretta-t-il, n'ont pas encore atteint la maturité de la Virginie. Tous nos compatriotes ne sont pas encore convaincus, l'âme chevillée au corps, que notre cause est la bonne, devant Dieu et devant les hommes. Je pense à nos frères de sang du Delaware, de Philadelphie ou de New York. J'entends votre condamnation... Non ! Ne les couvrons pas d'opprobre. Nous devons vaincre dans l'unité de l'Amérique. Tel est notre destin. Dès mon arrivée à Philadelphie je vous représenterai au sein d'un comité, aux côtés de John Adams et du Docteur Franklin. Et là, je dirai ce que nous voulons, nous Virginiens. J'assénerai quelques vérités qui vont de soi et guideront notre combat : tous les hommes ne sont-ils pas nés égaux ? Le Créateur ne nous a-t-il pas dotés de droits inaliénables parmi lesquels je compte la vie et la liberté ? Voilà ce que je dirai... J'ai la conviction que tous les hommes de bonne volonté ne peuvent que nous suivre. N'est-ce pas votre avis ?

Du regard, il interrogea l'assistance. Tous acquiescèrent d'un hochement de tête, comme s'ils étaient recueillis à l'église. Le sage de Monticello descendit les cinq marches de la galerie qui le séparaient encore de la foule compacte des Virginiens. On l'acclama, et sur ces quelques yards qu'il eut à franchir avant de retrouver son cheval, une haie d'honneur se constitua spontanément.

La lumière du soleil filtrait à travers les feuillages immobiles. Alors que John suivait la marche lente de Jefferson, il aperçut, tassée au pied de la galerie, hirsute, dérisoire mécanique désarticulée, la carcasse malingre de Hands-Wilde.

— Mon Dieu, fit-il, cette canaille !

Alexander Kennedy fronça les sourcils.

— Pas de bagarre ici, tu m'entends, John ?

Le Shetlandais se leva. Il était sûr que le voleur du Yorkshire ne l'avait pas vu. A la manière d'un félin, oubliant ce mal de tête qui lui serrait les tempes comme un étau, il traversa la foule en prenant soin de ne jamais se trouver éclairé par un rai de lumière. Les hommes avaient repris leurs jeux de cartes et de dés. Les filles apportaient à boire. Bières, flips et purles coulaient à flot.

Hands-Wilde jouait aux dés avec un grand gaillard à la face rougeaude. Tels des pantins, ils s'écroulaient à tour de rôle sur un tonneau imbibé d'alcool en même temps que leurs dés roulaient au milieu de vociférations obscènes.

John évita la ruade d'un cheval que la foule avait rendu nerveux et se piqua droit derrière le gringalet. Le maître d'école gonfla le torse comme s'il craignait que la fièvre n'offrît de lui une allure trop affaiblie. De ses doigts de cadavre, Hands-Wilde tripotait une montre. "Tiens, mais c'est celle de Lord Panmuir !" se dit John. Des gouttes de sueur coulaient dans ses yeux et l'obligeaient à cligner en permanence. Il avait le regard trouble. Un frisson lui parcourut l'échine. L'autre joueur qui faisait face au Shetlandais le remarqua enfin.

— Qu'est-ce qu'il a ce "Peau de Daim" à nous regarder comme ça ?

— Je suis Ecossais, rétorqua sobrement Harrower.

Ces quelques mots avaient suffi. Ils firent l'effet d'une baïonnette que l'on vous enfonce dans le dos. Bien sûr, c'était la voix du Shetlandais ! Hands-Wilde l'avait aussitôt reconnue. En même temps qu'il se retourna doucement comme une marionnette sur son socle mécanique, il s'aplatit encore plus. Quelle consternation que de voir ainsi ce détrousseur de grands personnages dont il ne restait plus rien que deux yeux glauques terrorisés qui imploraient la clémence ! Il se fit suppliant.

— Non ! Je vous demande grâce, dit-il haletant... Ne me jetez plus dans le Rappahannock. Tenez, je vous la donne, la montre de Lord Panmuir si c'est ce que vous voulez. Mais je vous préviens, elle ne vaut que pour son or car elle ne marche pas. Elle n'a jamais marché d'ailleurs. Depuis le premier jour. Elle marque toujours cinq heures vingt, Monsieur Harrower !

L'homme cherchait à dégrafer nerveusement la chaîne de sa boutonnière. Ses doigts fébriles s'agitaient sur un maillon récalcitrant.

— Je ne veux pas de ta montre, espèce de langoustine !

— J'ai coupé mes ongles, Mr Harrower. Regardez.

— Ha, ha ! une langoustine sans pinces, ça ne ressemble à rien ! Je n'en veux pas de ta montre. Tu t'en vas et je ne veux plus jamais te voir dans ce pays. Tu vois, une langoustine, on n'a même pas envie de la rejeter à l'eau. Ou on la bouffe ou on la laisse sur le quai. Comme j'ai vieilli, je te jette comme une pourriture.

Hands-Wilde ne demanda pas son reste. Il courba l'échine et s'éclipsa. Dans sa brusquerie, il laissa tomber la montre qui roula dans la poussière. Un homme se précipita pour la ramasser et la tendit au-dessus des têtes où elle se balançait au bout de sa chaîne, dans un mouvement de pendule.

— Elle est à qui ?

— Elle est à toi, "Peau de Daim". Elle est à personne, alors elle est à toi, fit John. N'est-ce pas un beau jour ?

— Ah ! ça oui ! Ah ! ça alors... C'est bien la première fois que le Ciel m'envoie quelque chose ! Merci, Seigneur.

— Remercie-moi plutôt ! ricana le Shetlandais.

Lorsque Thomas Jefferson eut rejoint Philadelphie après avoir quitté la "Rising Sun Tavern", le sort des treize colonies se scella très vite. Le sage de Monticello avait retrouvé comme convenu les membres du comité que les représentants de chaque colonie avaient chargé d'élaborer la Déclaration d'Indépendance, véritable acte de naissance des Etats-Unis d'Amérique. Le représentant de la Virginie avait tenu la plume en s'efforçant d'harmoniser des tempéraments et des positions parfois fort éloignés. Sa fougue d'homme du sud avait fini par rallier les plus sceptiques du Delaware ou de Pennsylvanie. Son style flamboyant avait eu raison des esprits tatillons qui demandaient que l'on raturât une expression, que l'on changeât un mot ou que l'on ajoutât une clause nouvelle. Homme jeune, volontaire mais patient, il s'était exécuté tout en s'arc-boutant toujours à ce qu'il jugeait essentiel comme fondement de la nation nouvelle : "la vie, la liberté et la recherche du bonheur". Il gardait en tête la mélodie, quitte à composer, le cas échéant, avec l'accompagnement proposé par un délégué du Maine ou du New Jersey.

Le Virginien avait traversé l'épreuve avec succès sous l'œil goguenard du vieux Dr. Franklin qui, une fois la Déclaration d'Indépendance rédigée, se permit, en vieux renard de la chose publique, un commentaire sentencieux.

— Mon cher ami, fit-il doctement devant un parterre de délégués, ne te propose plus jamais d'écrire un texte si tu sais qu'il doit être soumis à l'approbation d'une foule de personnes. Laisse-moi te dire qui m'a appris ceci. C'était il y a très longtemps lorsque j'étais apprenti imprimeur à Boston... Oui, il y a ma foi fort longtemps. Un de mes amis de l'époque, un chapelier du nom de John Thompson, s'était mis dans l'idée d'ouvrir une boutique et voulait accrocher à sa devanture une belle enseigne. Il composa le texte : "John Thompson, chapelier, fabrique et vend des chapeaux payables comptant", une inscription qu'il surmontait du dessin d'un chapeau. Fier de sa trouvaille, il réunit un groupe d'amis et leur soumet le projet. Quelle erreur ! Chacun y va de sa remarque. Le premier lui dit que le mot "chapelier" est de trop. Pourquoi mettre ce mot en effet puisque l'on dit plus loin que John Thompson "fabrique et vend des chapeaux" ? Un deuxième explique que le mot "fabrique" ne sert à rien. Quel client se soucierait de savoir qui fabrique les chapeaux ? Ce qui compte, c'est qu'ils soient de qualité ! Un troisième homme remarque qu'il n'est pas d'usage de vendre à crédit... Alors pourquoi indiquer que les chapeaux sont "payables comptant" ? Un dernier raye d'autorité le mot "vend" et, se tournant vers Thompson, lance, ironique : "tu ne comptes pas en faire cadeau, je suppose ?" Il ne restait plus à mon Thompson dépité que de supprimer de lui-même le mot "chapeaux" et de conclure un rien laconique : "le dessin suffira"...

Le Dr. Franklin, heureux de l'effet produit, se tourna alors malicieusement vers Thomas Jefferson :

— Ainsi, vois-tu, mon cher Thomas, l'enseigne de ce brave Thompson se trouva réduite à un seul nom et à un simple dessin... Eh bien, j'ai longtemps cru que de ton texte fort bien tourné, il ne resterait plus que le titre et nos signatures !

Le quatre juillet, la Déclaration d'Indépendance était donc approuvée. Qu'il fallût six journées pour que la nouvelle parcourût les deux cents miles qui séparent Fredericksburg de Philadelphie ne surprit personne. Quatre journées harassantes de débat enflammés et de crises larvées avaient bien été nécessaires pour en arriver à un résultat aussi éclatant ! A l'échelle de l'histoire du Nouveau Monde, c'était finalement bien peu...

28

Sur le Rappahannock serein et lumineux glissait une longue barque sombre. Il ne devait pas être loin de midi en ce jeudi 11 Juillet 1776 puisque le soleil, boule blanche et aveuglante aux contours estompés, brillait au zénith. Fort heureusement, une légère brise atlantique tempérait la chaleur accablante de l'été et amenait de l'océan un ciel moutonné. Malgré tout, Belvidera vivait une de ses torpeurs estivales chargées d'humidité, à une heure où maîtres, serviteurs et esclaves se retirent derrière les murs blancs de la Grande Maison, à l'ombre des tilleuls, dont le frêle feuillage balaie le ciel, ou au pied des baraques qui exhalent, du côté du quartier des Nègres, un parfum de bois chaud. On s'arrête le temps d'une courte sieste avant de repartir, l'échine courbée, dans les champs de maïs.

L'embarcation à fond plat sur laquelle deux hommes avaient pris place accosta. Elle ballotta légèrement derrière des rameaux de magnolia en fleurs puis l'étrave grinça sur la rive sablonneuse. "Holà! entendit-on, comme s'il s'était agi d'arrêter un cheval. Une rame se posa sur l'herbe humide telle un long bras pour éviter que le courant n'éloigne la barque de la rive... On attendit qu'une goëlette, halée par des Nègres suants, fût passée, de manière à ce que le fleuve retrouve son calme. Puis un homme sauta hors de la barque. Son pied gauche accrocha le bord de l'embarcation, il trébucha et sa galoche claqua dans l'eau. D'un juron, il se sortit d'affaire et à cloche-pied regagna la berge tandis que son compagnon, s'étouffant d'un éclat de rire, reprenait déjà son voyage.

Anthony Frazer descendait de Fredericksburg.

La veille au soir, à peine le ciel s'était-il illuminé de myriades d'étoiles et de traînées laiteuses, que l'on vit du côté de la ville des éclairs et des gerbes de feu, juste avant que le son du canon et les cloches n'orchestrent la nuit.

— Tony, va voir ce qui se passe en ville, avait commandé le colonel. Harrower ne peut y aller à cause de sa mauvaise fièvre. Il ne va pas bien... Je suis curieux de savoir ce qui se passe : soit on vient d'apprendre la mort du roi, soit nos troupes viennent de jeter les Anglais à la mer !

— Je crois que tu rêves... avait laconiquement lâché Sarah.

— Vous savez bien que la mort tient sa cour dans le cercle creux de la couronne du roi.

— Encore Shakespeare, je suppose ? Eh bien, sache que la mort rôde aussi sur la plantation, William.

— Pourquoi dis-tu cela, Sarah ? John ?

— J'ai peur, William. John va mourir. Il ne peut plus se lever. La fièvre...

— Le roi n'est pas encore mort, colonel, reprit Frazer, qui souhaitait ostensiblement changer de sujet.

— La course des astres nous est enfin favorable. Les feux d'artifice pourraient bien annoncer que la couronne du roi George vole en éclats ! Cela te ferait plaisir, n'est-ce pas, Sarah !

— Pas à toi ?

— Si, si, bien sûr...

Le régisseur n'était pas homme expansif mais, lorsqu'à son retour il entra dans la Grande Maison, sa voix sourde qui se voulait claironnante était cassée. Sans doute payait-il les effets d'une nuit de cris et de chansons bien arrosés ! Il dérangea le silence pesant. Les mouches, lourdes et noires, pirouettaient dans le salon où Sarah se balançait sur son rocking-chair. Ce mouvement d'avant en arrière accompagnait le va-et-vient cadencé des aiguilles de son tricot. Aucune précipitation dans ce geste séculaire mille fois vu. Seul le déroulement du peloton de laine témoignait d'un travail régulier. Une maille s'ajoutait à une autre à la manière des jours qui se suivent pour faire avancer la vie. Elle essayait d'oublier que la mort hantait l'école.

Parfois, lorsqu'une mouche se posait sur sa main, elle l'obligeait à fuir d'un brusque mouvement d'agacement. Le bourdonnement désordonné reprenait ; c'était là le seul accroc à la pesanteur liquide de ce jour d'été. Du moins, jusqu'à la venue de Frazer.

— Alors Tony ?

— La ville est en ébullition, Madame !

— Les "redcoats" sont là ?

— Oh non ! Bien au contraire... Dans toutes les colonies, les cloches sonnent à toute volée pour fêter l'Indépendance. Les délégués ont signé à Philadelphie le 4 Juillet. Nous sommes libres ! ah ! quelle nuit j'ai passée !

— Je vous crois, si j'en juge de par ce que nous avons entendu toute la nuit...

Hirsute, le colonel apparut par l'entrebâillement de la double porte du salon. Il était évident qu'il avait été réveillé en sursaut au plus profond de sa sieste ; quelques secondes lui furent nécessaires pour se rendre compte de la situation. Il s'informa auprès de Frazer sur l'état des troupes de la milice.

— ... Je peux vous assurer, colonel, que tout le monde était bien trop occupé à danser et chanter pour se soucier de la Milice.

— Notre premier devoir est d'endosser l'uniforme américain et de nous préparer au combat, reprit-il.

Sur ces entrefaites, Edwin avait à son tour fait irruption dans la pièce. Il se précipita vers sa mère qui ne dissimulait pas sa joie. Elle exultait.

— Prépare-toi, mon Edwin, dit-elle en lui prenant la tête entre les mains. Bientôt, tu rejoindras ton oncle Philip et à ton tour tu te battras pour la Liberté. Nos Etats-Unis d'Amérique auront besoin de toi. Et tu reviendras à Belvidera en vainqueur.

— Il n'a que dix ans, Sarah ! Ne lui mets pas de pareilles inepties en tête. Qu'il commence par recevoir une bonne éducation ! Nous verrons bien après. Je l'enverrai en Angleterre où il apprendra à lire l'anglais et le latin et où on lui inculquera mieux qu'ailleurs une discipline de fer. Il fera comme moi. Pour l'heure, la guerre, c'est mon affaire.

— L'envoyer en Angleterre ? Ah non ! explosa Sarah. Oublies-tu que nous sommes en guerre contre l'Angleterre ? Il ira à "William and Mary", en vrai patriote.

Bathurst avait rejoint l'assemblée. Pieds nus, le visage maculé de boue, la chemise en haillons qui sortait d'un pantalon de velours lui-même crotté, il observait la scène. Il avait entraîné Trollamog de l'autre côté du fleuve pour débusquer les lièvres dans les taillis et, lorsque la barque de Frazer s'était présentée au ponton, il avait sauté sur une barge pour regagner la Grande Maison au plus vite, laissant son frère, hurlant, prisonnier de la rive.

— Père, pourrai-je avec votre autorisation, me servir de mousquets de cinq ? fit Edwin important.

Bathurst intervint :

—Si tu étais venu avec nous à la Manufacture avec John, tu saurais que ce sont des mousquets de dix qu'il faut utiliser, imbécile !

L'ironie de son frère cadet le blessa. Edwin, furieux, se jeta sur lui. Les deux garçons roulèrent sur le sol. Coups de pieds et coups de poings volèrent jusqu'à ce que Frazer et le colonel parviennent à les séparer. Plantés à quelques pas l'un de l'autre, maintenus à distance par la poigne ferme du régisseur, cherchant leur souffle, les deux garçons se fixaient d'un œil mauvais qui en disait long sur cette haine qui les poursuivrait toute leur existence. Il semblait qu'ils n'étaient nés que pour en découdre et que les circonstances de la vie, aussi bien que leur entourage, les pousseraient inévitablement à des combats fratricides.

Le colonel attendit que la tension retombât pour s'adresser au régisseur.

—Il faut que je te dise quelque chose qui ne te plongera pas dans la joie, Tony. La mère de Lucy est venue la chercher ce matin. Elle souhaitait s'en aller et elle cherche à se placer sur une autre plantation. Tu as toi aussi laissé entendre que tu ne demeurerais pas éternellement à Belvidera, il faut que tu me dises quelles sont tes intentions. J'ai besoin de savoir... parce qu'avec le Shetlandais qui s'en va, il est temps que je pense à Belvidera !

Sarah ne laissa pas le temps à Frazer de répondre. Elle était déjà debout à ses côtés, ne se souciant aucunement que dans la brusquerie de son mouvement, elle avait envoyé à terre son tricot.

—Vous avez fait souffrir une femme, Frazer, et ce n'est pas bien. Vous savez que Lucy est partie précipitamment parce que vous l'avez rejetée. Pourtant, j'aurais tant voulu la retenir... Non, Frazer, ce n'est pas bien. Il ne faut pas jouer avec les sentiments d'une jeune femme qui vous aime...

Le régisseur ne devait pas s'attendre à pareil affront. Il afficha soudain un air abattu et se voulut sincère en bredouillant quelques banalités dont il ressortait qu'il acceptait de rester jusqu'aux prochaines semailles et que, de toutes manières, il garderait de Lucy le meilleur souvenir. Il prétendit sans conviction que les torts étaient partagés et que si lui-même voulait bien volontiers prendre sa part, l'attitude équivoque de Lucy n'avait fait que tendre davantage leurs relations.

L'ombre du repentir quitta néanmoins très vite son visage. On n'y lut plus ni joie ni peine. C'est tout juste si l'indifférence dessina une moue inattendue à la commissure de ses lèvres et si un imperceptible embarras traversa son regard clair.

A cette heure du jour, la pétillante Ganzara passait d'ordinaire son temps à rire avec ses amis ou à courir à travers champs, de l'école aux baraques; il lui arrivait aussi de jouer à cache-cache avec sa sœur aînée Caroline sur les rives escarpées du fleuve où elle entraînait Bathurst, Edwin, ou Trollamog et ce n'était pas rare que l'une de ces parties échevelées se terminât par un plongeon dans les eaux du Rappahannock au terme d'une glissade involontaire! En quelques occasions cependant, sa mère, Patty, lui demandait d'aller cueillir des baies rouges le long des chemins ou de ramener de l'eau du puits.

En ce jour de juillet, si on l'avait cherchée, on aurait eu quelque mal à la trouver. Non qu'elle voulût cacher une quelconque sottise ou qu'elle cherchât à échapper à une corvée sous le soleil de plomb, mais tout simplement parce que son maître d'école lui avait confié une importante mission.

Bathurst l'avait rencontrée dans la matinée au sortir de l'école et l'avait trouvée fort excitée.

—Tu viens avec nous à Snow Creek? avait demandé le garçon. On va construire un radeau.

—Un radeau? Ça m'int'resse. On pourra aller d' l'aut' côté du Rappahannock avec?

—Il faut le temps de le construire d'abord!

—Alors, ça n' m'int'resse pas vot' radeau.

—Mais qu'est-ce que tu as à la main?

—Un s'cret.

—Un secret?

Et Bathurst s'était jeté sur la petite Négresse qui protégeait des cahiers serrés contre elle. Agile comme les anguilles de la légende shet-landaise, elle s'était vite dégagée et avait pris ses jambes à son cou en direction du champ de maïs où il était tellement aisé de se dissimuler, à travers les épis hauts de plus de huit pieds.

—Je t'aurai, je t'aurai, hurlait de loin un Bathurst fou de s'être fait ridiculiser.

Appelée dès le matin à l'école, la petite Ganzara s'était frayé un passage au milieu d'une quinzaine de moutons qui bêlaient à l'entrée de la maison de bois. Puis, le maître d'école, allongé sur son lit de souffrances, avait dicté deux textes qu'il lui avait demandé de recopier avec la plus grande application mais aussi la plus vigilante des discrétions. Il s'y était repris en plusieurs fois, soit que la fièvre l'obligeait à reprendre son souffle, soit qu'il s'emportait contre les bêlements intempestifs des brebis et des moutons qui couvraient sa voix affaiblie.

Ecrits sur des carrés de papier d'une main peu sûre, ces messages furent repliés soigneusement et, jusqu'à ce que Bathrust la dérangeât dans ses plans, elle avait imaginé de traverser le fleuve pour trouver un refuge discret.

Mais l'attaque de Bathurst lui fut salutaire car ses qualités de navigatrice n'avaient guère été éprouvées jusqu'alors. A la réflexion, elle se rendit compte qu'il était plus prudent de rester sur la terre ferme... Elle imagina que la barque, emportée par le courant, aurait pu dériver et couler. Que serait-il alors advenu du brouillon sacré qu'elle protégeait de son mieux et du **New England Primer** que John lui avait offert en guise de récompense et qu'elle avait glissé dans son corsage? La seule pensée d'un tel malheur la fit tressaillir.

Il était bien préférable de se retrouver dans le labyrinthe des épis de maïs bruns et cassants, jouant entre l'ombre et la lumière, enjambant les ruisselets nécessaires à l'irrigation. Elle ne s'approcha de la lisière du champ qu'une seule fois pour récupérer un galet plat qui lui servirait d'écritoire. Et encore fut-elle assez prudente pour se diriger vers l'ouest, c'est-à-dire du côté opposé à la Grande Maison.

Dans cette forêt de tiges hautes dont les têtes retombaient comme des palmes au-dessus de sa tête, Ganzara se trouvait bien. C'est à peine si elle fut dérangée par un mulot qui frôla les tiges, le froufrou d'un lézard réveillé dans sa sieste ou le battement d'ailes de libellules émeraude.

Au loin, par-delà ces colonnades cannelées, la campagne de Virginie somnolait à l'ombre chaude de ses vallonnements tandis que les montagnes Shenandoah ourlaient l'horizon d'une longue muraille rassurante. Tout près, sur la boucle du Rappahannock, la barque dolente que Ganzara n'avait osé emprunter mesurait le temps, un temps immobile; elle ballottait au rythme des rides du fleuve. A ses oreilles, précis, grave et important, lui revenait l'écho caverneux des paroles du maître. Elle n'en avait rien oublié. Elle revoyait ses lèvres blanches murmurer dans l'obscurité de l'école, semblable à une chapelle, des mots légers comme des ailes de papillons qui viendraient en une nuée se mêler les uns aux autres. Comme un voile diaphane, chaud et soyeux, qui l'envelopperait et la protégerait de son monde. Cette caresse voluptueuse pouvait-elle se comparer à ce que ressent une femme pendant l'amour? Elle n'osait espérer qu'un jour elle serait femme... Comme Caroline qui lui disait : "C' la vendra plus tôt qu' tu crois".

Lui revenaient aussi ces phrases lues par John dans la **Virginia Gazette** : "L'Amérique deviendra une femme adulte mais avant il faudra que le sang coule..." Mots prometteurs. Il fallait attendre... Et cette attente se peuplait des délices offerts par les légendes shetlandaises, les saintes histoires de la Bible et le catéchisme du **New England Primer** appris par cœur. Quelle joie de goûter à ces mots merveilleux... tantôt dits, tantôt écrits !

Elle s'appliqua pour retranscrire la lettre.

"Ma chère Ann, Ma précieuse,

J'ai bien reçu ta lettre et je m'empresse d'y répondre. Une mauvaise fièvre m'a abattu et tu dois très vite prendre ta décision de me rejoindre avec nos peeries, ici, en Virginie. Je prie le Seigneur, et vous demande d'en faire autant, pour que le conflit désastreux qui oppose Britanniques et Américains se termine au plus vite. Partez à l'automne avant les froids. N'attendez pas le printemps. Le moment est enfin proche où le Seigneur nous permettra de nous retrouver. J'ai mis à cet effet soixante-dix livres de côté que je vous envoie par ce courrier afin de payer votre passage. Je prie Dieu que James Craigie vous apporte aussi aide et réconfort et le remercie comme un Frère.

Ton mari bien aimé, John Harrower".

Sur la lettre repliée, elle écrivit : "Mrs Harrower, Twagoes, par Lerwick, Iles Shetland, aux bons soins de John Glassel, marchand à Fredericksburg". Puis elle se mit aussitôt au journal :

"Mercredi 10

... Avons entendu tirer le canon du côté de la ville. Vers minuit le colonel a envoyé Anthony Frazer pour savoir ce qui se passait. Il est revenu et l'a informé qu'il y avait de grandes réjouissances en ville : le Congrès a déclaré les treize Colonies Unies d'Amérique du Nord indépendantes de la Couronne de Grande-Bretagne.

Jeudi 11

Rien à signaler."(11)

Lorsqu'elle eut fini, Ganzara se rappela ce moment douloureux quand elle avait levé de grands yeux étonnés vers le visage malade d'Onc' John. Des gouttes de sueur glissaient. Et peut-être même des larmes. Elle lui avait demandé :

—C'est tout, Onc' John ?

—Porte vite ces deux lettres, je te dis. Vite ! Vite ! avait-il répondu.

— Dis, tu n'vas pas mou'ir Onc' John ?

Et il avait tourné la tête sur le côté.

Le retour des travailleurs éveilla l'attention de la petite fille. Elle les entendit monter un à un à l'assaut des champs. Leurs chants couvraient celui des oiseaux et des cigales. En bas, sur l'allée plantée qui mène à l'école, elle vit courir Edwin, Bathurst et Hannah Bassett. Les deux frères montaient aux arbres sous l'œil envieux de leur sœur qui hurlait de rage.

Puis le colonel et Jacob se retrouvèrent près de l'écurie où l'on scella le cheval blanc. William Daingerfield avait revêtu son uniforme de la milice et s'apprêtait à quitter la plantation. Il faudrait vite détaler pour lui confier la lettre adressée à Ann Harrower. Il la porterait au marchand Glassel. Sans nul doute, les combats patriotiques l'appelaient-ils ; le récit d'Anthony Frazer avait dû exciter sa curiosité. N'était-il pas finalement plus courageux qu'on le disait, plus aventurier que ne le pensait son épouse ? Ganzara n'avait plus le temps de réfléchir...

La porte de l'école restait entrouverte. Dans le matin, on avait vu Caroline aller et venir, quelques fruits et des galettes de maïs à la main. Maintenant, c'est Sarah qui passait non loin de la porte. Il sembla à Ganzara qu'elle ralentit son pas lorsqu'elle fut près du trou noir de la porte, qu'elle marqua presque un arrêt avant de prononcer quelques mots qui se perdirent dans l'air blanc. Ganzara regretta de ne pas avoir déjà rejoint les baraques. Elle aurait tant aimé surprendre ce qui se disait.

Vite ! Il fallait rejoindre la Grande Maison ! Que n'avait-elle trop attendu ! Et on la vit fendre à toutes jambes la forêt d'épis qui la dépassaient de deux pieds, son panier heurtant violemment au passage les tiges rigides. Alors que ses souliers usés laissaient à chaque pas une empreinte imperceptible sur la poussière ocre des champs, elle pensait très fort au petit livre que son maître lui avait offert. Elle n'aurait jamais pensé qu'on pût être aussi heureuse. Son visage s'illuminait. Mais elle pensait aussi à la maladie de John et à la pensée de ne plus le revoir, son visage se fermait.

Le **New England Primer,** que le maître avait si longtemps tenu dans ses mains, était désormais à elle.

— Tu en prendras soin, n'est-ce pas Ganzara ? lui avait recommandé John. C'est ce livre qui te rendra libre dans ta tête. Tu sais, si l'on fête aujourd'hui l'Indépendance, c'est bien parce que des hommes et des femmes ont lu des livres...

Libre ? Elle ne savait pas ce que cela signifiait. Ne l'était-elle pas déjà, à courir, à jouer et à rire avec les siens ? Comment aurait-elle rêvé de liberté puisque son monde, c'était Belvidera ?

Arrivée essoufflée au bord du champ, elle s'arrêta. Les longues feuilles de maïs brunies et racornies par le soleil, soutenues par les hauts piliers droits des épis, lui donnaient l'impression de se retrouver sous la voûte de Christ Church qu'avait un jour décrite Mrs Sarah. La prairie descendait devant elle en pente douce jusqu'au Rappahannock.

Et elle se souvint de cette histoire de Moïse que racontait le maître d'école. Elle n'en avait pas compris grand chose mais la magie des mots l'avait éblouie. Plusieurs fois, elle avait redemandé à John de la lui rappeler. Si elle avait fermé les yeux très fort comme elle le faisait le soir à l'école quand le maître lisait, elle aurait vu du miel et du lait couler dans le lit du fleuve.

Mon Dieu ! Ce n'était pas le moment de rêver ! Il fallait se précipiter à l'écurie pour remettre au colonel le courrier de John. Il était grand temps... William Daingerfield avait déjà mis le pied à l'étrier.

EPILOGUE

Lettre de Ganzara

... Tantôt des voix,
Alors même que je m'éveille d'un long somme,
M'endorment à nouveau pour me montrer en songe
Dans les nuées qui s'entrebâillent, des trésors
Prêts à m'échoir, tant et si bien qu'à mon réveil
Je supplie de rêver encore.

William SHAKESPEARE
La Tempête (III.2)

29

Fredericksburg, le 12 juillet 1826

Monsieur,

Votre courrier me touche au soir de ma vie. Il réveille en moi tant de délicieux souvenirs que j'ai de la peine à expliquer pourquoi il me procure dans le même temps une douleur profonde, longue et solitaire.

Comment se fait-il que vous ayiez retrouvé ma trace ? Comment se fait-il que je sois celle vers qui vous avez tourné votre visage tourmenté par l'effroi de l'oubli ?

Tout cela me trouble et l'honneur que vous me faites me comble.

Notre monde est ainsi fait que la coïncidence de nos retrouvailles — encore épistolaires — se double du hasard d'une facétie à laquelle viennent de se livrer deux de nos plus grands hommes : Thomas Jefferson et John Adams, par leur mort simultanée, le jour anniversaire de la déclaration d'Indépendance, cinquante ans tout juste après qu'ils l'eurent signée...

Mais vous attendez autre chose de ma réponse que les futiles considérations d'une vieille femme Noire.

John Harrower ? me demandez-vous. Vous vous souvenez qu'il est mort peu avant votre naissance d'une bien vilaine fièvre. Vous auriez pu être tout pour lui comme il a été tout pour moi et je ne peux évoquer son nom sans qu'une intense émotion ne m'étreigne. Je m'étais permis de l'appeler "Onc' John" et je crois que cela lui faisait plaisir mais, et ne voyez dans cette audace aucune inconvenance, c'est "père" que j'aurais dû le nommer.

Grâce à son enseignement, j'ai pris goût à la marche du peuple américain vers la Liberté. J'ai suivi les exploits du général-en-chef George Washington. J'écoutais ce que racontait le capitaine Taliaferro, je lisais après la famille Daingerfield la **Virginia Gazette**.

Au moment de votre naissance, peu après la mort de mon précepteur, nous avons vécu dans l'angoisse les reculades des troupes patriotiques qui cédaient devant le général Howe à Long Island et à New York.

Heureusement ! Belvidera s'est enflammée à l'annonce de la victoire de Princeton... mais nos maîtres Mr William et Mrs Sarah furent très contrariés par la mort du Dr Mercer. Je me rappelle encore les mots exacts que j'entendis de la bouche du capitaine Taliaferro : "c'était l'hiver. Il faisait tellement froid. Le jour se levait. Hugh Mercer venait d'ordonner le repli à ses troupes. Ces s... de Britanniques l'ont pris pour George Washington et le sommèrent de se rendre. Il s'y refusa et tira son épée. Ils se ruèrent alors sur lui et il périt sous le feu des redcoats et les coups de baïonnettes". On a tous beaucoup pleuré ce grand patriote.

Puis arriva la victoire de Saratoga, l'une des plus belles victoires militaires de l'Histoire : lorsque Belvidera apprit que le général anglais John Burgoyne avait remis son épée à poignée d'ivoire au patriote Horatio Gates, l'espoir revint et le madère coula à flot. D'autant plus que, dans le même temps, les troupes anglaises se retiraient de Ticonderoga, dans le nord.

C'est à ce moment que la France de Louis XVI fit son entrée dans le conflit aux côtés des patriotes. Un envoyé du Congrès de Philadelphie, Jonathan Austin, débarqua à Nantes à la fin du mois de novembre 1777 et rencontra peu après Benjamin Franklin à Passy. Beaumarchais et le comte de Vergennes se firent de si brillants avocats de la cause américaine que le roi accepta le 6 février 1778 de s'engager et de ne déposer les armes qu'une fois l'indépendance définitivement acquise.

Ce concours français arriva à point nommé. Malgré son apparent détachement, Mary Washington confiait sa crainte de voir s'enliser les troupes de Washington à Valley Forge où elles passaient l'hiver dans le dénuement le plus total. Valley Forge où la France rejoignait le général-en-chef en la personne de l'un de ses plus brillants sujets, un jeune homme de dix-neuf ans, Gilbert du Motier, marquis de La Fayette, que George Washington prit en affection comme le fils que n'avait pu lui donner Martha.

A partir de Saratoga, pendant quatre ans, La Fayette, puis Rochambeau, forgèrent la victoire américaine.

Et c'est sur les rives de la Baie de Chesapeake, sur l'embouchure du fleuve York, à quelque cinquante miles au sud de Fredericksburg, que se joua la bataille décisive de Yorktown.

La flotte royale des vingt-quatre vaisseaux de l'Amiral de Grasse venant du sud, les troupes patriotiques conduites par La Fayette descendant du nord, prirent en tenailles Cornwallis et ses redcoats.

Quatre ans jour pour jour après l'anniversaire de Saratoga, le 17 octobre 1781, les Britanniques tombèrent sous le tonnerre de feu des alliés. Dès le soir, Cornwallis demanda que soient étudiées les conditions de sa reddition. Le 18 au matin, le cheval blanc du général-en-chef prit la tête des troupes victorieuses, Rochambeau et La Fayette à ses côtés. Et au son de la cornemuse, du fifre et du tambour, un à un, les trois mille soldats britanniques vinrent déposer leurs armes aux pieds des armées victorieuses.

La vaillance des patriotes l'avait enfin emporté. Et dans les jours qui suivirent, à Belvidera, à la "Rising Sun Tavern", et dans le plus petit hameau des treize colonies, on entonna le chant de la victoire :

"If summer were spring and the other way round,
Then all the world would be upside down".(12)

Vous penserez que ce récit tourne au bavardage et qu'il ne peut être que le fait d'une Négresse nostalgique... Ne m'en voulez pas : ces pages d'histoire sont connues de tous les petits Américains et vous étiez bien trop jeune pour les comprendre. Je me permets donc de vous les conter à ma manière. Vous me dites que vous gardez de cette époque des images du Rappahannock, de la Grande Maison, de l'école et de soldats campant à Snow Creek. Eh bien, voyez-vous, ces soldats, c'étaient les nôtres, ceux qui forgeaient notre destin.

C'est l'année après Yorktown que votre mère, Mrs Sarah, et le colonel ont décidé de vous confier à une institution britannique.

Je crains d'ailleurs que Belvidera ne vous ait pas survécu. Que cette pensée soit le réconfort de votre vieil âge et qu'elle cicatrise les plaies si vives dont vous me faites part !

Le colonel Daingerfield s'est donné la mort en 1783, l'année de notre constitution américaine. Cela a été horrible. On le retrouva égorgé à New Castle, sur le fleuve Pamumkey, dans le comté de Hanovre en Virginie.

Votre maman a ensuite vécu heureuse. Vous me dites qu'elle vous a écrit quelques lettres fort affectueuses. Sachez qu'il ne s'est pas passé une seule journée sans qu'elle n'envisageât votre retour à Belvidera ou un éventuel voyage en Angleterre. L'argent, les circonstances, sa santé l'en empêchèrent... sûrement pas l'amour qu'elle vous a porté.

Pour répondre plus précisément à votre question, c'est en 1796 qu'elle est décédée. C'est à ce moment que j'ai quitté Belvidera. Une sorte de connivence nous unissait. Je savais les sentiments qu'elle avait éprouvés pour Mr Harrower, elle savait la tendresse qu'il avait pour moi. Après sa mort, qu'aurais-je fait à Belvidera ? Votre maman a tout légué à Mr Edwin. Pouvait-il en être autrement ? Et j'ai rejoint le service de Mr Bathurst pour peu de temps... car il est devenu commandant de navire et s'est marié à une certaine Eliza Key à Liverpool. Depuis l'année 1800, il commande le port d'Alexandria, près de notre capitale fédérale Washington. Sa santé serait, m'a-t-on dit, précaire.

Le troisième fils du colonel et de Mrs Sarah, William Allen, fit de brillantes études de médecine à Paris puis à Edimbourg. Il s'installa à son retour, en 1806, dans le Maryland où il a emboîté le pas de son père, en devenant colonel de la milice. Le pauvre homme est mort le 10 octobre 1821.

Quant à Hannah Bassett, la jolie jeune fille qu'elle est devenue, eut la chance d'épouser le riche Samuel Moseley, fils d'une grande famille du comté de Princess Anne. Ce Mr Moseley était maire de la ville de Norfolk il y a peu encore.

Voilà ce que je peux vous dire de la famille Daingerfield. Quant à la famille de Mr Harrower, je ne sais pas ce qu'elle est devenue. J'avais relevé précieusement la lettre que sa chère épouse avait adressée au colonel et à Mrs Daingerfield, après le décès de son mari. Je vous la recopie bien volontiers. Puisque vous me dites que vos très hautes fonctions vous amènent à voyager beaucoup de par le monde, peut-être aurez-vous la curiosité de vous arrêter un jour à Lerwick dans les Shetland... si ce n'est déjà fait...

Plus le temps passait, plus Mr Harrower rêvait à ses îles, à ses légendes... J'ai écrit un cahier entier de ces histoires qu'il me racontait. Qu'il est doux d'entendre que vous vous rappelez des trolls dont je vous contais les histoires ! Je ne veux pas vous ennuyer mais si vous nous rendez visite un jour, peut-être accepterez-vous que je vous l'offre. C'est à vous qu'il revient et j'aurai été fière d'en être le modeste dépositaire pendant... un demi-siècle. Il en va de même bien entendu d'un petit journal que tenait Mr Harrower et d'un petit livre d'école.

Mon bavardage s'éternise... Il me faut y mettre un terme : voici donc la lettre de Mrs Ann Harrower :

"Monsieur,

"Vos deux lettres datées du 14 Avril 1777 me sont parvenues en avril 1778 et m'ont apporté la triste nouvelle de la mort de mon cher mari, un événement malheureux pour moi-même et mes pauvres enfants, mais c'est la volonté de Dieu et nous devons nous y soumettre. Feu mon cher mari m'avait donné une telle opinion de votre gentillesse à son égard dans les différents courriers qu'il m'avait adressés que je n'ai aucune raison de douter que tous les soins possibles lui furent administrés lors de sa maladie fatale dans votre si accueillante famille ; mais des maladies de ce type laissent la médecine démunie. S'il lui avait été accordé de s'installer quelques temps à l'endroit que vous aviez prévu pour lui, il est probable qu'il lui aurait été possible de faire quelque chose pour sa famille, et je sais bien qu'il n'aurait pas été ingrat envers son bienfaiteur, mais la mort met un terme à tous nos projets de ce côté de la tombe. Vous avez la gentillesse de me dire que vous voulez me remettre soixante-deux livres Sterling, ce que je considère être un acte de générosité de votre part, dans la mesure où je sais bien que feu mon mari ne possédait rien d'autre que ce qui provenait de vous. Le différend malheureux qui subsiste encore entre la Grande-Bretagne et l'Amérique ne permet pas de savoir comment l'argent qui vient d'Amérique peut être acheminé en Grande-Bretagne. Peu après avoir reçu vos deux courriers je vous ai écrit sous le couvert de MM. Anderson & Horseburgh, Marchands à Glasgow, mais je n'ai pas eu de nouvelles depuis et j'en conclus que ma lettre ne vous est pas parvenue ; si, malgré tout, l'argent pouvait d'une manière ou d'une autre, leur être remis, il me parviendrait ; mais comme on me dit qu'il est peut-être plus facile pour vous de me le faire remettre par la Hollande, ou Hambourg, je vous ai envoyé deux lettres aux bons soins de MM. Craufurd & Co., Marchands à Rotterdam, et leur ai conseillé d'envoyer la lettre par deux différents navires en partance pour l'Amérique, dans l'espoir qu'une de ces deux lettres vienne entre vos mains. S'il vous est plus facile de remettre l'argent à cette maison, s'il vous plaît, demandez-leur de le mettre sur le compte de mon frère James Craigie, Marchand à Lerwick, Shetland, ou, si vous passez par Hambourg, à Mr Richard Thornton ; de toutes façons, d'une manière ou d'une autre, il me parviendra. Je vous tiens, Cher Monsieur, ainsi que votre famille, dans la plus haute estime.

Votre Très Dévouée,
A Lerwick, le 24 mai 1780
Ann Harrower.

P.S. : Si cette lettre vient aux mains d'un officier britannique, puissé-je humblement espérer que par compassion pour une pauvre veuve, il la fera suivre comme indiqué."(13)

Belvidera, enfin ? Je n'y suis pas allée depuis des années. Il me semble mieux aimer un souvenir qu'une réalité dont je crains qu'elle se soit affadie. C'est ce que me disait Mr Harrower de sa famille et des Shetland. Je comprends mieux sa leçon aujourd'hui... J'entends dire que Mr Edwin serait criblé de dettes. Quant à sa conduite dissolue, elle alimente la chronique des auberges et il ne tient qu'à son rang que ses méfaits ne soient dans la **Gazette** !

Je ne voulais rien dire de moi. Que dire en effet d'une femme qui a passé près de cinquante-cinq ans en état d'esclavage ? Mais vous me le demandez avec insistance. Tout me sépare de vous. Et tout pourtant nous rapproche. John Harrower, d'abord. L'écriture ensuite... Votre lettre, la mienne... cette histoire du vieux continent et du nouveau monde... de femmes et d'hommes qui font avancer la vie et reculer la mort, qui luttent pour la Liberté et contre la tyrannie... et qui rêvent d'un monde meilleur...

Je mène désormais une vie tranquille à Fredericksburg où je sers une famille de marchands de la ville qui me traite avec beaucoup de gentillesse. Si ce n'était la couleur de ma peau, je suis sûre qu'il oseraient m'appeler "préceptrice" car c'est moi qui apprends à lire, à écrire et à compter à leurs quatre enfants. Et je vous assure, Monsieur, qu'il n'est pour moi pas de plus grand bonheur au monde !

Respectueusement vôtre,

Gant Sarah ("Ganzara")
c/o Mr & Mrs Kennedy Jr.
Fredericksburg, Virginie
U.S.A.

NOTES

(1) "Pourquoi pleurer les amis qui s'en vont,
Ou trembler à l'annonce de la mort ;
Ce n'est que la voix que Jésus envoie
Pour les appeler dans ses bras."
Dans The Journal of John Harrower, edited by Edward M. Riley, Colonial
Williamsburg, Virginia, p. 10

(2) "My absent friends God bless, and those,
my wife and Childreen dear ;
I pray for pardon to my foes,
And for them sheds a tear.
At Epsom here this day I ly,
Repenting my past sins ;
Praying to Jesus for his mercy,
and success to my friends."
Dans The Journal of John Harrower, op. cit. pp.13-14

(3) " Munday 18 TH.
This day I got to London and was like a blind man without a guide, not kno-
wing where to go being freindless and having no more money but fifteen shillings & eight pence farthing a small sum to enter London with ; But I trust in
the mercys of God who is a rich provider (...)"
Dans The Journal of John Harrower, op. cit. p. 14

(4) "Le gin, monstre maudit,
Fait des hommes une proie.
La bière, joyeux produit de notre Ile
ragaillardit le cœur de chacun".

(5) "Thursday 31 ST.
Wind, weather, and cours as before. The sick are now increased to the number
of fifty betwixt decks, besides three in the steerage Vizt. two seamen and a
passanger. There is now a deall of sea weed passing us every day from the Gulf
of Florida."
Dans The Journal of John Harrower, op. cit., p.28

(6) 1st.
In Virginia now I am, at Belvidera settled,
But may they ever mercy find, who hade the cause
that I am from my sweet wife seperated
And Oblidged to leave my Infant Childreen, Fatherless.

2d.
As a schoolmaster, I am here;
And must for four years, remain so;
May I indeavour the Lord to fear,
and always his commands do.

3d.
For in Gods strength I do rely,
that he at his appointed time,
Will bring me back to my family,
if I his precepts do but mind.

4th.
O May my God provide for them,
Who unto me are near and dear;
tho they afar off me are from,
O Jesus keep them in thy fear.

5th.
Do thou enable me to labour,
and my fortune do thou mend;
that what I get by thy favour,
I to my family may send.

6th.
O Lord my God do thou them save
from dangers and from death
and may they food and rayment have
and for the same may thankfull be while they have breath.

7th.
And may we all ever gloryfie thy name
and loud thy praises sing
and unto all make known the fame
of Jehova our almighty King.

8th.
O ever blessed be the Lord,
the King of all the earth is he,
let us exalt his name with one Accord
and thankfull unto him be ye.

Finis.
Dans <u>The Journal of John Harrower</u>, op. cit. pp.42-43.

(7) Un fils sage rend son père heureux, mais un fils sot est un fardeau pour sa mère.

(8) "Si le cœur d'un homme ploie sous les soucis,
Il suffit qu'une femme apparaisse pour que la brume se dissipe".
(...)
"Serre la,
"Caresse la,
"Avec·bonheur,
"Ses baisers
"Nous font fondre de plaisir et nous invitent à un doux repos".

(9) Munday 18 TH
This morning before day light I found the Anthony, Man of War & the Lucy
Friggat of this Place both Moor'd head & stern along side of each other in
Blanket Bay within school cape, this being the second time they have been
Moored in the same harbour. Novr. 11 th. being the first time.
Dans The Journal of John Harrower, op. cit. p. 129

(10) " My deear love and the delite of my life very well remerbur the great sat-
tisfaction we have had in Each others Company but now is grone Stranger to
Each other I understand you are a going to be marrid and I wish you a good
husband with all my hart if you are ingaigd and if not I shuld think my self
happy in making you mistress of my hart and of Evrething Els as I am worth
if you culd have as much good will for me as I have for you we might live I
belive very happy you may depend on my Cincerety If you think fit to Except
of my offer I will make you my lawfull wife as sone as posoble if not I hope no
harme don tho I can nevor forgit your preshus lips as I have Cist so offten and
am very desiours to make them my one my Cind love and best respct to you
my dove; this from your poor but faithfull lover till death PS pray let me no
by the barer wheathar it is worth my while to put mysilf to the truble to com
& see you ou not.
Aadressed To Mrs. Lewse Gains".
Dans The Journal of John Harrower, op. cit. p.118

(11) Wednesday 10 TH.
(...) hea(r)d a great many Guns fired towards Toun. About 12 pm the Colo.
Despatc(h)ed Anthy. Frazer there to see what was the cause of (it?) who retur-
ned, and informed him that there was great rejoicings in Toun on Accott. of
the Congress having declared the 13 United Colonys of North America
Independent of the Crown of great Britain.

Thursday 11 TH.
Nothing remarcable.
dans The Journal of John Harrower, op. cit. p.158

(12) "Si l'été prenait la place du printemps ou le contraire,
Alors le monde entier serait à l'envers".

(13) William Dangerfield Esqr.

Sir

Your two letters of the 14 th. april 1777 Came to my hand in April 1778 and brought me the melancholy account of my dear Husbands death, an unhappy Event for me and my poor Children, but it is the will of God and we must submitt. My late dear husband in his different letters to me had given me such an oppinion of your kind dispositions to him, as gives me no reason to doubt but that all possible Care has been taken of him in his last illness in your Hospitable Family, but diseases of that kind baffles all the power of medicine. Had he been spaired to have been settled any time in the place you had appointed for him, he might no doubt been in a way of doing something for his family, and I well know that he would not have been ungrateful to his Benifactor, but death puts an End to all our prospects on this side the grave. You are pleased to tell me in your letter that you want to remitt me Seventy pound Sterling, which I Consider as an act of your generosity as I know my late husband had not any thing but what came from you. The unhappy difference that still subsists betwixt Great Brittan and America makes if difficult to advise how money from America is to be remitted to Brittan. Soon after the receipt of your two letters I wrote you — under cover to Messrs. Anderson & Horseburgh Merchants in Glasgow — but have not heard from them since, and Conclude my letter has not Come to your hand; Could the money any how been remitted to them it would Come safe to my hands; but as I am told that it may be more Convenient for you to have it remitted by way of holland, or Hamburgh, I have sent you two letters under cover to Messrs. Craufurd & Co. Merchants in Rotterdam and advised them to send the letter by two different ships bound for America, in hopes one of the letters may come to your hands. If you find it convenient to remitt the money to that house please advise them to put it to the Acctt. of my Brother James Cragie merchant in Lerwick Zetland, or if to Hamburgh to Mr. Richard Thornton, if to Either of hose hoses it will Come (safe) to my hand. I am with the highest regard for you and (fa)mily Dear Sir.

(Yo)ur most aff. & ob(edient) Servt.

Lerwick 24 TH May, 1780.

(A)nn Harrower

(P.S.)

If this letter Comes to the hands of any British Officer it is humbly hoped that in Compation to a poor Widdow He will forward it as directed.

Lettre de Ann Harrower. Publiée avec la permission de :
Archives Division,
Virginia State Library, Richmond (VIRGINIE),
déjà publiée dans The Journal of John Harrower, op. cit. pp.164-165.

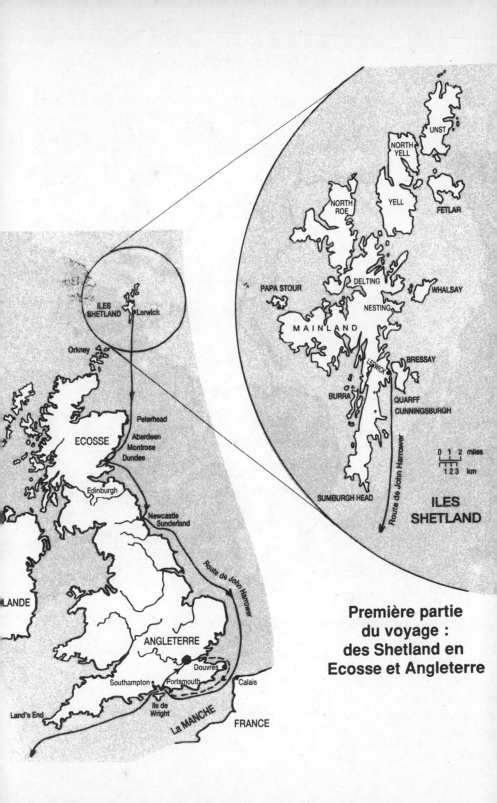

ILES
SHETLAND

UNST

NORTH
YELL

YELL

FETLAR

NORTH
ROE

DELTING

WHALSAY

PAPA STOUR

NESTING

MAINLAND

BRESSAY

LERWICK

BURRA

QUARFF

CUNNINGSBURGH

0 1 2 miles

1 2 3 km

SUMBURGH HEAD

Route de John Harrower

ILES
SHETLAND

ILES
SHETLAND

Lerwick

Orkney

Peterhead

ECOSSE

Aberdeen
Montrose
Dundee

Edinburgh

Newcastle
Sunderland

Route de John Harrower

ANGLETERRE

Douvres

Southampton

Portsmouth

Calais

Land's End

Île de
Wright

La MANCHE

FRANCE

IRLANDE

**Première partie
du voyage :
des Shetland en
Ecosse et Angleterre**

247

AMÉRIQUE

VIRGINIE

Boston
New-York
Philadelphie
Cap Henry

Charleston

Mississippi

FLORIDE

OCÉAN

ATLANTIQU

GOLFE
DU MEXIQUE

BAHAMAS

San Salvador

Route du Planter

MER DES CARAÏBES

BARBAD

ARRIVÉE du
PLANTER
en AMÉRIQUE

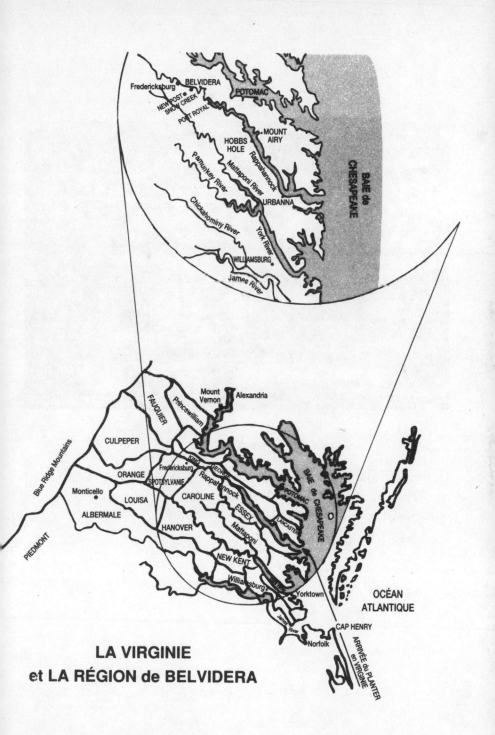

Fredericksburg
BELVIDERA
NEW POST
SNOW CREEK
POTOMAC
PORT ROYAL
MOUNT
AIRY
HOBBS
HOLE
Rappahannock
Mattaponi River
BAIE de
CHESAPEAKE
Pamunkey River
URBANNA
Chickahominy River
York River
WILLIAMSBURG
James River

Mount
Vernon
Alexandria
FAUQUIER
Princewilliam
CULPEPER
Blue Ridge Mountains
KING
GEORGE
Fredericksburg
ORANGE
SPOTSYLVANIE
Rappahannock
BAIE de CHESAPEAKE
Monticello
CAROLINE
POTOMAC
LOUISA
ESSEX
ALBERMALE
LANCASTER
HANOVER
Mattaponi
PIEDMONT
NEW KENT
Williamsburg
OCÉAN
ATLANTIQUE
Yorktown
James River
CAP HENRY
Norfolk
ARRIVÉE du PLANTER en VIRGINIE

**LA VIRGINIE
et LA RÉGION de BELVIDERA**

BELVIDERA AUJOURD'HUI

La Grande Maison et l'allée qui longe le Rappahannock, à droite en contrebas. L'école de John Harrower n'a pas résisté à l'épreuve des temps ; elle se trouvait un peu plus loin à droite de l'allée.

Aubin Imprimeur
LIGUGÉ, POITIERS

Reproduit et achevé d'imprimer en janvier 1996
N° d'édition 038/96 / N° d'impression L 50788
Dépôt légal février 1996
Imprimé en France

ISBN 2-7434-0529-5